# CÓMO CRIAR
# UNA FAMILIA CELESTIAL

# CÓMO CRIAR UNA FAMILIA CELESTIAL

GENE R. COOK

DESERET
BOOK

Salt Lake City, Utah, E.U.A.

*A todos los padres fieles*
*que se esfuerzan de todo corazón*
*por criar a sus familias de una manera celestial*

Originalmente publicado bojo el titulo de *Raising Up A Family to the Lord*,
© 1993 Gene R. Cook

Deseret Book constituye una marca registrada de Deseret Book Company.
Traducción al español: Canals & Associates, Inc.

Library of Congress Catalog Card No. 00 133375

ISBN-10  0-87579-981-7
ISBN-13  978-0-87579-981-0

Impreso en Paraguai
R. R. Donnelley and Sons
15  14  13

# RESEÑA DEL CONTENIDO

# HIJOS DE LA NOBLE HERENCIA

Al considerar el significado de criar una familia celestial debemos hacernos unas cuantas preguntas: ¿Quién es esta generación a la que estamos intentado criar de manera celestial? ¿Son ellos realmente los hijos de la noble herencia? ¿Qué parte del plan representarán en ésta, la última dispensación del cumplimiento de los tiempos? Permítame ilustrar en parte la respuesta a esas preguntas con algo que le aconteció a nuestra familia hace unos años.

Uno de nuestros hijos mayores trabajaba en un cementerio, y mis hijos más jóvenes y yo solíamos ir allí al anochecer para asustarlo. Quizás no fuese algo que debiamos hacer, pero a todos nos gustaba, incluido el hijo que trabajaba allí. Una vez, mientras bromeábamos durante la cena, le dije: "Hijo, si tienes algo de tiempo libre, ¿por qué no cavas una buena tumba para tu padre? Que tenga unos dos metros de largo por dos de profundidad. Quizás debas poner ya manos a la obra". Otro de mis hijos comentó: "Sí, haz una para mí también. Cuando me llegue la hora de volver a casa, estaré listo". Todos nos reímos.

Sin embargo, otro hijo añadió muy serio: "Bueno, no tendrás que hacer una para mí".

"¿Por qué no?", le preguntamos.

"Porque no me voy a morir".

Todos nos reímos y dijimos: "Claro que te vas a morir. Todo el mundo se va a morir; nadie se libra de la muerte".

Él dijo: "Bueno, no cuento con morirme".

Me di cuenta de que hablaba en serio, por lo que intenté averiguar un poco más. "¿Qué quieres decir?", le pregunté.

"Tras oír la bendición patriarcal de mi amigo, así como otras cosas, espero estar aquí cuando wando venga el Salvador", contestó. "Espero ser arrebatado y cambiado en un abrir y cerrar de ojos, por lo que no voy a necesitar ninguna tumba en el cementerio".

Podía verse que hablaba en serio y, ¿quiénes éramos nosotros para llevarle la contraria? Quizás lo que él dijo llegue a pasar. Se trataba de un pensamiento serio que me hizo recordar la inspirada pregunta: "¿Quién es esta generación que estamos criando de manera celestial?".

Unos días más tarde, mi esposa y yo nos quedamos muy pensativos al ver que nuestro hijo de seis años llegaba a casa con una camiseta que le habían dado en la escuela. En la parte delantera de aquella bonita camiseta verde se leía: *La Clase del 2000*. Nos quedamos bastante sorprendidos al pensar que uno de nuestros hijos se graduaría en ese año. Nadie sabe cuándo vendrá el Señor, a excepción de nuestro Padre Celestial; pero lo cierto es que ese momento está cada vez más cerca. Bien pudiera ser que esta generación que estamos intentando criar de manera celestial sea la generación que le reciba cuando Él venga. De cualquier modo, debemos dar lo mejor de nosotros mismos al prepararla para Su recibimiento, tanto en esta vida como en la venidera.

# RECONOCIMIENTOS

¡Qué gran bendición es haber sido criado en una buena familia con padres, hermanos y una hermana que me enseñaron tanto sobre la buena vida familiar! Tengo una gran deuda con mi buena esposa e hijos, por su paciencia conmigo como esposo y padre, y por permitirme aprender mientras servía a mi propia familia. La mayor parte de lo que he aprendido sobre cómo criar familias celestiales ciertamente procede del Señor mismo a través de estos espíritus maravillosos que Él ha confiado a nuestro cuidado.

Expreso un aprecio particular por mi esposa e hijos, los cuales me ayudaron a organizar los pasajes de las Escrituras, los relatos y los diversos materiales para este libro, y quienes también ayudaron en la edición del manuscrito. Mi nuera, Ashlee Ethington Cook, realizó las ilustraciones, por lo cual me siento agradecido. Me gustaría dar las gracias a Kristine Buchanan, Deon Saunders, Rebecca Day y Christa Whitaker, quienes realizaron gran parte del mecanografiado y de la edición del manuscrito. Gracias también a Jack M. Lyon, Editor Ejecutivo de Deseret Book Company, quien editó el manuscrito y ayudó enormemente en su compilación.

Quisiera expresar de un modo especial mi más profunda gratitud al Señor por Su guía en nuestros intentos de criar una familia celestial y por la inspiración que hemos recibido en la creación de este libro.

Finalmente, quisiera decir que este libro de ninguna manera constituye una publicación oficial de La Iglesia de Jesucristo de los Santos de los Últimos Días, por lo que cualquier error, omisión o deficiencia es responsabilidad mía. Que el Señor bendiga a todos los que lean este documento, para que puedan criar mejor a sus familias de una manera celestial.

# CÓMO CRIAR UNA FAMILIA CELESTIAL

Hace un par de años, mientras viajaba hacia una conferencia de estaca, iba sentado al lado de una pareja mayor. Ambos eran miembros fieles de la Iglesia. Tras hablar un poco sobre el Evangelio, la mujer comenzó a abrir su corazón respecto a sus seis hijos. Sentía que tanto su esposo como ella habían tenido bastante éxito con cuatro de ellos, pero los otros dos se habían apartado por completo de la Iglesia, llegando a rebelarse contra todo lo que era bueno.

En medio de un mar de lágrimas, me dijo: "¿Qué hicimos mal? Ellos participaron en los programas de los Hombres Jóvenes y las Mujeres Jóvenes, en los Boy Scouts y en todas las actividades que proporcionaba la Iglesia. Nos aseguramos de que fueran activos, creyendo que eso los mantendría en el camino correcto.

"También creíamos que si cumplíamos con todos nuestros llamamientos en la Iglesia, lo cual hicimos, nuestros hijos serían bendecidos y protegidos. Ahora estamos desconcertados, no sabemos qué podríamos haber hecho de manera diferente".

Aquella buena mujer casi me suplicó que le explicase a ella y a su esposo lo que habían hecho mal, o que les dijese si se habían equivocado al depositar su fe en los "programas" de la Iglesia. Tenía roto el corazón y buscaba desesperadamente una respuesta. Me expresó también su gran preocupación por la generación venidera y por lo que deberían hacer para influir en sus hijos y nietos activos. Con todo, la conversación con aquella mujer y con su esposo fue muy emotiva y angustiosa.

Al escuchar a ese buen matrimonio, me compadecí de ellos por lo que le había pasado a su familia. Mi corazón estaba compenetrado con su angustia y quería ayudarles de alguna manera. Desde aquel día he pensado muchas veces en las difíciles preguntas que me hicieron. Por ejemplo: "Si uno cumple con su parte, ¿cuidará el Señor de nuestra familia?". "Si uno magnifica fielmente sus llamamientos, ¿hasta dónde le ayudará el Señor con la familia y se encargará del resto?". "¿Qué influencia podemos tener en nuestros hijos y nietos cuando no viven bajo nuestro mismo techo?".

¿Es algo natural el que algunos hijos se rebelen? Después de todo, un tercio de las huestes celestiales lo hicieron, así como también algunos de los hijos de Adán y de Lehi. ¿Qué podemos hacer para asegurarnos, hasta cierto grado, de que ninguno de nuestros hijos se pierda ni se rebele? ¿Por qué las cosas parecen ir tan bien en algunas familias, mientras que otras parecen tener todo tipo de dificultades? ¿Por qué en algunas familias parte de los hijos parecen salir buenos mientras que con los otros, por lo menos momentáneamente, no es así? ¿Por qué los hijos se rebelan? ¿Son los hijos, al principio, totalmente buenos, santos y puros? La responsabilidad por la rebelión, ¿descansa en los padres, en los hijos, o en todos?

Los profetas han dado esperanza y consejos específicos a tales preguntas como las que hizo aquel buen matrimonio. El élder Boyd K. Packer ha dicho: "Es un gran desafío criar a una familia en los vapores de tinieblas de nuestro ambiente moral" ("Nuestro ambiente moral", *Liahona*, julio de 1992, pág. 75). El presidente Harold B. Lee dijo: "Hacemos hincapié en que la obra más grande que pueden llevar a cabo, se halla dentro de las paredes de su propio hogar" (*Ensign*, julio de 1973, pág. 98). El presidente David O. McKay dijo: "Ningún éxito en la vida puede compensar el fracaso en el hogar" (*Improvement Era*, junio de 1964, pág. 445).

Sin embargo, la medida de nuestro éxito como padres no descansa únicamente en cómo se desenvuelven nuestros hijos. Esta manera de juzgar sería apropiada si pudiéramos criar a nuestra familia en un ambiente moral perfecto, lo cual, de momento, no es posible. Y aún si lo fuera, nuestros hijos todavía tendrían el albedrío para escoger por sí mismos. ¿Acaso la tercera parte perdida de las huestes celestiales no fue criada en nuestro hogar celestial?

A veces hasta los padres buenos y responsables pierden a sus hijos ante influencias sobre las cuales no tienen control. Sufren muchísimo por sus hijos o hijas rebeldes; están llenos de estupor por el sentimiento que tienen de impotencia cuando se han esforzado tanto por hacer lo que era su deber. Creo firmemente que llegará el día en que todas esas influencias malignas serán anuladas.

El élder Orson F. Whitney, miembro del Quórum de los Doce, dijo una vez:

> El profeta José Smith declaró, y nunca enseñó una doctrina más consoladora, que los sellamientos de los padres fieles y las promesas divinas que les fueron hechas por su valiente servicio en la causa de la verdad, no sólo les salvarán a ellos, sino también a su posteridad. Aunque algunas ovejas se pierdan, el ojo del Pastor está sobre ellas, y tarde o temprano sentirán los brazos de la Divina Providencia extendiéndose para traerlas de regreso al rebaño. Ellas volverán, bien en esta vida o en la venidera. Tendrán que pagar su deuda con la justicia, sufrirán por sus pecados, y puede que anden por senderos tortuosos; pero si ello finalmente los conduce al hogar y al corazón de un padre amoroso y misericordioso, al igual que el penitente hijo pródigo, la dolorosa experiencia no habrá sido en vano. Oren por sus hijos desobedientes e imprudentes; aférrense a ellos con su fe. Tengan esperanza, confíen hasta poder ver la salvación de Dios (*Conference Report*, abril de 1929, pág. 110).

Esta promesa nos llena de esperanza a todos. El propósito real de este libro es intentar describir cuál es el papel de los padres, así como todo lo que pueden hacer para ser lo más fieles posible y de este modo ayudar en la redención de sus hijos, particularmente de aquéllos que se están alejando. Así que este libro intentará abordar algunas de las duras realidades, tales como:

• ¿Qué puede hacer cuando su hijo no quiere orar?

• ¿Son todas las oraciones familiares espirituales o, a veces, son algo rutinarias y puede que en ocasiones lleguen a ser graciosas?

• ¿Qué puede esperar de la noche de hogar?

• ¿Cómo se atienden los problemas difíciles cuando los hijos no quieren leer las Escrituras en familia?

• ¿Levanta a sus hijos para leer las Escrituras por la mañana, o las leen por la noche?

• ¿Qué hacer para evitar que sus hijos se rebelen contra lo bueno?

• ¿Cómo trata a los hijos que no quieren tener un empleo cuando son adolescentes?

• ¿Qué hacer con un hijo que tal vez quiera tener un amigo no deseable?

• ¿Cómo enseña a sus hijos a ser autosuficientes?

• ¿Qué tipos de actividades familiares contribuyen al desarrollo de la madurez espiritual?

• ¿Cómo emplea la disciplina?

• ¿Son necesarias las reglas familiares?

• ¿Cuán importante es el contenido de las oraciones familiares?

• ¿Qué puede hacer para que las experiencias rutinarias lleguen a ser espirituales?

Rindo honores a todos los padres de Sión; a los padres activos y a quienes no lo son, a las familias en las que no todos son miembros de la Iglesia y a los padres que tienen que criar a su familia sin su cónyuge, pues éste es uno de los desafíos más grandes de la vida.

Tras mi misión solía pensar: "Si consigo casarme, todos mis problemas desaparecerán". ¡Cuán ingenuo era! Desconocía por completo las dificultades naturales que acompañan al matrimonio y a la llegada de los hijos. Repito mi reconocimiento a las familias de la Iglesia por las dificultades a las que hacen frente y por las incontables decisiones que deben tomar al guiar fielmente a sus hijos a hacer lo correcto.

## UN APUNTE SOBRE EL MATRIMONIO
## Y LOS PADRES SIN CÓNYUGE

Debido a su diseño, este libro se centra en la relación existente entre padres e hijos. Fue a propósito que he escrito sobre la relación entre marido y mujer; sin embargo, al destacar la relación entre padres e hijos, he dado por sentado que el trato entre marido y mujer es saludable, viable y fuerte.

Admito que muchos hogares sólo tienen uno de los padres, pero estoy convencido de que también ellos pueden emplear las prácticas descritas en este libro y tener éxito, aunque pueda resultar más difícil que si ambos padres estuvieran juntos. A veces una familia tiene solamente uno de los padres por causa de muerte o de divorcio. A veces sólo uno de los padres es miembro de la Iglesia. Otras veces uno de ellos no está del todo activo. Pero, de todos modos, un padre motivado espiritualmente puede tener éxito al criar una familia celestial. Algunos de los mejores hombres y mujeres que he conocido procedían de este tipo de familias. Que el Señor bendiga siempre a esos buenos padres y madres que quizás crean que tienen que hacerlo todo "ellos solos", pero que en realidad educan a sus hijos bajo la dirección del Señor.

En las familias con ambos padres, el esposo y la esposa deben recordar siempre que la relación entre ellos es más importante que la relación que existe entre padres e hijos. Con el tiempo, los hijos crecerán y tendrán sus propios hogares y familias, y el lazo que les unirá a sus propios hijos será probablemente más fuerte que el que les une a sus padres. Mas los cónyuges siempre estarán juntos, y si son fieles, su matrimonio será eterno.

De este modo, desde el momento en que un hombre y una mujer se casan, ambos deben continuar fortaleciendo su relación. Deben tener especial cuidado durante los años en que tienen hijos que viven en casa, y aún después de que éstos se vayan. Con frecuencia, el esposo se va para el trabajo mientras que la esposa es la encargada de tratar con los problemas de los hijos, y hasta con los estudios o el empleo, aún después de que los hijos no vivan ya con ellos. Las parejas deben tener cuidado de no dedicar demasiado tiempo a sus hijos, al trabajo y a otras actividades que impliquen perder contacto el uno con el otro. Después de que los hijos se van, algunos padres se sientan y quedan mirándose el uno al otro, sin saber qué hacer. Muchos matrimonios se disuelven después de que los hijos se fueron, porque los cónyuges ya no tienen interés el uno en el otro; se van distanciando con el transcurso de los años. Por tanto a medida que los padres crían a sus hijos, también deben dedicarse un tiempo el uno al otro.

El propósito de este libro es ayudar a los padres, sin importar cual sca su estado civil, a criar a sus hijos de manera celestial. Al hacerlo, he intentado enseñar principios verdaderos y luego proporcionar gran cantidad de relatos, ilustraciones y ejemplos, para que dichos principios puedan ser fácilmente comprendidos y aplicados por cualquier persona. Espero, y es mi oración, que este esfuerzo ayude a miles de padres a criar mejor a sus hijos de una manera celestial.

## LAS DIFICULTADES DE LA FAMILIA TRADICIONAL

Para destacar las dificultades diarias a las que se enfrentan las familias, permítame enumerar algunas de las que tuvimos con nuestros ocho hijos en un periodo de dos semanas, una especie de "foto instantánea" de su vida:

*Ex misionero, 21 años:* ¿Cómo puede encontrar esposa? ¿Debiera matricularse en la universidad? ¿Tendrá notas lo suficientemente buenas? ¿Tendrá que trabajar mientras va a la universidad? ¿Será capaz de encontrar empleo? ¿Cómo puede ejercer su fe para encontrar trabajo cuando "no hay ninguno"? ¿Cómo pucde vivir mientras no tenga dinero propio? ¿Qué ayuda financiera debe esperar de sus padres? ¿Cómo pueden ayudarle sus padres y al mismo tiempo permitirle ser autosuficiente? ¿Debe comprarse un coche? Y si se compra uno, ¿debe pagarlo al contado o a crédito? ¿Deben salirle sus padres de garantía o no responder por él? ¿Cómo se adapta a la vida cuando ha vivido en un ambiente protector y ahora tiene que volver "al mundo"?

*Joven misionero, 19 años:* ¿Quién financia su misión? Si sus padres la financian, ¿cómo se las arreglan a fin de mes? ¿Quién le escribe semana tras semana? ¿La familia se turna para hacerlo, o la mayoría del peso recae sobre una sola persona? ¿Cómo podemos fortalecerle cuando está desanimado? ¿Qué principios debemos intentar enseñarle a través de nuestras cartas? ¿Cómo podemos ser más eficaces al orar por él y por sus investigadores? ¿Cuál es la mejor manera de hacerle llegar nuestro amor? ¿Cómo le ayudamos cuando su compañero está desanimado o no quiere cooperar? ¿Cómo podemos hablarle de las cosas de casa sin hacerle sentir nostalgia? ¿Cómo tratamos a su novia, a quien le gusta visitarnos con frecuencia?

*Muchacho, 18 años:* ¡Muchachas, muchachas, muchachas ¡Los padres lo levantan temprano para ir a trabajar o se levanta él cuando le apetece? Problemas con los amigos, dificultades con las amigas. ¿Quién decide hora a la que vuelve a casa después de una cita? ¿Cuántas citas debe tener? ¿Con qué tipo de chica debe salir? ¿Quién decide su hora de acostarse y de levantarse? ¿Cómo acordamos el compartir y utilizar el coche? ¿Quién le pone gasolina al coche? ¿Quién paga la gasolina? ¿Cuánto tiempo debe pasar con la familia? ¿Y con los amigos? ¿De qué manera le permitimos "echarse a volar" sin que nos tumbe todo el nido? ¿Cuánto dinero debe ahorrar? ¿Cuánto debe gastar? ¿Paga sus diezmos puntualmente? ¿Cuánto debe ahorrar para su misión? ¿Cuánto tiempo debe estudiar? ¿Cuánto tiempo debe dedicarle a la diversión? ¿A cuántos juegos deportivos debe ir? ¿Cuántos puede ver por televisión? ¿Cómo podemos ayudarle a tener más iniciativa?

*Muchacha, 16 años:* ¡Muchachos, muchachos, muchachos! ¿Quién decide las pautas para la ropa? ¿Cuán corto resulta excesivo? ¿Cuán elegante es demasiado ostentoso? ¿Pesa demasiado? ¿Pesa demasiado poco? ¿Cómo puede contrarrestar la influencia de las amigas? ¿Debe ir al baile? ¿Le pedirán que vaya? ¿Con qué frecuencia puede usar el coche? ¿A dónde puede ir? ¿Debe echarle ella gasolina al coche? ¿Come adecuadamente, o come demasiadas cosas sin valor nutritivo? ¿Ayuna demasiado o no lo hace lo suficiente? Clases de piano. Clases de flauta. ¿Quién fija las normas para ver la televisión, especialmente aquellos programas un tanto cuestionables pero que "todos los compañeros del colegio los ven"? ¿Quién maneja los altibajos de sus emociones? ¿Quién se encarga de abordar el delicado tema de la lealtad a las amigas y la lealtad a la familia? ¿De qué manera asume la presión de un llamamiento en la Iglesia? ¿Cómo puede ayudar a una amiga con problemas? ¿Cómo hace frente a los sentimientos heridos? ¿Quién irá con ella a la piscina, a la obra de teatro del colegio, o a la actuación del coro? ¿Quién le da las tan necesarias bendiciones del sacerdocio? ¿Quién tiene con ella las largas conversaciones que se alargan hasta bien entrada la noche? ¿Quién le ayuda a edificar su autoestima?

*Jovencita, 13 años:* ¡Llamadas telefónicas, llamadas telefónicas, llamadas telefónicas! ¿Cómo podemos tener paciencia para contestar al teléfono (otra vez) cuando sabemos que la llamada será para ella? ¿Quién le hace frente a la montaña rusa emocional de la pubertad? ¿Quién se encarga de hablarle sobre el ejercicio y el peso? ¿Qué hacemos con las clases de piano y de flauta? ¿Cómo puede ella manejarse con los desafíos de las notas y las tareas escolares? ¡Amigos, amigos, amigos! Si necesita ir a la tienda, al colegio o a diversas actividades, ¿quién la llevará?

Ya que ella es demasiado joven para tener un trabajo, ¿cómo puede ganar dinero? ¿Cuánto debe gastar? ¿Cuánto debe ahorrar? ¿Qué pasa si sus necesidades económicas son mayores de lo que la familia puede proporcionar? ¿Qué películas puede ver? ¿Qué videos? ¿Cuántos, con qué frecuencia y con quién? ¿Qué tipo de música puede escuchar? ¿Puede tener un pasacasete? ¿Qué emisoras de radio le están permitidas? ¿Cómo puede hacerse cargo de los problemas que tal vez tenga con un profesor? ¿Puede llevar pendientes grandes, pequeños, o no puede llevarlos de ningún tipo? ¿Puede ponerse maquillaje? ¿Cuánto? ¿Quién lo decide? ¿Con qué frecuencia puede cuidar niños? ¿Qué pasa si accedió a cuidar niños pero ahora no quiere hacerlo? ¿Cómo administrará las docenas de actividades escolares, obras de teatro, conciertos, actividades de la Iglesia, etc.?

*Chico, 11 años:* ¡Amigos, amigos, amigos! Despiertan los sentimientos por una amiga especial. Las puertas quedan sin cerrar, la cama sin hacer, el cuarto está desordenado, tiene que lavarse la cara, peinarse el cabello, guardar las camisetas, atarse las zapatillas deportivas; necesita ser amable con las chicas. "Estoy aburrido". ¿Es bueno para las matemáticas? ¿Quién se asegura de ello? ¿Quién le toma la lección? Clases de piano. Asignaciones de lectura. ¿Quién le ayuda con las ciencias? ¿Y con el idioma? ¿Damos por sentado que su caligrafía no tiene arreglo? ¿Qué puede cocinar? Se centra principalmente en los bizcochos de chocolate, las galletitas, los pasteles y las tartas; pero, ¿con qué frecuencia son demasiados? ¿Quién le ayuda a vender galletitas a los vecinos? ¿Quién decide qué programas de televisión son apropiados? ¿Quién distribuye las tareas domésticas? ¿Quién jugará al ajedrez y a las damas con él? ¿Quién irá a pasear con él? ¿Quién se asegurará de que escriba en su diario personal y de que lea las Escrituras? ¿Quién lo llevará de compras? ¿Quién verá que se acueste a una hora prudente?

*Niño, 7 años:* ¿Quién le ayudará con la práctica de lectura, con la caligrafía y con la aritmética? ¿Quién le ayuda a limpiar su cuarto? ¿Qué hacemos con los pijamas olvidados en el cuarto de baño, con las sábanas tiradas por el suelo, con las zapatillas deportivas sobre la almohada, la goma de mascar en el cabezal de la cama y las canicas en la ducha? ¿Hay que darle de comer al perro? "No me toca a mí". "Las tareas son para las niñas". "Las tareas de casa son especialmente para las niñas". "Las niñas son tontas". ¿Quién le enseña a limpiar la cocina? ¿Quién lo llevará a la tienda, a la escuela y a las actividades? Hay barro en la alfombra; juguetes en el garaje; una bicicleta a la entrada de casa. Clavícula rota por haberse caído de un árbol. Oraciones breves. Muy poco de limpio y ordenado; muy desorganizado. ¿Cómo podemos ser más amorosos y tolerantes?

*Niña, 4 años:* ¡Amor, amor, amor! ¡Juegos, juegos, juegos! Quiere estar con niños mayores, pero se queda fuera de la mayoría de los juegos porque: "Es demasiado pequeña". Se entromete en conversaciones para dar su parecer. Hora de irse a la cama; hora de levantarse. Hora de aprender el abecedario, de dibujar, de escribir el alfabeto. Problemas con los amigos. Problemas por no tener amigos. "Mami, ¿puedo ir a jugar?". "¿Puede Fulanita venir a casa?". "Adivina, adivina". Excitación por las llamadas telefónicas. Cara sucia, cabello despeinado. Olvidó cepillarse los dientes. Aprender a limpiar la casa. ¡Hablar, hablar y hablar! "Mami, ¿qué puedo hacer?". "¿Tengo que hacerlo?". "Cuéntame un cuento más". "Olvidaste venir y orar conmigo".

El ver esta breve foto instantánea de la típica vida familiar debe hacernos rendir humildemente un tributo a todos los padres, especialmente a aquéllos que responden de manera dedicada a las necesidades de sus hijos. Los padres de toda la Iglesia hacen frente a este tipo de dificultades durante cada día de la vida. Aun cuando muchas de las responsabilidades son de los hijos, ¿quién tiene que enseñarles para que las acepten? Los buenos de mamá y papá. Las numerosas decisiones que hay que tomar, el buen juicio que se requiere, la sensibilidad, el amor, la inspiración, la diligencia y el trabajo duro necesarios para criar a los hijos están más allá de la habilidad explicativa de cualquiera. Aun después de que los hijos tengan su propia vida, las responsabilidades de los padres todavía no han terminado. En vez de eso, aumentan a medida que éstos se casan y empiezan a criar sus propios hijos.

## CÓMO CRIAR UNA FAMILIA CON EL ESPÍRITU DEL SEÑOR

Le testifico que los padres no pueden criar a sus hijos de manera adecuada sin la guía del Señor. El desafío es demasiado grande y las consecuencias son eternas.

El presidente Ezra Taft Benson solía decir que su meta era "no tener sillas vacías" en el cielo. Él quería que cada miembro de su familia estuviera allí. Su consejo fue:

> Hagan que sea la meta de la familia el estar todos juntos en el reino celestial. Luchen porque su hogar sea un pedacito de cielo en la tierra, para que después que esta vida termine, puedan decir:
>
> > ¡Aquí estamos!
> > Papá, mamá y hermanos;
> > Quienes con amor nos tratamos.
> > Cada silla está ocupada,
> > Pues todos estamos en casa
> > Somos todos y aquí estamos.
> > (Liahona, enero de 1982).

¿No es ése el objetivo de todo buen padre? ¿No era éste el interés de la pareja con la que hablé en el avión? No hay familias perfectas, sin problemas, ni que lo tengan "todo en común". Parte del propósito de la vida es aprender cómo criar una familia ante las dificultades y las pruebas de la mortalidad.

El presidente Spencer W. Kimball, al dar consuelo a aquéllos que habían visto a sus hijos ser arrebatados por la falta de fe, se refirió al proverbio: "Instruye al niño en su

camino, y aun cuando fuere viejo no se apartará de él"
(Proverbios 22:6). Y dijo: "Como profeta, quizás pudiera
decir que este pasaje bien podría entenderse como: 'Instruye
al niño en su camino, y aun cuando fuere viejo, regresará a
él' ". Por encima de todo, los padres nunca deben perder la
esperanza, pues *hay* ciertas cosas, muchas de las cuales se
abordarán en este libro, que puede usted hacer para traer de
vuelta a aquellos miembros de su familia que se hayan apartado del camino.

Este libro no fue escrito con la intención de proporcionar
un tratado académico sobre cómo criar familias. En él usted
hallará muy poca teoría, ninguna palabra altisonante, conceptos floridos ni planes hermosamente trazados. En su
lugar, he intentado hacer hincapié en las crudas realidades
de criar una familia desde el punto de vista de un padre, una
madre y los hijos. Para ello he empleado numerosas experiencias y ejemplos con el fin de ilustrar elementos clave
sobre cómo ayudar a los niños a orar, a leer las Escrituras, a
tener fe y arrepentirse. He intentado mostrar el impacto del
amor, la disciplina, el trabajo y el Espíritu del Señor en una
familia. Me disculpo por el hecho de que todos los ejemplos
sean personales, de nuestra familia o de personas cercanas a
nosotros, pero no conozco otra manera de escribir un libro
sin estos relatos. A medida que lea estas experiencias y
ejemplos, intente hacer a un lado a las personas y observe
los principios que al aplicarlos nos dieron éxito o que, por
motivo de nuestras debilidades, hicieron que no algo saliese
tan bien.

Aunque los principios de cómo criar una familia celestial nunca cambian, la personalidad de cada padre, madre e
hijo es única, y también lo será la manera en que los apliquen. Por este motivo, nunca debemos criticarnos unos a
otros nuestra habilidad para ser padres. Las situaciones y las
circunstancias varían ampliamente de una familia a otra y
sólo el Señor, en Su gran sabiduría, puede ofrecer un juicio
apropiado. Tengo el sentimiento de que aún así, la mayoría
de los juicios serán nuestros, al tener una visión más clara

de lo que hemos y no hemos hecho al criar a nuestra familia.

Aquéllos que sientan que tienen todas las respuestas sobre cómo criar una familia, quizás todavía tengan mucho que aprender. La idea misma de algo tan difícil hará que todo buen padre se sienta humilde, proporcionándole más preguntas que respuestas. Por otro lado, al criar una familia, especialmente una familia numerosa, los padres aprenden mucho, y pueden ayudar a otras personas al compartir los principios que hayan aprendido. Ése es el propósito de este libro.

Si pusiésemos en práctica el consejo del Señor de manera más directa, recibiríamos una mayor cantidad de los frutos que deseamos para criar una familia. Alma lo expresó de manera muy hermosa: "Hijo mío, confío en que tendré gran gozo en ti, por tu firmeza y tu fidelidad para con Dios... Te digo, hijo mío, que ya he tenido gran gozo en ti por razón de tu fidelidad" (Alma 38:2–3). También Juan lo dijo: "No tengo mayor gozo que éste, el oír que mis hijos andan en la verdad" (3 Juan 1:4).

## EL MATRIMONIO Y LOS INTENTOS DE TENER UNA FAMILIA

Permítame compartir una experiencia que nos enseñó a confiar más en el Señor, aun en medio de pruebas y dificultades. Puede que este ejemplo nos lleve al comienzo mismo, antes de que los niños vinieran a una familia en esta tierra.

Tras mi misión, tenía un gran deseo de casarme. Parte de ese sentimiento procedía de una señorita que me había esperado durante dos años y medio; pero lo más importante era que yo había estudiado las Escrituras lo suficiente como para conocer, en cierta medida, el gran valor de casarse y tener una familia.

Cuando volví a casa, las cosas no salieron bien con aquella joven que me había esperado. Sin embargo, siete meses más tarde me casé con Janelle Schlink en el Templo de Mesa, Arizona. Ambos teníamos grandes deseos de tener una familia y nos deleitamos en que por fin hubiera llegado el momento de poder hacerlo. Nuestros amigos empezaban a tener sus propias familias, un hijo aquí, una hija allá. Pasaron nueve meses, un año, año y medio, dos años de espera, y los niños seguían sin venir.

Durante esos años le di dos o tres bendiciones del sacerdocio a mi esposa en las que se le prometía que concebiría y tendría hijos. Pero no sucedía nada. Pasaron tres años, tres años y medio, hasta cuatro años, y durante ese tiempo mi esposa tuvo un aborto espontáneo, lo cual resultó ser algo muy traumático. Ésa fue la única vez que la vi desanimada. Supongo que nuestros deseos y expectativas eran tan elevados, que poder quedar embarazada y luego perder el bebé fue devastador.

Finalmente, pasaron cinco años. Tomamos la determinación de considerar seriamente la adopción de un bebé. Dediqué numerosas ocasiones a orar al respecto en privado, durante varias semanas, pues mi esposa se sentía mejor que yo en cuanto a la adopción. Al fin recibí una respuesta de que debíamos adoptar. Me ayudó el recordar que Jesús fue adoptado por José, el esposo de María; que José Smith había adoptado a dos niños; y que uno de mis mejores amigos acababa de adoptar a una niña. Después de todo, sentía que eso era lo que debía hacer.

Nos inscribimos en un programa de adopción de la Sociedad de Socorro y se nos informó que pasaría cerca de un año hasta que pudiésemos tener un bebé. La espera comenzó.

## UNA BENDICIÓN DEL SACERDOCIO

Para esa misma fecha fuimos al Templo de Arizona. Tras la sesión nos pusimos a charlar con un buen hermano, un viejo amigo de la familia. En la conversación decidimos que ese hermano le daría una bendición a mi esposa. Nos sentimos muy contentos, pues sabíamos que aquel hombre era una persona muy cercana al Señor. Le dijimos que nos agradaría recibir esa bendición, pero creíamos que debíamos orar y ayunar a modo de preparación para recibirla. Fijamos una cita para unos días más tarde, cuando ayunaríamos y volveríamos a reunirnos para la bendición.

Llegó el día señalado y fuimos al hogar del buen hermano en el espíritu de ayuno y oración. Le dio una hermosa bendición a mi esposa, muy similar a las que yo le había dado, y le prometió que tendría hijos en forma natural.

Salimos de la casa llenos del Espíritu. Para nuestro gozo, cerca de seis semanas más tarde, el médico confirmó que mi esposa estaba embarazada. Nos aseguramos de darle las gracias al Señor en oración y ayuno por la bendición que habíamos recibido, con el mismo empeño que habíamos puesto al pedirla. Llamamos también a la agencia de adopción y les dijimos: "Vamos a tener nuestro propio hijo. No será necesario adoptar uno". Nuestra dicha aumentaba a medida que pasaban los meses.

## PRUEBAS ADICIONALES

A los cuatro meses de embarazo, un día regresé a casa del trabajo y encontré a mi esposa llorando. Acababa de llegar de la consulta del médico, donde le habían dicho que el feto estaba muerto y que tenían que retirárselo de inmediato.

Ésa fue una de las pocas veces en las que he endurecido mi corazón contra el Señor. "¿Qué más podemos hacer?", pensé. "Estamos intentando guardar los mandamientos. Tú nos has mandado multiplicarnos y henchir la tierra. Hemos ayunado, hemos orado, le he dado a mi esposa bendiciones del sacerdocio, hemos aguardado por cinco años, no has contestado nuestras oraciones y ahora tenemos que pasar por otro aborto".

Mi esposa dijo: "Tenemos que irnos ahora. Nos están esperando en el hospital". Como ya tenía preparadas sus cosas, nos dirigimos al coche. Mientras conducía, ella me dijo que debíamos pasar por la casa de aquel buen hermano y su esposa, y contarles lo sucedido, a lo que yo le contesté:

"No, de ninguna manera". Tal como yo me sentía en ese momento, la última persona con la que quería hablar era ese poseedor del sacerdocio tan espiritual que le había dado la bendición a mi esposa. Me negué a ir.

Mientras conducía, mi esposa insistió, por lo que continué diciéndole que no, que no íbamos a detenernos. Afortunadamente, la casa de ese buen hermano estaba en el camino al hospital, así que ella continuó insistiendo hasta que finalmente le dije: "Bueno, vé, que yo te espero en el coche". Pero no era esa la idea; mi esposa esperaba que fuese yo el que les contase lo sucedido, por lo que accedí a entrar brevemente.

Llamamos a la puerta y tan pronto como la esposa del hombre nos abrió, supo que algo no iba bien. Yo le informé de golpe lo que había pasado y di media vuelta para irme. Sin embargo, este hermano fiel estaba en el cuarto de al lado y oyó lo que yo acababa de decir. Entró rápidamente en la sala de estar, se arrodilló y dijo: "Oremos". Su esposa se arrodilló, y mi esposa se inclinó y se arrodilló también. Yo me quedé de pie, sin deseo alguno de orar, pero, finalmente, debido quizás a la presión, terminé por arrodillarme con ellos.

En ese momento aprendí una gran lección que desde entonces me ha sido de gran ayuda con otras personas en sucesivas ocasiones. Oí a un siervo del Señor orar con toda su alma, derramar su corazón mientras le decía al Señor que no sabíamos porqué había pasado aquello, pero que la bendición del sacerdocio todavía seguía vigente. Dijo que nos sometíamos humildemente a la prueba a pesar de los problemas y dificultades aparentes, y de los sentimientos tan encontrados. Dijo que sabíamos que el Señor nos amaba y que nosotros lo amábamos a Él, y que haríamos cualquier cosa que nos mandase. Confirmó con el Señor que nos someteríamos *humildemente* a la prueba y a cualquier otra que pudiera venir; le dijo, en definitiva, que pondríamos nuestra confianza en Dios.

Aquel gran líder en el sacerdocio ablandó mi corazón

mediante esa breve oración. Por medio del Espíritu retiró la ira que había en mí. Invitó al Espíritu del Señor a regresar nuevamente y me conmovió, por lo cual siempre le estaré agradecido. Entonces nos fuimos, humildes en el espíritu, aunque todavía algo tristes. Nos dirigimos al hospital, donde a mi esposa se le practicó la operación.

## LA ADOPCIÓN

Pocos días más tarde me hallaba de nuevo orando en privado, cuando sentí la fuerte impresión de que mi esposa y yo debíamos llamar *de inmediato* a la agencia de adopción de la Sociedad de Socorro y volver a inscribirnos en la lista de adopciones. "Hazlo ahora", me susurró el Espíritu. "¡Ahora mismo!".

Mi esposa y yo les llamamos rápidamente y nos dijeron: "Nos complace volver a poner sus nombres en la lista. Sin embargo, debido a que anteriormente los retiraron, tendrán que aguardar cerca de año y medio".

Les dijimos: "Bueno, nos parece bien. Sólo queremos que vuelvan a inscribirnos".

Cerca de tres semanas más *me llamarou por* teléfono *al* trabajo. La hermana de la Sociedad de Socorro me dijo: "¿Les gustaría tener un bebé varón? De ser así, vengan por él ahora mismo". Llamé a mi esposa y me fui volando a casa. ¡Apenas podíamos creer nuestra buena fortuna! Corrimos hacia la tienda a comprar unos pañales; ni siquiera teníamos un lugar en donde poner al bebé.

Cuando llegamos a la agencia de adopción, pusieron al bebé con nosotros en un cuarto y nos dijeron: "Les daremos unos minutos para que lo vean y decidan si realmente lo quieren". Estaba desnudo. Lo examinamos de pies a cabeza y vimos que parecía encontrarse perfectamente saludable. Lloramos de gozo.

Les hicimos saber que estaríamos muy complacidos al tenerlo. Firmamos los papeles y la encargada nos dijo: "Como saben, había muchísimas personas en la lista antes que ustedes. Tendrían que haber esperado mucho más tiempo todavía, aun cuando no hubiesen quitado sus nombres de la lista en aquella ocasión. Pero al ver las fotos de las familias candidatas, intentamos encontrar a la apropiada y no pudimos hacerlo. Repasamos una y otra vez las fotos de las personas que estaban antes que ustedes, pero con ninguna de ellas nos sentíamos bien. Entonces llegamos hasta unos solicitantes relativamente nuevos, es decir, ustedes, los Cook, y sentimos que el Espíritu nos decía: 'Poned al niño con ellos'. Por ese motivo les llamamos".

Éramos inmensamente felices al llevar al bebé a casa, el cual terminó durmiendo en el cajón de un armario durante las primeras noches, pues no teníamos ni muebles, ni ropa, ni mantas, ni nada de nada, ya que su llegada había sido totalmente inesperada.

¡Qué gran gozo tener por fin un hijo! Estoy seguro de que debemos haber sido los padres más felices de Mesa, Arizona. Él era nuestro hijo. Cerca de año y medio después, tras finalizar los trámites de adopción, tuvimos la dicha de llevarlo al Templo de Arizona para que fuese sellado a nosotros por esta vida y por la eternidad. Por fin teníamos un hijo. Por fin estábamos encaminados a cumplir con el mandato del Señor de multiplicarnos y henchir la tierra.

## LAS PROMESAS SE CUMPLEN

Cerca de año y medio más tarde, tras seis años y medio de matrimonio, llegó nuestro primer hijo natural. Año y medio después llegó otro hijo. Entonces tuvimos una hija menos de dos años más tarde. Otra hija más bendijo nuestro hogar tres años después. Luego tuvimos otro hijo que nació pasados dos años, al cual le siguió otro hijo cuatro años más tarde. Tres años después, nació otra hermosa hija. ¡Cuán bendecidos hemos sido con nuestros hijos!

Verdaderamente el Señor contesta las oraciones y cumple con todas Sus promesas. Él ha dicho: "Y cualquier cosa que pidáis al Padre en mi nombre, si es justa, creyendo que recibiréis, he aquí, os será concedida" (3 Nefi 18:20).

Qué ciertas son también las palabras de Moroni:

"Quisiera mostrar al mundo que la fe es las cosas que se esperan y no se ven; por tanto, no contendáis porque no veis, porque no recibís ningún testimonio sino hasta después de la prueba de vuestra fe" (Éter 12:6).

Es cierto que "tras mucha tribulación vienen las bendiciones" (D&C 58:4).

Después de la prueba, resulta fácil ver cómo el Señor estuvo involucrado en una experiencia como ésta. Tengo la certeza de que el haber vivido el desafío de no tener hijos durante tantos años hizo que mi esposa y yo diésemos lo mejor de nosotros mismos para estar preparados cuando llegara el momento. Damos gracias al Señor por tener una buena familia, del mismo modo que creo que lo hace usted al pensar en su propia familia.

Testifico que el Señor cumple Sus promesas. Si hacemos nuestra parte, somos pacientes y guardamos los mandamientos, el Señor contestará las oraciones concernientes a nuestra familia, y nos bendecirá en nuestro *sagrado deber* de criar a nuestros hijos de una manera celestial.

# CAPÍTULO 1

# LA PERSONA, LA FAMILIA Y LA IGLESIA

Hace algunos años, se declaró un incendio en mitad de la noche, el cual destruyó por completo la residencia de una familia. Un vecino intentó consolar al pequeño de siete años, sin saber que estaba a punto de aprender un gran principio: "Johnny, qué pena que tu hogar se haya quemado", le dijo.

Johnny pensó por un momento y luego contestó: "Bueno, ahí es donde usted se equivoca. Ése no era nuestro hogar, sino nuestra casa. Todavía tenemos un hogar, aunque por el momento no tengamos sitio alguno donde ponerlo".

Qué gran principio enseñó ese niño sobre el hogar. ¿En qué le hace pensar la palabra *hogar*? Para algunos es un lugar donde comer, un lugar para dormir, un lugar en el cual guardar las pertenencias personales. Para otros, con inclinaciones más espirituales, es el lugar en el que está la familia, el corazón; un lugar sagrado, tranquilo; un refugio ante un mundo inicuo.

La voz suave y apacible nos susurra un significado todavía más profundo: nuestro hogar es el cielo. Somos extranjeros en la tierra; mi verdadero hogar no está aquí, sino allá. Mi desafío es aprender cómo hacer que mi hogar en la tierra sea semejante al que dejé en el cielo. El Señor dice que fuimos enseñados "aun antes de nacer". Que "[recibimos nuestras] primeras lecciones en el mundo de los espíritus y [fuimos] preparados para venir... a obrar en su viña en bien de la salvación de las almas de los hombres" (D&C 138:56).

Buena parte de esta enseñanza —quizás la parte más importante—puede haber sido el saber cómo obrar en nuestro hogar. Fuimos enseñados por el Señor, el mejor de todos los maestros, y nuestra tarea durante la mortalidad puede

1

ser el volver a aprender en la carne lo que una vez supimos en el espíritu.

¿Cómo podría yo recordar y redescubrir lo que supe una vez? El Señor responde: "Ora y te haré 'saber [cosas]... desde la fundación del mundo... según [tu] fe y... tus obras santas' " (Alma 12:30). "Yo 'os [recordaré] todo lo que yo os he dicho' " (véase Juan 14:26; Alma 12:30), "y ensancharé la memoria de este pueblo" (véase Alma 37:8).

## LA CONSTITUCIÓN DE LA VIDA FAMILIAR

Este capítulo es uno de los más importantes de todo el libro, pues intenta fundar una constitución o fundamento doctrinal en base al cual fluyan todas las responsabilidades de cada persona, las familias y la Iglesia. Aborda con cierto detalle la perspectiva eterna de la familia y de un hogar celestial según se halla en las Escrituras mismas. Si podemos entender con claridad el papel divino y la relación que existe entre nosotros individualmente, como familia y como Iglesia, tendremos una mejor comprensión de lo que el Señor espera de nosotros, de las cosas por las que, en definitiva, se nos hará responsables tanto a nosotros como a nuestras familias. Quizás se sienta tentado a leer este capítulo con rapidez u omitir parte de su contenido, puesto que en él se hace bastante hincapié en aspectos de doctrina. Por favor, no lo haga, y descubrirá que más adelante en el libro, esta información le será de gran beneficio.

## TODOS SOMOS MIEMBROS DE UNA FAMILIA

A veces, cuando hablamos del hogar y de la familia, algunas personas solteras o viudas pueden sentir que estas enseñanzas no se aplican a ellas. Mas cuando el Señor nos envió aquí para que progresásemos espiritualmente, nos envió a vivir con una familia y a ser nutridos espiritual y temporalmente por ella. El Señor organizó toda la tierra de esta manera, y no hay otra forma de acceder a la mortalidad.

Aún así usted puede decir: "Yo no tengo una familia;

estoy solo". Permítame recordarle que siempre fue y siempre será miembro de la familia de Dios. Usted es Su hijo o hija. No importa si sus padres, su cónyuge, sus hermanos, sus hermanas o sus hijos son o no miembros, si viven o están muertos; todavía son integrantes de su familia. Y si usted es una persona justa y fiel hasta el fin, sin importar su estado civil actual, en última instancia será bendecido al ser parte de una unidad familiar. Recuerde además que cuando en las Escrituras se emplea la palabra *familia*, pueden estar haciendo alusión no sólo a la familia inmediata, sino a los demás parientes: abuelos, bisabuelos, etc. Debemos tener presente esta visión de la familia para poder entender las instrucciones que el Señor ha dado (especialmente aquéllas que tienen que ver con la autoconfianza).

Tanto si somos padres, abuelos, hermanos, hermanas, tíos, primos o hijos —tanto si estamos casados como solteros—, debemos entender que a los ojos del Señor somos parte de una familia. Sin importar nuestra situación familiar, debemos aprender y vivir, en nuestra medida, los principios que gobiernan la vida familiar como preparación para la Exaltación.

## EL CONSEJO FAMILIAR PRETERRENAL

Cuando intento explicar los principios eternos que gobiernan la vida familiar, el Espíritu da testimonio de que vivimos como familia antes de venir aquí, y que estos principios "están grabados" en nuestra alma. "Estás en el camino correcto", nos susurra. "Sigue adelante. Descubre y vive estos principios relacionados con la familia, y con el tiempo crearás un hogar en la tierra semejante a aquél en el que antes viviste en el cielo".

Si estamos dispuestos a escuchar, el Señor nos enseñará lo sagrado de esta organización celestial a la que llamamos familia u hogar.

Imagínese por un momento que está en la vida preterrenal, en aquel concilio de los cielos, sí, el concilio de la propia familia del Padre. ¿Acaso no podría Él habernos dado un consejo semejante a éste?: "Hijos míos, hijos míos, el matrimonio en la tierra será ordenado por Dios a los hombres [véase D&C 49:15–16; 131:1–4].

"Mediante decreto divino, seréis copartícipes con Dios en traer hijos a la tierra [véase Génesis 1:22, 28; 2 Nefi 2:22–23; D&C 132:56–63].

"La familia será el instrumento principal para el sustento espiritual y temporal del individuo [véase Mosíah 4:14–15; D&C 68:25, 28].

"Cuando vayáis a la tierra, enseñad a vuestros hijos a amar al Señor vuestro Dios con todo vuestro corazón [véase Deuteronomio 6:5–7], y a amarse y servirse mutuamente [véase Mosíah 4:15].

"Orad siempre en vuestras familias, tanto por la mañana, como al mediodía y al atardecer, y estimularé vuestro recuerdo de estas enseñanzas [véase 3 Nefi 18:21; Alma 34:21, 27; D&C 68:28].

"Enseñad a vuestros hijos el arrepentimiento, la fe en Cristo, el bautismo, el don del Espíritu Santo, los convenios del sacerdocio y las ordenanzas del templo [véase D&C 68:25, 27; 132:19]. Abuelos, tíos y tías, también vosotros podéis ayudar.

"Consagrad los recursos de vuestra familia al Señor, sed liberales con vuestros bienes [véase D&C 42:30–31; Jacob 2:17; D&C 119:1–7].

"No provoquéis a vuestros hijos a la ira [véase Efesios 6:4], ni permitáis que se peleen entre ellos, para que no planten las semillas de la contención [véase Mosíah 4:14].

"Futuros padres, aprenderéis que el verdadero liderazgo espiritual se lleva a cabo principalmente en el hogar y no tanto en el mundo. Futuras madres, vuestro es el sagrado llamamiento sin igual de criar a vuestros pequeñitos, para que un día lleguen a ser como Yo. Y a menos que todos vosotros seáis como niños pequeños, no podréis volver a casa conmigo.

"Aprended vuestro deber de los profetas vivientes y de las Escrituras.

"Por último, debido a la naturaleza sagrada de la paternidad, os enseñaré personalmente, por medio del Espíritu Santo, aquellas cosas que son más importantes. Estad cerca de mí; pedid ayuda humildemente".

## ADVERTENCIAS DEL PADRE

Quizás el Padre nos advirtió con palabras semejantes a éstas:

"Hijos míos, la influencia del mundo será fuerte y tendréis serias presiones para que vuestras familias sean pequeñas. Sin embargo, recordad: 'Como saetas en mano del valiente, así son los hijos... Bienaventurado el hombre que llenó su aljaba de ellos' [Salmos 127:4–5].

"Recordad el mantener vuestras responsabilidades familiares como una prioridad. Habrá muchos que querrán usurpar vuestra responsabilidad de enseñar y proporcionar actividades para vuestra familia. Nunca olvidéis que la responsabilidad principal es vuestra, y que el éxito definitivo en todas las demás facetas estará en proporción directa con la atención que les deis a estas relaciones divinamente asignadas [véase D&C 88:119].

"Esforzaos por estar juntos. Evitad las actividades que os separen. Recordad que allí donde el amor es intenso, también lo son los sentimientos y las disensiones cuando el amor se frustra [véase 2 Nefi 1:14, 21].

"Cuando seáis hijos, aseguraos de dar oído a las palabras de vuestros padres, recordando que yo, el Señor, los he puesto sobre vosotros. Honradles [véase Éxodo 20:12].

"Recordad que, una vez que seáis padres, lo seréis para siempre, tanto si sois abuelos, bisabuelos o un padre como yo soy. Vuestras responsabilidades para presidir se extienden por generaciones, para ayudar a volver los corazones de los hijos a sus padres. Resistid la tentación de no asumir vuestra responsabilidad, de alejaros de vuestra familia y de seguir únicamente vuestros propios intereses. Como abuelos, vuestra sabiduría y visión os permitirá mantener unida a toda vuestra familia, la cual yo, el Señor, os he dado [véase Mosíah 2:5]".

Quizás haya concluido de la siguiente manera:

"Hijos míos, no os preocupéis en exceso por recordar estas cosas. Cuando os sean enseñadas, os resultarán asombrosamente familiares, como si ya las supieseis. Así será, porque las habéis aprendido en vuestro hogar celestial [véase 1 Nefi 15:8, 11].

"Tendréis aflicciones con vuestros hijos al permitirles crecer y desarrollarse, tal como yo he sufrido con vosotros [véase D&C 133:42–53]. Pero no temáis; os he puesto a cargo de mis ángeles. Os los enviaré desde mi presencia, para sosteneros [véase D&C 84:42, 88; 133:53]. Ésta es vuestra oportunidad de experimentar lo que os he enseñado. Seguid las impresiones de mi Espíritu y recordad que os amo".

## EL CONCEPTO EXALTADO DEL HOGAR

Padres, no importa lo que estén haciendo, vuelvan a casa.

Hijos, dondequiera que se encuentren, no importa cuál sea su falta, problema o pecado, su familia siempre les amará. Vayan a casa.

Abuelos, hermanos, hermanas, tíos y tías, reúnan a sus familias. Regresen a casa. Ensalcemos el concepto del hogar, pues el Señor así lo organizó en el principio.

Rindo honores a mis abuelos, padres, y en especial a mi esposa e hijos, por haber hecho de mi hogar el mejor lugar de todo el mundo. No hay otro lugar en el que quisiera estar que no fuese mi hogar.

Finalmente, deseo que llegue el día en que juntos entonaremos esta alabanza al hogar y a la familia:

Oh mi Padre, tú que moras en el celestial hogar,
¿cuándo volveré a verte y tu santa faz mirar?
¿Tu morada antes era de mi alma el hogar?
En mi juventud primera, ¿fue tu lado mi altar?

¿Hay en los cielos padres solos? Clara la verdad
    está;
la verdad eterna muestra: madre hay también allá.
Cuando deje esta vida y deseche lo mortal,
Padre, Madre, quiero veros en la corte celestial.
Sí, después que yo acabe cuanto tenga que
    cumplir,
permitidme ir al cielo con vosotros a vivir.
(*"Oh mi Padre", Himnos de La Iglesia de Jesucristo de los
Santos de los Últimos Días, 1992, número 187*).

## LA FUNCIÓN DE LA PERSONA, LA FAMILIA Y LA IGLESIA

Aun con este entendimiento divino del hogar, algunas
personas se sienten confusas al intentar hallar un equilibrio
entre lo que deben hacer en casa, individualmente, y en la
Iglesia. Para tener éxito con nuestra familia, debemos
entender claramente nuestra función individual y la que
desempeña la Iglesia como apoyo de la persona y de la
familia.

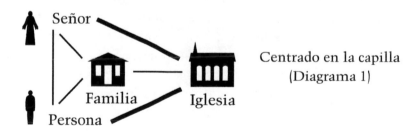

Centrado en la capilla
(Diagrama 1)

El diagrama número 1 ilustra el modo incorrecto en que
algunas personas gobiernan su familia. Fíjese en cómo las
líneas indican que la Iglesia está conectada al Señor y es
dirigida por Él, y en cómo circunvala a la familia y está bien
conectada con las personas.

En este diagrama, la relación de la familia con la persona y con el Señor es débil, al igual que el enlace de la persona a la familia y al Señor; y puede que la persona no tenga
un entendimiento apropiado del valor del Señor en su vida

ni del apoyo que la familia puede ser para él o para ella. Este enfoque está más centrado en la capilla, significando con ello que el acercamiento de una persona a una vida espiritual gira en torno a la Iglesia.

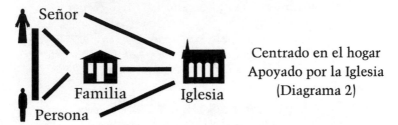

Centrado en el hogar
Apoyado por la Iglesia
(Diagrama 2)

El diagrama 2 muestra la relación que debiera existir entre el Señor, la persona, la familia y la Iglesia. El vínculo es mayor entre la persona y el Señor, pues todos nos salvamos de manera individual y no como integrantes de un grupo. La familia tiene una fuerte relación con el Señor y con la persona, a quien apoya en la búsqueda de la Exaltación. Las personas no son exaltadas por separado, sino como unidades familiares. De manera apropiada, la Iglesia proporciona todas las llaves del sacerdocio y las ordenanzas necesarias para la salvación del hombre. Es, también, dirigida directamente por el Señor en su debida función de apoyo a la familia y a la persona.

A continuación hay algunos principios específicos que reflejan las funciones de la persona, de la familia y de la Iglesia. Puede verse tentado a leerlos por encima, mas creo que es necesario entenderlos antes de avanzar en el resto del libro. Por favor, considérelos con cuidado; quizás desee buscar algunas referencias de las Escrituras para ampliar su entendimiento.

## LA PERSONA

1. Nuestro Padre Celestial es un ser individual (D&C 130:22).
2. Cada uno de nosotros, como hijos Suyos, es un ser individual (Moisés 2:27; Abraham 3:22–23).

3. Cada uno de nosotros tiene ciertas aptitudes y talentos divinos, los cuales son atributos necesarios para la Exaltación (Abraham 3:24–26; Moisés 1:6, 13).

4. La vida eterna es el mayor de los dones de Dios (D&C 14:7).

5. El don de la vida eterna es posible mediante la expiación de Jesucristo (Mosíah 5:7, 15).

6. Los siguientes son *dones incondicionales* que Dios ha dado a todos liberalmente:

    a. La capacidad para discernir el bien del mal mediante la luz de Cristo (D&C 84:46; 93:2; Moroni 7:15–16).

    b. La capacidad para escoger (albedrío) (2 Nefi 2:15–16).

       • La habilidad para resistir la tentación (1 Corintios 10:13).

       • La habilidad para vivir los mandamientos (1 Nefi 3:7).

    c. La vida mortal (2 Nefi 2:22–25).

       • Un cuerpo físico (D&C 93:33–35).

       • La oportunidad de ser probados (Abraham 3:25).

       • La facultad de procrear (Moisés 2:28).

       • La facultad de morir (1 Corintios 15:21–22).

    d. La resurrección (Alma 11:42–44; 2 Nefi 9:22; 3 Nefi 26:4–5).

7. Debido a que somos investidos con estas habilidades y talentos, tenemos en nosotros, a modo de embrión, la facultad de recibir la Exaltación (D&C 132:19–20; Moisés 1:39).

8. Para recibir la Exaltación debemos emplear estas habilidades y talentos divinos de tal modo que podamos recibir talentos, privilegios y facultades adicionales. Algunos de los *dones condicionados* que logramos mediante el esfuerzo personal son:

    a. Fe en el Señor Jesucristo (3 Nefi 27:19).

b.  El perdón (a través del arrepentimiento personal) (3 Nefi 27:20; D&C 19:15–19).

c.  Guía personal de Dios (revelación) (D&C 42:61; 43:16).

d.  Dones del Espíritu (Moroni 10:8, 17).

e.  El sacerdocio (Alma 13:1–9; D&C 84:17–21).

- Los hombres poseen el poder del sacerdocio (D&C 113:7–8).

- Las mujeres disfrutan de la bendiciones y de la influencia del sacerdocio.

9.  *Debemos* recibir ciertas ordenanzas específicas para obtener la Exaltación:

a.  Bautismo por inmersión para la remisión de los pecados por alguien que tenga la autoridad (3 Nefi 11:33–34).

b.  Confirmación por un miembro de la Iglesia verdadera de Jesucristo y recepción del don del Espíritu Santo (D&C 33:15; Juan 3:5).

c.  La investidura del templo (D&C 105:11–12, 33; 110:9).

d.  El matrimonio por esta vida y por toda la eternidad (D&C 131:1–4).

10. Además de las ordenanzas necesarias, hay muchos mandamientos que debemos obedecer para ser merecedores de la Exaltación. Algunos de los más importantes son:

a.  Ejercer fe en el Señor Jesucristo (Alma 5:15).

b.  Arrepentirse de los pecados (D&C 29:49; 19:16–17).

c.  Orar (3 Nefi 13:6; 2 Nefi 32:8–9; D&C 10:5).

d.  Obedecer la voluntad de Dios tal como se nos revela a través del profeta viviente (D&C 28:2).

e.  Escudriñar, entender y aplicar los principios de las Escrituras, tal como los revela el Espíritu Santo (Juan 5:39; 2 Nefi 32:3).

f. Renovar los convenios al participar de la Santa
Cena (D&C 59:9; 3 Nefi 18:6–7).

g. Compartir el Evangelio (Marcos 16:15; D&C
133:8–11; 88:81).

h. Guardar apropiadamente registros personales y
hacer una relación de nuestros antepasados falleci-
dos (Moisés 6:5, 8, 45–46).

i. Consagrar nuestro tiempo, talentos y medios al
Señor (D&C 42:30–34; Mosíah 2:34; D&C 58:35,
36; Omni 1:26).

j. Desarrollar el amor puro de Cristo (caridad)
(Moroni 7:47; 10:21).

k. Guardar todas las leyes de Dios y perseverar hasta
el fin (D&C 14:7; Mosíah 2:22, 41).

Resulta evidente que la *persona* es el centro y el propósito
del plan de salvación, y que *el Salvador y Sus enseñanzas
son el centro de todo lo que se lleva a cabo para que la
persona pueda recibir la Exaltación.*

## LA FAMILIA

1. El matrimonio es ordenado por Dios como el cimiento
para la relación procreadora entre el hombre y la
mujer (D&C 49:15–16).

2. El matrimonio eterno, o sellamiento, es consagrado
por nuestro Padre como la relación básica en la unidad
familiar eterna (D&C 131:1–4).

3. Mediante decreto divino, el hombre y la mujer son
copartícipes con Dios en proporcionar cuerpos para
Sus hijos espirituales (Génesis 1:22, 28; D&C 132:63).

4. El Señor ha ordenado que la unidad familiar sea el
recurso principal para nutrir a la persona tanto espiritual como temporalmente (Mosíah 4:14–15; D&C
68:25, 28; Deuteronomio 6:4, 7).

5. Las personas reciben su exaltación como integrantes
de unidades familiares (D&C 132:16–17; 128:18).

6. Nuestro Padre Celestial ha planeado que, por medio

del sacerdocio, cada unidad familiar tenga el derecho y la facultad de lograr:

  a. El matrimonio por esta vida y por la eternidad (D&C 131:1–4; 132:19–21).

  b. Ser sellados como una familia eterna (tanto los integrantes de la familia misma como los parientes lejanos) (D&C 123:18–19: 131:1–4; 132:19–21).

  c. La Exaltación (D&C 132:19–21, 37).

7. Muchas de las responsabilidades familiares ayudan a las personas a prepararse para la Exaltación. Algunas de las más importantes son:

  a. La enseñanza de las ordenanzas y los convenios del Evangelio en el seno familiar.

  b. Enseñar los principios del Evangelio dentro de la familia (D&C 68:25–28; Efesios 6:4; Alma 39:12; D&C 93:40–50).

  c. Enseñar a los niños a orar individualmente y como familia (D&C 68:28; 3 Nefi 18:21).

  d. Proveer para las necesidades básicas de la familia (D&C 83:2, 4; 75:28; 1 Timoteo 5:8).

  e. Compartir el Evangelio como familia (Mosíah 18:8–10; D&C 52:36).

  f. Preparar a la familia para ser digna de ser sellada por esta vida y por la eternidad (D&C 88:22; 132:19).

  g. Consagrar los recursos de la familia al Señor (D&C 42:30–31; 119:1–7; 51:3).

  h. Fortalecer a los miembros de la familia en la obediencia de todos los mandamientos (D&C 68:25–28; 93:41–43; Proverbios 22:6).

*La familia es la unidad más importante de esta vida y de la eternidad; es por medio de ella que recibimos nuestra exaltación.*

## LA IGLESIA

1. Tal como nuestro Padre Celestial diseñó la unidad familiar para ayudar en la exaltación del ser humano,

del mismo modo organizó la Iglesia para ayudar en la exaltación tanto de la persona como de las familias (D&C 1:17, 22, 23, 30, 36; 20:1–2, 14).

2. La Iglesia cumple con este propósito a través de dos dimensiones, las cuales han sido diseñadas para alcanzar una meta común:

  a. Dimensión doctrinal (principios, doctrinas, ordenanzas).

   • El Señor dirige Su Iglesia mediante la revelación de Su voluntad y doctrina a los profetas (Amós 3:7; D&C 28:2).

   • A través del profeta viviente, Dios da Su sacerdocio con las llaves de autoridad para enseñar la doctrina y llevar a cabo las ordenanzas de salvación (D&C 84:19–21; 107:65, 67).

  b. Dimensión institucional (programas, servicios, métodos e instalaciones).

   • La institución ayuda a enseñar y a poner en práctica la doctrina, mediante el suministro de programas de apoyo, servicios, métodos y edificios (D&C 38:34–36; 5:4; 70:11–12; 94:14–15).

   • La institución proporciona a sus miembros una oportunidad de servir a Dios de una manera organizada (D&C 59:5; 75:28–29).

3. Las *doctrinas* de la Iglesia están basadas en verdades eternas que han sido reveladas. La puesta en práctica de estas doctrinas es revelada por Dios a través de Su profeta viviente (D&C 132:59, 34; 124:39).

4. Las *instituciones* de la Iglesia están diseñadas para ayudar en la enseñanza de las doctrinas. Los programas institucionales están sujetos a cambios y ajustes para poder satisfacer las necesidades de las personas y de las familias. Dichos cambios se realizan a través de la línea de autoridad del sacerdocio mediante la utilización de procedimientos prescritos (D&C 61:22; 62:5, 7–8).

*Verdaderamente, la Iglesia existe para servir a la persona y a la familia.*

## TEMAS DE ATENCIÓN
## EN LAS PERSONAS Y LAS FAMILIAS

Para delinear de manera apropiada las funciones de la persona, la familia y la Iglesia, puede que le resulte útil la siguiente descripción de responsabilidades individuales y de las familias. Esto se ofrece para ayudar a ambas partes a seleccionar metas, establecer prioridades y obedecer los mandamientos. Se presta especial atención al ayudar a las familias a adorar, orar, compartir, servir, trabajar y divertirse juntos. (Esta información no tiene el propósito de ser del todo completa.)

## BIENESTAR ESPIRITUAL

1. Poner en práctica los principios básicos del Evangelio.
    a. Ejercer fe en el Señor Jesucristo.
    b. Arrepentirse de los pecados y mantenerse dignos.
    c. Orar regularmente de manera personal y familiar.
    d. Ayunar con regularidad y según sea necesario.
2. Escudriñar las Escrituras.
    a. Llevar a cabo un estudio diario, personal y familiar, de las Escrituras.
    b. Estudiar y cumplir con los mensajes del profeta y de las demás Autoridades Generales.
3. Ofrecer servicio cristiano (sacrificio de tiempo, talentos y medios al servicio del Señor).
    a. Considerar al cónyuge y a la familia como una prioridad sagrada.
    b. Magnificar los llamamientos de la Iglesia.
    c. Ayudar en la reactivación, el hermanamiento y el fortalecimiento de aquellos que lo precisen.
4. Prepararse y recibir las ordenanzas y las bendiciones del sacerdocio.
    a. Bendición de los niños.
    b. Bautismo.
    c. Confirmación.

   d. Ordenaciones al sacerdocio.

   e. Investidura del templo.

   f. Matrimonio por esta vida y por la eternidad.

   g. Santa Cena, para la renovación de todos los convenios.

## BIENESTAR TEMPORAL

1. Mantenerse en buena condición física.

   a. Tener una dieta equilibrada.

   b. Dormir lo suficiente.

   c. Realizar el ejercicio apropiado.

2. Incrementar la autosuficiencia (preparación personal y familiar).

   a. Mantener la independencia económica.
   - Pagar un diezmo y ofrendas íntegros.
   - Evitar los gastos innecesarios.
   - Ahorrar con regularidad.
   - Desarrollar destrezas laborales (por ejemplo, a través de la capacitación educativa o vocacional).

   b. Proveer de las necesidades básicas.
   - Alimentos (plantar un huerto familiar).
   - Ropa.
   - Combustible.
   - Vivienda.
   - Obtener y mantener una provisión de comida y otros artículos de primera necesidad para un año.

## OBRA MISIONAL

1. Preparar a los hijos para que sirvan una misión.
2. Prepararse uno mismo para servir una misión.
3. Amistar frecuentemente a alguien para que escuche el Evangelio.
4. Brindar apoyo económico a un misionero y al Fondo General Misional de la Iglesia.

**HISTORIA FAMILIAR**

1. Completar los registros personales.

    a.  Registro de grupo familiar de cuatro generaciones.

    b.  Historia personal y familiar.

2. Participar en un programa familiar de extracción de nombres cuando se le invite.

3. Llevar a cabo las ordenanzas del templo en la medida de lo posible.

Toda persona puede llegar a entender la declaración profética del presidente Spencer W. Kimball cuando dijo: "Sólo al ver con claridad las responsabilidades de cada *persona* así como el papel de las *familias* y el hogar, podemos entender correctamente que los *quórumes del sacerdocio* y las *organizaciones auxiliares*, incluso los *barrios* y las *estacas*, existen principalmente para ayudar a los miembros a vivir el Evangelio en sus hogares". El presidente Kimball dijo además que nuestro éxito "será determinado en gran medida por la manera fiel en que nos concentremos en vivir el Evangelio en el hogar".

## CÓMO AYUDAR A LOS PADRES
## A PERSEVERAR EN SUS FUNCIONES

Hace algunos años la Iglesia publicó una declaración de trece principios, la cual siempre me ha ayudado a mantener la visión de mi función como padre. Obviamente, estos mismos principios podrían aplicarse de manera general a una hermana que cría a sus hijos sin la ayuda de su esposo, o a una hermana casada con un hombre que no es miembro de la Iglesia. Estos principios tienen el propósito de ayudar a los padres a distinguir con claridad su función de la persona y de la Iglesia:

1. La familia es una unidad eterna que suministra la base para una vida recta.

2. El padre es la autoridad presidente en el hogar, patriarca y cabeza de familia.

3. La madre es una buena compañera, consejera.

4. La función de padre es inseparable de la de madre, ambos son uno, sellados por esta vida y por la eternidad.

5. El quórum del sacerdocio está organizado para enseñar, inspirar y fortalecer al padre en su responsabilidad, y como tal, debe permitirle aprender su deber.

6. Si el padre falla en su responsabilidad, el representante del sacerdocio (el maestro orientador) debe trabajar con él para fortalecerlo y ayudarle a cumplir con su deber.

7. El padre es responsable por el desarrollo y el crecimiento físico, mental, social y espiritual propio, de su esposa y de cada uno de sus hijos.

8. Un padre no puede ser exceptuado de sus responsabilidades.

9. El padre es responsable de guiar a su familia mediante su ejemplo, oraciones, amor e interés.

10. El ejemplo de paternidad es nuestro Padre Celestial. Para saber cómo el Señor obra con Sus hijos, el cabeza de familia tendrá que saber algo del Evangelio, el gran plan del Señor.

11. El padre debe anhelar que su familia sea bendecida. Debe acudir al Señor, meditar sobre las palabras de Dios y vivir por el Espíritu para conocer la mente y la voluntad del Señor y lo que debe hacer para guiar a su familia.

12. La Iglesia existe para ayudar al padre a conducir a su familia de regreso a la presencia de nuestro Padre Celestial.

13. El padre y todos los líderes solucionarán sus problemas a la manera del Señor.

## ADORACIÓN PERSONAL Y FAMILIAR

La misión de la Iglesia está bien definida en las Escrituras: traer a todos a Cristo mediante la proclamación del Evangelio (D&C 133:37), el perfeccionamiento de los Santos (Efesios 4:12) y la redención de los muertos (D&C 138:54). La misión de la familia también está claramente declarada en las Escrituras. El Señor ha señalado que un hombre y una mujer unidos en matrimonio llegan a ser una sola carne (Génesis 2:24), por lo que esta nueva unidad eterna debe convertirse en una familia. Cuando una pareja es sellada, tanto el hombre como la mujer llegarán a ser finalmente exaltados como dioses y tendrán una continuidad de su familia para siempre (D&C 132:19–20).

Por tanto, los padres ayudan a sus hijos mortales a llegar a conocer al Padre y al Hijo, y les enseñan el camino que conduce a la vida eterna, proceso que los hijos comienzan al nacer en el convenio o al ser sellados a sus padres. La misión del Padre es llevar a cabo la inmortalidad y la vida eterna del hombre, y los padres también participan específicamente en esa misión, aunque a grandes rasgos, al esforzarse por enseñar a sus hijos a "seguir adelante con firmeza en Cristo... y [perseverar] hasta el fin... [para de este modo obtener] la vida eterna" (2 Nefi 31:20).

## EL ESTUDIO DE LA JUVENTUD

A medida que contemplamos el verdadero significado del hogar y la función de la persona, de la familia y de la Iglesia, bien pudiéramos preguntarnos: "De todos los deberes, responsabilidades y mandamientos que se espera que los padres enseñen a sus hijos, ¿cuál tiene una mayor prioridad?".

Hace algunos años, la Iglesia llevó a cabo el denominado "Un estudio de la juventud". Creo que en este estudio se encuentra la respuesta principal a qué es lo que hace que tanto las personas en forma individual como las familias se tornen al Señor. El estudio se centró exclusivamente en los jóvenes varones, pero los principios espirituales relacionados con la adoración al Señor de cierto que se aplican también a las jovencitas. En el estudio se hacían algunas pregunta directas sobre lo que constituye el éxito a la hora de criar una familia, y se descubrieron cuatro efectos relacionados con el Evangelio, los cuales indicaban, en cierta medida, que los padres habían tenido éxito. Estos efectos eran:

1. Ordenación al sacerdocio de Melquisedec.
2. Servir una misión regular.

3. Recibir la investidura del templo.

4. Casarse en el templo.

Quizás cualquier padre cuyo hijo haya alcanzado estos cuatro efectos del Evangelio pueda sentirse, de algún modo, exitoso como tal. Al menos podría sentir que ha lanzado a su hijo al camino que conduce a la vida eterna. Puede que no haya otros efectos del Evangelio que superen a los anteriormente mencionados.

Una vez determinados dichos efectos, cientos de jóvenes fueron entrevistados en todos los Estados Unidos para determinar si había factores comunes que decidían el que un joven llegara a alcanzar esos efectos o no. Se entrevistó a jóvenes que habían recibido el sacerdocio, que habían ido al templo y que habían servido una misión, así como a otros jóvenes que no habían hecho tales cosas. Los resultados fueron sorprendentes; los motivos eran tan simples que quizás algunos de nosotros los hemos pasado por alto.

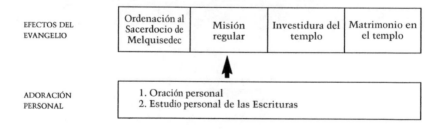

El estudio sacó a luz que había dos factores críticos a la hora de decidir si estos jóvenes lograrían alcanzar esos efectos del Evangelio: la oración personal y el estudio personal de las Escrituras.

No debe sorprendernos que' para lograr los frutos deseados del Evangelio, la adoración personal al Señor fuera algo preeminente. La persona que se ha vuelto por completo al Señor en la oración y ha escudriñado Sus palabras para aprender lo que Él espera que haga, es conducida de manera natural a dichos frutos. De hecho, la relación entre los frutos del Evangelio y la práctica regular de orar y estudiar las

Escrituras presentaba un índice muy alto, unas de las correlaciones más elevadas de cualquier estudio realizado por la Iglesia.

Podemos concluir que si nuestros hijos oran y leen las Escrituras de verdad, ello puede ser la mejor certeza de que en última instancia alcanzarán los resultados antes mencionados.

La siguiente pregunta lógica es: "¿Qué debehacerse para que los jóvenes oren y lean las Escrituras?" En el caso de los hombres jóvenes, ¿qué era lo que les motivaba a hacer lo que hacían? Una vez más, la respuesta era tan simple que algunos de nosotros hemos estado buscando algo más complicado. Los factores más influyentes eran:

1. La oración familiar.
2. El estudio familiar de las Escrituras y la noche de hogar.
3. Los acuerdos familiares con respecto a los valores.

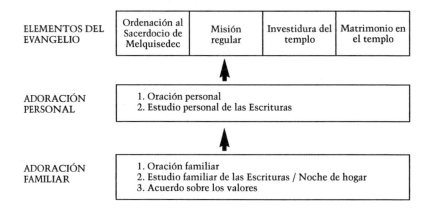

Si queremos que nuestros hijos oren, debemos darles el ejemplo a través de la oración familiar. Si queremos que nuestros hijos lean las Escrituras, tienen que ver que la familia las lee. El factor de mayor efecto en el comportamiento privado de la familia es la adoración familiar, queriendo decir con ello que la familia debe hacer la oración familiar, debe tener el estudio familiar de las Escrituras y debe efectuar la noche de hogar habitualmente.

## LA TRANSMISIÓN DE VALORES ESPIRITUALES

El tercer factor que influye en los hijos para orar y leer las Escrituras es el acuerdo sobre cómo se transmiten los valores de padres a hijos. Un ejemplo podría darse cuando su hija le pregunta: "¿Por qué somos la única familia en todo el barrio que nunca [hace tal o cual cosa] los domingos?". Usted podría verse tentado a decir: "Porque lo digo yo", o "porque lo dice la Iglesia". Pero un padre más inspirado diría: "Bueno, tú sabes que el santificar el día de reposo no es algo que hayamos inventado nosotros. Déjame enseñarte algo". Entonces podría abrir Doctrina y Convenios en la sección 59 y leer estos hermosos versículos:

> Y para que más íntegramente te conserves sin mancha del mundo, irás a la casa de oración y ofrecerás tus sacramentos en mi día santo; porque, en verdad, éste es un día que se te ha señalado para descansar de tus obras y rendir tus devociones al Altísimo; sin embargo, tus votos se ofrecerán en rectitud todos los días y a todo tiempo (versículos 9–11).

A continuación podría explicarle: "Como puedes ver, el Señor nos enseña que el domingo es un día santo, y no un día para que hagamos lo que nos plazca. Es un día para descansar de las labores cotidianas y "rendir [nuestras] devociones al Altísimo", es decir, para ir a las reuniones de la Iglesia, participar de la Santa Cena, cumplir con nuestros deberes para con la Iglesia, y visitar a los enfermos, a los pobres y a los necesitados. Es un día consagrado al Señor, y te doy mi testimonio, querida hija, de que esto es verdad y de que el Señor nos ha bendecido enormemente al santificar el día de reposo. Éstas son algunas de las bendiciones que nos promete:

> Y si hacéis estas cosas con acción de gracias, con corazones y semblantes alegres, no con mucha risa, porque esto es pecado, sino con corazones felices y

semblantes alegres, de cierto os digo, que si hacéis
esto, la abundancia de la tierra será vuestra, las bestias del campo y las aves del cielo, y lo que trepa a
los árboles y anda sobre la tierra; sí, y la hierba y
las cosas buenas que produce la tierra, ya sea para
alimento, o vestidura, o casas, alfolíes, huertos, jardines o viñas; sí, todas las cosas que de la tierra
salen, en su sazón, son hechas para el beneficio y el
uso del hombre, tanto para agradar la vista como
para alegrar el corazón; sí, para ser alimento y vestidura, para gustar y oler, para vigorizar el cuerpo y
animar el alma. Y complace a Dios haber dado
todas estas cosas al hombre; porque para este fin
fueron creadas, para usarse con juicio, no en
exceso, ni por extorsión (versículos 15–20).

"¿Puedes ver, hijita, que el Señor nos dio estas cosas
para nuestro beneficio? Éstas son unas promesas muy hermosas sobre el día de reposo, ¿verdad?"

Después de esto, podría compartir su testimonio
diciendo: "Sé que las bendiciones del día de reposo son reales, y ése es el motivo por el cual lo hacemos".

Puede que entonces su hija diga: "Nunca lo entendí de
ese modo, pero creo que es verdad. Gracias. Ahora puedo
ver por qué debo santificar el día de reposo".

A través de esta interacción se transfiere un valor de
una generación a otra, valores que suelen *captarse* más bien
que *enseñarse,* a medida que los niños ven cómo son puestos en práctica en la familia. Si la oración familiar, la lectura familiar de las Escrituras y la noche de hogar, así como
el compartir valores, ocupan su lugar en la familia, todos
ellos tenderán a producir hombres y mujeres jóvenes que
orarán y leerán las Escrituras por si mismos. De este
modo lograrán resultados en el Evangelio tales como servir
misiones, recibir sus investiduras y casarse en el templo.
Ello no debiera sorprendernos pues el verdadero papel de la
familia es el de apoyar y fortalecer a la persona.

## INSTRUCCIONES DE LAS ESCRITURAS
## PARA LOS PADRES

Seguro que Moisés tenia una visión más clara de la función propia de ser padres cuando transmitió las siguientes instrucciones importantes a la casa de Israel:

> Oye, Israel: Jehová nuestro Dios, uno es. Y amarás a Jehová tu Dios de todo tu corazón, y de toda tu alma, y con todas tus fuerzas. Y estas palabras que yo te mando hoy, estarán sobre tu corazón; y las repetirás a tus hijos, y hablarás de ellas estando en tu casa, y andando por el camino, y al acostarte, y cuando te levantes.
>
> Y las atarás como una señal en tu mano, y estarán como frontales entre tus ojos; y las escribirás en los postes de tu casa, y en tus puertas. Cuando Jehová tu Dios te haya introducido en la tierra que juró a tus padres Abraham, Isaac y Jacob que te daría, en ciudades grandes y buenas que tú no edificaste, y casas llenas de todo bien, que tú no llenaste, y cisternas cavadas que tú no cavaste, viñas y olivares que no plantaste, y luego que comas y te sacies, cuídate de no olvidarte de Jehová, que te sacó de la tierra de Egipto, de casa de servidumbre. A Jehová tu Dios temerás, y a él sólo servirás (Deuteronomio 6:4-13).

Parece obvio que el enfoque de estos versículos reside en el amor al Señor, y ése parece ser el cimiento y el secreto para criar una familia celestial. Resulta también evidente que los padres deben enseñar diligentemente la palabra del Señor a sus hijos, no en momentos formales, sino, citando el pasaje anterior, *"estando en tu casa, y andando por el camino, y al acostarte, y cuando te levantes"*. Se desprende también que aun en esos días se escribía la palabra y la gente la llevaba consigo en sus tareas cotidianas (véase el versículo 8). Hasta ponían estos escritos en un pequeño recipiente colocado en la puerta, en el quicio o en los postes (véase el versículo 9), para ayudarles a recordar al Señor.

El Señor describió las bendiciones que dio, las cuales prometió dar a Abraham, a Isaac y a Jacob, que sus casas estarían llenas de toda cosa buena, que tendrían abundancia de agua, de viñedos y de olivos. Entonces, el Señor hizo una gran advertencia: *"Cuídate de no olvidarte de Jehová, que te sacó de la tierra de Egipto... A Jehová tu Dios temerás, y a él sólo servirás y por su nombre jurarás"*.

Todos tendemos a olvidar al Señor y a no hacerle pleno partícipe de nuestras familias. El significado de estas palabras no puede ser mal interpretado. Ciertamente, una familia eterna debe tener su fundamento en el amor de Dios, para que el Espíritu del Señor la circunde, ya que una familia celestial, una familia eterna, sólo puede apoyarse en estos principios.

Estos conceptos han sido verdaderos a lo largo de los años. De Adán y Eva aprendemos: "Y poseyendo un lenguaje puro y sin mezcla, enseñaban a sus hijos a leer y a escribir... Por tanto, te doy el mandamiento de enseñar estas cosas sin reserva a tus hijos" (Moisés 6:6, 58).

Isaías nos dice: "Y todos tus hijos serán enseñados por Jehová; y se multiplicará la paz de tus hijos" (Isaías 54:13).

El libro de Proverbios contiene lo que probablemente sea la instrucción mejor conocida sobre la enseñanza de los hijos: "Instruye al niño en su camino, y aun cuando fuere viejo no se apartará de él" (Proverbios 22:6).

¡Qué gran responsabilidad descansa sobre los padres! Si pueden enseñar a sus hijos cuando éstos son jóvenes, inspirarles a ser enseñados por el Señor, como dijo Isaías, realmente, cuando sean mayores no se apartarán de la verdad. De una manera que no llegamos a comprender del todo, el Espíritu del Señor es plantado en el corazón de ellos, y aunque se aparten de él por un momento, al final volverán, porque son hijos del convenio. El Señor ha escrito Su palabra en su corazón y en última instancia los traerá de regreso a Él.

El Libro de Mormón nos enseña el poderoso ejemplo de la mala influencia que los padres pueden tener sobre los hijos si les enseñan incorrectamente:

> Debéis recordar a vuestros hijos, cómo habéis
> afligido sus corazones a causa del ejemplo que les

habéis dado; y recordad también que por motivo de vuestra inmundicia podéis llevar a vuestros hijos a la destrucción, y sus pecados serán acumulados sobre vuestra cabeza en el postrer día (Jacob 3:10).

He aquí, habéis cometido mayores iniquidades que nuestros hermanos los lamanitas. Habéis quebrantado los corazones de vuestras tiernas esposas y perdido la confianza de vuestros hijos por causa de los malos ejemplos que les habéis dado; y los sollozos de sus corazones ascienden a Dios contra vosotros. Y a causa de lo estricto de la palabra de Dios que desciende contra vosotros, han perecido muchos corazones, traspasados de profundas heridas (Jacob 2:35).

El poder del ejemplo bueno o malo puede tener un impacto duradero en los niños, y por ello nos ha dicho el Señor: "Pero yo os he mandado criar a vuestros hijos en la luz y la verdad" (D&C 93:40).

Las inspiradas Autoridades Generales también han hablado sobre el sagrado papel de los padres:

El Señor organizó la unidad familiar en el principio; Su intención era que el hogar fuese el centro de enseñanza, que el padre y la madre fuesen maestros.

El Señor estableció las familias para dar a los padres una mayor influencia sobre los hijos que cualquier otra cosa, y hay seguridad en esta manera de disponer las cosas. Se otorga a los *padres* el privilegio, el asombroso privilegio de moldear la vida y el carácter de un niño, a pesar de la influencia que sobre él puedan ejercer elementos externos.

La paternidad lleva implícita una responsabilidad singular, pues no sólo los padres debemos inculcar cosas buenas en la mente de los hijos, sino también mantener alejado de ellos lo que sea malo. Por este motivo se nos ha advertido contra la invasión sin límites de nuestro hogar por parte de los medios de comunicación. Mientras que algunos elementos que influyen en nuestros hijos son buenos, otros no lo son. La vigilancia de los padres debe ser constante. Protejan a sus hijos de todo aquello que procura su destrucción.

Padres, ¿cómo harían frente a la prueba si su familia estuviese aislada de la Iglesia y *ustedes* tuvieran que proporcionar toda la instrucción religiosa? ¿Han llegado a ser tan dependientes de los demás que hacen poco o nada en su hogar? Díganme, ¿cuánto sabrían sus hijos del Evangelio si todo su conocimiento procediese de lo que se les enseña en casa? Piensen en ello. Repito, ¿cuánto sabrían *sus* hijos del Evangelio si todo su conocimiento procediese de lo que se les enseña en casa? (Élder A. Theodore Tuttle).

Quizás todas nuestras responsabilidades como padres se puedan resumir en las siguientes tres citas de los profetas modernos:

"La obra más grande que pueden llevar a cabo se halla dentro de las paredes de su propio hogar" (Presidente Harold B. Lee).

"Debiéramos estar enseñando una y otra vez a los miembros, que la posición más importante de liderazgo en esta vida y en la eternidad es la de padre [y madre]" (Presidente Spencer W. Kimball).

"Ningún éxito en la vida puede compensar el fracaso en el hogar" (Presidente David O. McKay).

De este modo, al considerar la responsabilidad que el Señor ha depositado en los padres desde el principio, reconocemos cuán asombroso es que intentemos guiar a una familia en rectitud. ¿Puede alguien hacerlo sin la plena colaboración y guía del Señor? Podemos ver claramente la necesidad de tener con nosotros el Espíritu del Señor para guiarnos o, de otro modo, no podríamos llevar esto a cabo.

En resumen, el comportamiento religioso privado (tal como la oración personal o el estudio personal de las Escrituras) es mucho más poderoso que la vida religiosa pública (el asistir a reuniones, clases, acontecimientos sociales, competiciones deportivas, etc.) a la hora de determinar si obtendremos o no los resultados deseados del Evangelio.

## EL PAPEL DIVINO
## DE LA IGLESIA

Entonces, ¿qué papel juega la Iglesia en la consecución de estos resultados? Uno muy importante de apoyo, tanto a la persona como a la familia. La Iglesia ayuda en la enseñanza de los niños sobre la oración, la lectura de las Escrituras y los valores del Evangelio, pero tiene mucha menos influencia sobre los jóvenes en comparación con la familia.

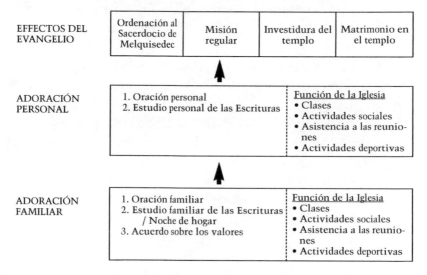

| EFFECTOS DEL EVANGELIO | Ordenación al Sacerdocio de Melquisedec | Misión regular | Investidura del templo | Matrimonio en el templo |
|---|---|---|---|---|

| ADORACIÓN PERSONAL | 1. Oración personal<br>2. Estudio personal de las Escrituras | Función de la Iglesia<br>• Clases<br>• Actividades sociales<br>• Asistencia a las reuniones<br>• Actividades deportivas |
|---|---|---|

| ADORACIÓN FAMILIAR | 1. Oración familiar<br>2. Estudio familiar de las Escrituras / Noche de hogar<br>3. Acuerdo sobre los valores | Función de la Iglesia<br>• Clases<br>• Actividades sociales<br>• Asistencia a las reuniones<br>• Actividades deportivas |
|---|---|---|

En algunas familias, la Iglesia es la única influencia en estos aspectos, mas no debemos dar por sentado que la Iglesia puede por sí sola enseñar a los niños a orar y a leer las Escrituras. No convierta a la Iglesia en la piedra angular de lo que espere de sus hijos. Hacerlo conllevaría mucho riesgo. Usted tiene la responsabilidad de enseñarles principios correctos, con la ayuda de la Iglesia.

Algunas personas han preguntado: "¿Qué impacto tienen en los jóvenes las clases, las actividades sociales, la asistencia a las reuniones, las actividades deportivas, el programa Scout y demás, a la hora de obtener los resultados esperados del Evangelio?". La respuesta es que sí son de ayuda, pero tienen un impacto menor que el de la familia misma.

Otro elemento importante que reveló el estudio de la Iglesia es que cuando los jovencitos llegan a la edad de dieciséis años, más o menos, un consejero adulto (normalmente no el obispo, sino otro hombre bueno) tiene tanta influencia sobre ellos como los padres del joven. Como probablemente sabrá, hay momentos en que los niños no pueden o no quieren recibir consejos de sus padres; mas un consejero adulto que pueda compartir ese mismo mensaje de los padres y ser así un "segundo testigo", puede resultar de gran ayuda, especialmente en los años finales de la adolescencia, al ayudar a los jóvenes a alcanzar esos frutos del Evangelio.

Estos consejeros adultos tienen mucho más potencial a la hora de conseguir dichos resultados del que tienen los amigos, los obispos, los programas de la Iglesia o aun la propia familia del joven. El estudio descubrió que la edad, la educación o la ocupación de dicho consejero no eran muy importantes, que lo que realmente importaba era si el joven sentía que esa persona era confiable, respetuosa y cariñosa, características del consejero mismo.

No debemos sobrestimar ni mal interpretar la función de la Iglesia. Lo que hace la participación en la misma es reforzar los cimientos espirituales que se ponen en el hogar. Mas la mera asistencia a las actividades de la Iglesia no es el fin en sí mismo, ni garantiza que los jóvenes estén avanzando hacia los resultados deseados. Sin embargo, si una actividad está diseñada para hacer avanzar espiritualmente a estos jóvenes hacia dichos resultados, el impacto será real, una contribución a aquello que se esté haciendo en el hogar.

Al considerar la información proporcionada por el "estudio de la juventud", podríamos preguntarnos: "Si todo lo mencionado más arriba es cierto, ¿cómo podemos enseñar a las familias de esta manera? ¿No puede todo ello llevarse a cabo a través de las reuniones y actividades de la Iglesia y, más concretamente, a través de los maestros orientadores? ¿No es ésa la función divina que tienen en lo que se refiere a las personas y las familias?".

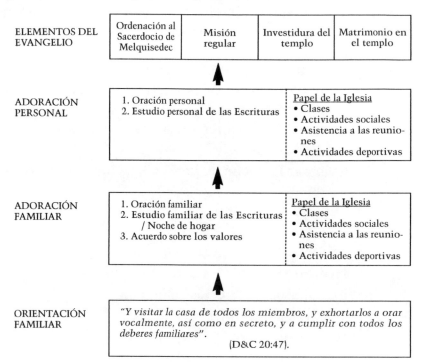

| ELEMENTOS DEL EVANGELIO | Ordenación al Sacerdocio de Melquisedec | Misión regular | Investidura del templo | Matrimonio en el templo |
|---|---|---|---|---|

ADORACIÓN PERSONAL

1. Oración personal
2. Estudio personal de las Escrituras

Papel de la Iglesia
• Clases
• Actividades sociales
• Asistencia a las reuniones
• Actividades deportivas

ADORACIÓN FAMILIAR

1. Oración familiar
2. Estudio familiar de las Escrituras / Noche de hogar
3. Acuerdo sobre los valores

Papel de la Iglesia
• Clases
• Actividades sociales
• Asistencia a las reuniones
• Actividades deportivas

ORIENTACIÓN FAMILIAR

*"Y visitar la casa de todos los miembros, y exhortarlos a orar vocalmente, así como en secreto, y a cumplir con todos los deberes familiares".*
(D&C 20:47).

El deber de los maestros orientadores es "visitar la casa de todos los miembros, y exhortarlos a orar vocalmente, así como en secreto, y a cumplir con todos los deberes familiares" (D&C 20:47).

Cuando pienso en este pasaje siempre me impresiona que, cuando el Señor habla acerca de los poseedores del sacerdocio y de sus visitas a los hogares de los Santos, bien podría haberles dado una larga lista de mandamientos; pero simplemente les dijo: "Visitar la casa de todos los miembros, exhortándolos a orar vocalmente, así como en secreto, y a cumplir con todos los deberes familiares" (D&C 20:51). Fíjese que el hincapié principal reside en que los miembros oren. La oración acercará a las personas al Señor y les inspirará a atender sus deberes familiares.

Algunos han preguntado: "¿Cuáles son esos deberes

familiares?" Se ha sugerido que dichos deberes pueden encontrarse en el cumplimiento de la misión de la Iglesia de convertir personas al Señor mediante la proclamación del Evangelio, el perfeccionamiento de los Santos y la redención de los muertos, toda una enseñanza digna de meditarse. Puede que otra buena descripción se halle en el manual publicado por la Iglesia y titulado *Guía para la organización familiar*. Hará bien en obtener un ejemplar del mismo. El siguiente es un resumen de su contenido:

- Celebrar la noche de hogar por lo menos una vez a la semana.
- Tener las oraciones familiares y personales al menos dos veces al día.
- Bendecir los alimentos (en cada comida).
- Dedicar tiempo a las actividades familiares.
- Estudiar las Escrituras como familia.
- Conversar durante las comidas.
- Hablar del Evangelio mientras se trabaja en unión.
- Emplear las festividades y las ocasiones especiales para enseñar el Evangelio.
- Enseñar el pago del diezmo y otras ofrendas mediante el ejemplo.
- Enseñar el Evangelio a través de pequeños relatos antes de irse a la cama.
- Tener entrevistas de carácter privado.

Todas estas actividades ayudan a los padres a ser verdaderos líderes espirituales en el hogar. Si los padres estuvieran concentrados en la oración, la lectura de las Escrituras y estas responsabilidades familiares, de seguro que tendrían éxito en criar una familia celestial.

Si los maestros orientadores, tras aconsejarse con el cabeza de la familia, pudieran ayudar en estas responsabilidades básicas, tendrían un impacto mucho mayor al tratar de ayudar a los padres en el fortalecimiento de sus familias.

Sin duda alguna, los padres, las madres y los hijos inspirados les recibirían en sus hogares. Sí, los maestros orientadores inspirados representan el papel divino de ayudar a que tanto los padres como sus familias se vuelvan más plenamente al Señor.

La guía mencionada anteriormente describe las bendiciones y las ordenanzas que se pueden llevar a cabo en el hogar:

1. Consagración del aceite.
2. Unciones.
3. Sellamiento de la unción.
4. Bendiciones especiales.

## EL CONSEJO DE LOS PROFETAS VIVIENTES

Siempre me han impresionado las enseñanzas de los profetas, pues no sólo hablan a las personas que viven en su época, sino a las de la siguiente generación. Sus declaraciones proféticas preparan a las familias para los desafíos y los problemas que enfrentan tanto la Iglesia como el mundo.

Por ejemplo, el presidente Heber J. Grant habló tanto sobre la Palabra de Sabiduría, que la gente se preguntaba: "¿Es ése el único discurso que tiene?". Conferencia tras conferencia hablaba a los Santos sobre la importancia de obedecer la Palabra de Sabiduría. En aquellos días, algunos miembros eran bastante perezosos en lo tocante a guardar este mandamiento, por lo que se necesitaba hacer gran hincapié en él. Un hombre escribió al presidente Grant para decirle: "¿No tiene otro discurso? Por favor, hable de otra cosa que no sea la Palabra de Sabiduría". La respuesta del presidente Grant a su secretario fue: "Bueno, hay un hombre que ciertamente necesita este discurso", y en la siguiente conferencia volvió a hablar de la Palabra de Sabiduría.

¡Cuán inspirado fue el presidente Grant! Podemos ver en la actualidad el ataque que Satanás está realizando contra la Palabra de Sabiduría, pues el mundo está lleno de alcohol, tabaco y drogas. Cuán importante es que el profeta pudiera ver una generación más allá de la suya e instruir a los padres que enseñasen a sus hijos que ellos podrían estar preparados para la masacre que se iba a producir. De no haber hecho eso se habría perdido toda una generación de la Iglesia.

Piense en el presidente David O. McKay. ¿Cuál era su enseñanza principal? La importancia del hogar, de la familia, del matrimonio, incluyendo el deber del esposo y de la esposa de amarse y apreciarse mutuamente. ¿Qué ocurrió en la generación siguiente? Divorcio, separación y destrucción de la unidad familiar. Una vez más, si los padres no hubiesen obedecido el consejo del profeta, se habría perdido toda una generación de la Iglesia.

¿Y qué hay de otro profeta del Señor que, conferencia tras conferencia, recalcaba la importancia de leer el Libro de Mormón? Ciertamente que no estaba hablando sólo a la generación de aquel momento, sino a la que vendría después. Si seguimos el consejo de ese profeta, nuestros hijos serán capaces de soportar la batalla que está a punto de venir. Tengo el sentimiento de que sólo los jóvenes que hayan sido criados con este tipo de alimento espiritual, serán capaces de soportar los vientos y los torrentes que descenderán sobre el mundo en las generaciones posteriores a la nuestra. Cuán importante es que nos aseguremos de que nuestras familias sean criadas bajo este consejo tan inspirado.

El presidente Benson dijo una vez: "Cualquier hombre que no enseñe a su familia a leer las Escrituras y a hacer lo que le ha sido mandado concerniente al Libro de Mormón, está en tan grave peligro como los hombres y mujeres que no quisieron entrar en el arca en los días de Noé". Qué consejo tan solemne procedente de un profeta del Señor.

De este modo podemos ver claramente que, si los padres enseñan a sus hijos estos elementos básicos relativos a la oración y a la lectura de las Escrituras, habrán abordado dos de las piedras angulares principales de la conversión al Evangelio. Estarán en un buen lugar por haber ayudado a sus familias a convertirse al Señor y a permanecer convertidos durante el resto de la vida.

A medida que continúe leyendo este libro, tenga a bien recordar los importantes principios de lo que significan el hogar y la familia, así como su responsabilidad ante el Señor de criar una familia en rectitud. Recuerde las verdaderas funciones de la persona, de la familia y de la Iglesia, y en especial la importancia de la adoración individual y familiar en los resultados descritos en el estudio de la juventud. Podemos criar una familia celestial sobre estos cimientos.

## CONCLUSIÓN

Finalicemos este capítulo volviendo una vez más a los inspirados principios dirigidos a los padres, que se encuentran en la sección 68 de Doctrina y Convenios, y alrededor de los cuales se estructura el resto de este libro:

### LOS PADRES DEBEN ENSEÑAR LA DOCTRINA DEL ARREPENTIMIENTO, LA FE EN CRISTO, EL BAUTISMO Y EL DON DEL ESPÍRITU SANTO

"Y además, si hay padres que tengan hijos en Sión o en cualquiera de sus estacas organizadas, y no les enseñen a comprender la doctrina del arrepentimiento, de la fe en Cristo, el Hijo del Dios viviente, del bautismo y del don del Espíritu Santo por la imposición de manos, al llegar a la edad de ocho años, el pecado será sobre la cabeza de los padres. Porque ésta será una ley para los habitantes de Sión, o en cualquiera de sus estacas que se hayan organizado" (versículos 25–26).

### LOS NIÑOS DEBEN SER BAUTIZADOS Y RECIBIR LA IMPOSICIÓN DE MANOS

"Y sus hijos serán bautizados para la remisión de sus pecados cuando tengan ocho años de edad, y recibirán la imposición de manos" (versículo 27).

## LOS PADRES DEBEN ENSEÑAR A SUS HIJOS A ORAR Y A ANDAR EN RECTITUD

"Y también enseñarán a sus hijos a orar y a andar rectamente delante del Señor" (versículo 28).

## SE DEBE ENSEÑARA LOS SANTOS (NIÑOS INCLUIDOS) A SANTIFICAR EL DÍA DE REPOSO

"Y los habitantes de Sión también observarán el día del Señor para santificarlo" (versículo 29).

## LOS SANTOS (NIÑOS INCLUIDOS) DEBEN TRABAJAR CON FIDELIDAD Y NO SER OCIOSOS NI CODICIOSOS

"Y en vista de que se les manda trabajar, los habitantes de Sión también han de recordar sus tareas con toda fidelidad, porque se tendrá presente al ocioso ante el Señor. Ahora, yo, el Señor, no estoy bien complacido con los habitantes de Sión, porque hay ociosos entre ellos; y sus hijos también están creciendo en la iniquidad; tampoco buscan con empeño las riquezas de la eternidad, antes sus ojos están llenos de avaricia" (versículos 30–31).

## ESTAS COSAS DEBEN SER ENSEÑADAS A TODOS LOS SANTOS (NIÑOS INCLUIDOS)

"Estas cosas no deben ser, y tienen que ser desechadas de entre ellos; por consiguiente, lleve mi siervo Oliver Cowdery estas palabras a la tierra de Sión" (versículo 32).

## LOS SANTOS (NIÑOS INCLUIDOS) DEBEN HACER SUS ORACIONES

"Y un mandamiento les doy: Quien no cumpla con sus oraciones ante el Señor en el momento debido, hágase memoria de él ante el juez de mi pueblo" (versículo 33).

## ESTAS COSAS SON VERDADERAS Y FIELES PARA TODOS (NIÑOS INCLUIDOS)

"Estas palabras son verdaderas y fieles; por tanto, no las violéis, ni tampoco quitéis de ellas. He aquí, soy el Alfa y la Omega, y vengo pronto. Amén" (versículos 34–35).

Es interesante que el Señor diga en este mandamiento que los padres tienen que enseñar a sus hijos un conjunto de doctrinas antes de que sus pequeños tengan ocho años de edad o el pecado recaerá sobre la cabeza de los padres.

Siempre me ha impresionado el que tengamos que enseñar estas doctrinas a nuestros hijos *antes* de que cumplan ocho años. No es algo nimio el que Satanás no pueda tentar a los niños antes de esa edad. Quizás tenga que ver más con "un tiempo divino" y con la oportunidad de los padres para enseñar, que con otras cosas imaginables. Las doctrinas específicas que el Señor menciona son:

- La fe en Cristo.
- El arrepentimiento.
- El bautismo.
- El don del Espíritu Santo.
- La oración.
- El caminar rectamente delante del Señor.
- El observar el día de reposo para santificarlo.
- El trabajar con total dedicación, sin ser ocioso.
- El evitar que los niños crezcan siendo inicuos o teniendo los ojos puestos en la codicia.
- El buscar las riquezas de la eternidad.

En la conclusión del versículo 34 el Señor destaca que estas cosas son verdaderas y fieles, refiriéndose a toda la sección, pero creo que también a los versículos seleccionados. Él dice, además, que no debemos violar estas cosas ni quitar de ellas. Creo que se está refiriendo a que si seguimos estos principios y los enseñamos a nuestros hijos por el Espíritu, seremos capaces de criar una familia celestial, por lo que el resto de este libro está principalmente edificado sobre los principios mencionados por el Señor en estos versículos clave.

# CAPÍTULO 2

# ENSEÑE A SU FAMILIA POR EL ESPÍRITU

Una tarde, hace ya tiempo, uno de mis hijos, que tenía dieciséis años, regresó de la escuela muy enfadado. Tenía algunos problemas para aprender todo lo que necesitaba saber para unos exámenes que tendría al día siguiente y, además, unos amigos habían estado importunándolo. Se sentía muy desanimado y, en su frustración, comenzó a crear cierta contención en la familia. Mi esposa y yo pensamos que quizás debíamos tomar parte. Como ya se acercaba la hora de irnos a descansar, decidimos: "No, lo dejaremos pasar. Esta noche dormirá bien y por la mañana se sentirá mejor". Decidimos no tomar parte, lo cual a veces es difícil, pero creo que fuimos sabios al mantenernos al margen de la situación aquella noche.

Sin embargo, a la mañana siguiente los problemas surgieron otra vez durante el desayuno. Debido a que nuestro hijo estaba enfadado, ofendió a una de sus hermanas, quien comenzó a llorar. Cuando terminamos el desayuno, tomé al muchacho del brazo y le dije: "Hijo, ven conmigo un momento". Lo llevé a mi cuarto, cerré la puerta y me arrodillé. Él también se arrodilló, aunque todavía estaba enfadado.

Me esforcé para orar por él: "Padre Celestial, bendice a mi hijo, porque está molesto. Ha tenido algunos problemas con la familia y está preocupado por los exámenes de la escuela". Le expresé mi amor a través de esa oración de la mejor manera que pude, ejerciendo mi fe en que el Señor le ayudaría en ese día si él enternecía su corazón.

Tras unos pocos minutos, su corazón era humilde y, tan pronto como dije amén, añadió: "Papá, déjame orar". En su oración, pidió perdón, le dijo al Señor que lo amaba y que me amaba a mí. Le dijo que iba a pedirle perdón a su hermana, que se sentía bajo mucha presión pero que creía que el Señor le iba a ayudar. Tras esa oración, padre e hijo se fundieron en un abrazo de amor y, siendo el Señor parte de la solución, el amor existente entre los dos se enriqueció sobremanera.

Se fue a la escuela, hizo bien los exámenes y regresó a casa maravillado, con grandes deseos de contarnos a su madre y a mí acerca de su éxito y de que *sabía* que el Señor le había ayudado. No tenía ninguna duda al respecto.

Unas dos semanas más tarde, yo estaba bajo mucha presión por tener que dirigir unas reuniones muy importantes y dar un par de discursos en ese día. Nuevamente nos encontrábamos sentados para desayunar y yo no estaba siendo tan atento con algunos de nuestros hijos como debería haberlo sido. Me sentía del mismo modo que se había sentido mi hijo, al punto de tener algún pequeño problema con uno de ellos.

Tras el desayuno, mi hijo me tomó del brazo y me dijo: "Papá, ven conmigo un momento". De nuevo fuimos al cuarto, pero esta vez él cerró la puerta y se arrodilló, y yo me arrodillé también. Entonces oí a ese buen muchacho ofrecer una oración por su padre, diciendo algo así: "Mi papá está muy preocupado. Tiene que hacer ciertas cosas para los cuales no ha podido prepararse como le hubiera gustado. Está preocupado por las reuniones y los discursos. Por favor, ayúdale, Padre Celestial. Por favor, inspírale. Yo lo amo".

No hizo falta mucho tiempo para que un corazón que no era lo suficientemente humilde como debiera haber sido, se humillase con rapidez. Luego, yo ofrecí una oración de gratitud por tener un buen hijo y le pedí perdón al Señor. Tras la oración nos abrazamos y una vez más nuestro amor se multiplicó.

Con frecuencia me he preguntado por qué el amor se multiplica de ese modo en tales situaciones. Es a causa de que el Señor forma parte de la situación. No es por el consejo de un padre o de una madre a un hijo, sino que se debe

a que el Señor forma parte del momento y, cuando lo hace, la revelación fluye y el amor se multiplica.

Pues bien, me fui a trabajar e hice todas las cosas que tenía que hacer. Todo salió bien y cuando esa noche llegué a casa, ese mismo hijo, quien había llamado para averiguar a qué hora había salido de la oficina, estaba aguardándome. Cuando me vio, me preguntó: "Bueno, papa, ¿qué tal te fue hoy?". Entonces, la experiencia de aquella mañana volvió a mi mente y contesté con gratitud: "Hijo, éste ha sido un día fantástico. No tenía motivo alguno para estar preocupado. El Señor me bendijo y pude dar los discursos".

—Ya lo sabía—, dijo.

—¿Qué quieres decir?

—Bueno, ya lo sabía, papá. Así es como trabaja el Señor. Hoy he orado por ti diecisiete veces. Oré casi en cada clase, cuando estaba en la cafetería. Hasta oré cuando estaba en el baño para que el Señor te bendijera—. Y entonces añadió: — Ya lo sabía.

He pensado mucho en este acontecimiento en relación a enseñar por el Espíritu. Sospecho que ni yo ni nadie más podría enseñar jamás con palabras o doctrina todo lo que se puede aprender en una *experiencia real* con el Espíritu del Señor.

## EL PODER DE LA
## ADORACIÓN AL SEÑOR

Al enseñar y aprender por el Espíritu, no podemos omitir la importancia que tiene la adoración personal y familiar. Puede que se trate de la clave más importante para criar una familia celestial y fiel. No debe sorprendernos que así sea. Un día, un abogado le preguntó a Jesús: "Maestro, ¿cuál es el gran mandamiento en la ley?

Jesús le dijo:

> Amarás al Señor tu Dios con todo tu corazón, y con toda tu alma, y con toda tu mente. Éste es el primero y grande mandamiento. Y el segundo es semejante: Amarás a tu prójimo como a ti mismo. De estos dos mandamientos depende toda la ley y los profetas (Mateo 22:35–40).

En otras palabras, el primer mandamiento para nosotros, como individuos y como familias, es amar al Señor con todo nuestro corazón, alma, mente y fuerza. Después de hacerlo, aprendemos a través de nuestra familia cómo servir a los integrantes de la misma y a otras personas más allá del círculo familiar. Esta gran máxima del Señor es de carácter inclusivo: Todas las Escrituras de la época del Salvador se centraban en estos dos grandes mandamientos. Lo que hacen es unir a la persona o a la familia al Señor, y cuando el Señor forma parte de algo, ese algo no puede fracasar.

Por supuesto que, entonces, debemos aprender a confiar más en el Señor. Debemos aprender cómo enseñar a nuestra familia mediante Su Espíritu, pues si enseñamos de alguna otra manera, no tendremos un efecto duradero.

Si aprendemos a tener con nosotros el Espíritu del Señor y a enseñar por ese Espíritu, seremos capaces de hacer que la persona, la familia y la Iglesia mantengan debidamente la función que les corresponde; comprenderemos mejor los sagrados llamamientos de padre, madre e hijos, y recibiremos amplia instrucción del Señor porque, después de todo, nuestros hijos fueron en primer lugar hijos Suyos. Él desea ver, mucho más que nosotros, que Sus hijos se salven; por tanto, desea ser un compañero pleno en nuestro matrimonio, en nuestra familia y en nuestra relación con nosotros mismos. Repito que Él quiere darnos instrucción diaria sobre cómo dirigir mejor a nuestra familia de manera inspirada.

El Señor ha dicho muy claro: "Hay una ley, irrevocablemente decretada en el cielo antes de la fundación de este mundo, sobre la cual todas las bendiciones se basan; y cuando recibimos una bendición de Dios, es porque se obedece aquella ley sobre la cual se basa" (D&C 130:20–21).

Claramente vemos que, cuando deseamos *cualquier bendición*, ésta es gobernada por una ley. El secreto de trabajar con el Señor reside en descubrir cuál es la ley y luego obedecerla; sólo entonces el Señor nos dará la bendición. El Señor ha dicho también: "Porque todos los que quieran recibir una bendición de mi mano han de obedecer la ley que fue decretada para tal bendición, así como sus condiciones, según fueron instituidas desde antes de la fundación del mundo" (D&C 132:5). De manera evidente, la ley incluye ciertas condiciones externas que, si se cumplen, nos permitirán obtener la bendición de manos del Señor. Intentemos, pues, describir algunas de esas condiciones que, de estar presentes, permitirán que el Espíritu del Señor esté con todo buen padre o madre en la dirección de su familia.

## ESCUCHEMOS CON EL ESPÍRITU

Cuando consideramos el significado de enseñar por el Espíritu, debemos reconocer claramente que hay tres partes involucradas en el proceso: el que habla, el que escucha y el Espíritu del Señor. Una de las cosas más difíciles para el que habla es escuchar correctamente lo que el Señor quiere que enseñe.

El presidente Marion G. Romney dijo una vez a unos

amigos: "Hermanos, estoy comenzando a preocuparme por mi esposa, pues está perdiendo el oído. Esta noche voy a realizarle una prueba". Y esa noche se sentó en su gran silla del cuarto de estar y dijo en voz alta: "Ida, por favor, tráeme un vaso de agua". Todo era silencio, así que dijo un poco más fuerte: "Ida, por favor, tráeme un vaso de agua". Nuevamente hubo silencio, por lo que esta vez dijo a gran voz: "¡Ida, por favor, tráeme un vaso de agua!". Ella se acercó y le dijo: "Pero hombre, Marion, ya te he contestado tres veces. ¿Qué quieres?". Él se sintió avergonzado al tener que admitir finalmente que era él quien estaba perdiendo el oído.

Verdaderamente una cosa es poder oír y otra entender. Con frecuencia pienso en una ocasión en la que el hermano Romney iba detrás de dos jóvenes que salían de una reunión en la que él había hecho uso de la palabra. Uno de los chicos dijo: "Ésta fue la reunión más aburrida a la que haya asistido. Todo lo que el hermano Romney hizo fue citar de las Escrituras. No podía aguantar más. Estaba deseando poder salir de allí". El otro muchacho dijo entre lágrimas: "Fue la reunión más espiritual a la que jamás he asistido. Creo que mi vida ha cambiado". La diferencia estriba en la actitud de los oyentes y en su recepción y respuesta al Espíritu.

## EL ESPÍRITU SANTO ES EL MAESTRO

Creo que una de las cosas más importantes que sé sobre la enseñanza es que la persona que actúa como maestro en realidad no es tal. Tenga cuidado si se da cuenta de que está usted comenzando a actuar como si tuviese todas las respuestas, pues esto podría hacer que se alejase de su verdadero papel. El Señor ha dicho: "Yo' el Señor' os hago esta pregunta: ¿A qué se os ordenó? A predicar mi Evangelio por el Espíritu, sí, el Consolador que fue enviado para enseñar la verdad" (D&C 50:13–14).

¿Quién fue enviado a enseñar la verdad? El Consolador. ¿Yo? No, el Consolador. Yo puedo ayudar, ser un instrumento en las manos del Señor para predicar y ayudar, mas el Consolador es el maestro. Creo que todos estamos de acuerdo con esta verdad, pero también creo que la mayoría de nosotros tenemos dificultades para aplicarla o reconocerla. Aquel muchacho, cuyo comentario oyó el hermano Romney, había sido enseñado por el Espíritu Santo; había oído la voz del Señor hablándole personalmente a él. El hermano Romney hizo algo, mas creo que él se habría apresurado a decir que hizo bien poco. Quizás preparó el camino e hizo ciertas cosas para crear el ambiente, pero habría reconocido claramente quién fue el que cambió el corazón del muchacho.

Si alguien me preguntase: "¿Cuál es la cosa más importante que sabe respecto a enseñar?", contestaría rápidamente que *debemos enseñar por el Espíritu.* Y creo que añadiría: "Aquello que tiene mayor efecto al enseñar y aprender por el Espíritu es que el corazón de una persona debe estar en armonía con el Señor, principalmente a través de la oración".

¿No es acaso lógico entender que el Señor nos enseñará? Él lo hará, y puede *iluminar* nuestro entendimiento y avivar la luz de nuestro interior hasta que podamos ver y prever las cosas que no entenderíamos de otra manera.

¿Recuerda cuando los nefitas se congregaron en el templo de la tierra de Abundancia? La primera vez que el Señor les habló, ellos no entendieron. La segunda vez tampoco le entendieron. Mas la tercera vez "aguzaron el oído" para escuchar y entendieron (véase 3 Nefi 11:3–5). El Señor explicó en Doctrina y Convenios 136:32 *cómo abrir* nuestros oídos, nuestros ojos y nuestro corazón: "Aprenda sabiduría el ignorante, humillándose y suplicando al Señor su Dios, a fin de que sean abiertos sus ojos para que él vea, y sean destapados sus oídos para que oiga".

Echemos un vistazo a este versículo frase por frase: "Aprenda sabiduría el ignorante...". ¿De quién está hablando el Señor cuando dice esto? Está hablando de nosotros.

Mientras leemos, uno podría preguntarse: "¿Cómo se

obtiene sabiduría?" El mundo diría que leyendo, estudiando, asistiendo a la universidad, aprendiendo de las experiencias, etcétera. Éstas son respuestas muy buenas; sin embargo, el Señor no da ninguna de ellas, sino que dice que hay otra forma de hacerlo. No se trata de que estas respuestas sean malas, sino de que son secundarias. Ésta es la manera de obtener sabiduría: Primero, "humillándose...".

¿No es interesante? Si queremos ser sabios a la manera del Señor, si queremos entender en nuestro corazón lo que Él nos diga, si queremos ser capaces de entender esa voz, la respuesta más importante es que tenemos que humillarnos ante Él.

Por ejemplo, debemos reconocer quién es quién antes de comenzar a enseñar. Podríamos meditar, bajo el espíritu de oración, en los sentimientos de quiénes somos, quién es el Señor y qué debe hacer Él —no lo que debemos hacer *nosotros*, sino lo que debe hacer *Él* para tocar el corazón de nuestros hijos. Si usted puede hacer humilde el corazón de sus hijos, ellos entenderán lo que Dios les diga.

La segunda manera de aprender es "suplicando al Señor...".

Si después de humillarnos suplicamos al Señor que nos enseñe, ¿cuál será el resultado? "Que sean abiertos [nuestros] ojos para que [veamos], y sean destapados [nuestros] oídos para que [oigamos]", pues, tal como dice el Señor en el versículo siguiente, "se envía mi Espíritu al mundo para iluminar a los humildes y contritos, y para la condenación de los impíos".

## EL ESPÍRITU ENSEÑA AL HUMILDE Y AL ARREPENTIDO

¿A quién ilumina el Espíritu? Al humilde y al arrepentido. ¿Y a los orgullosos? El Espíritu del Señor no les ayudará.

A veces he asistido a clases de la Iglesia sobre cómo educar correctamente a los hijos y con frecuencia me ha sorprendido ver que los matrimonios más jóvenes parecen tener todas las respuestas. Puede que hayan recibido alguna capacitación sobre cómo ser buenos padres, por lo que tienden a pensar que realmente saben cómo hacerlo. Aquellos padres más experimentados no se apresuran a levantar la mano.

Si alguna vez permitimos que el orgullo entre en nuestro corazón, haciéndonos creer que lo sabemos todo sobre cómo criar una familia y que "realmente somos buenos padres", ese día los cielos se cerrarán para nosotros. Mas si nos humillamos y oramos con tanta frecuencia como podamos, Él verdaderamente abrirá nuestros ojos para que podamos ver y nuestros oídos para que podamos oír. Le testifico que este principio es verdadero. No se preocupe demasiado por los detalles de la enseñanza, sino esté mucho más interesado en cómo acudir al Señor y recibir instrucción de la fuente verdadera. El saber cómo recibir una respuesta de Dios probablemente sea el mayor don que jamás podría legar a sus hijos.

Puede que alguien diga: "Bueno, no sé muy bien cómo hacerlo". Está bien. Si tan sólo tiene el deseo de saber más y persevera, el Señor le concederá ese conocimiento poco a poco hasta que llegue a sentir más confianza. Le testifico esto que es verdad.

En la mayoría de los casos, aquellos niños que tienen el Espíritu del Señor consigo, están alerta y responden con entusiasmo a sus hermanos, hermanas y padres. Los hijos rebeldes y desobedientes no tienen el Espíritu. Miran al suelo y no a los ojos, y cuando se les hace una pregunta, no contestan o lo hacen de mala gana. Le testifico que si enseñamos a nuestros hijos a tener el Espíritu del Señor, responderán bien no sólo a Él, sino también a sus padres, hermanos y hermanas. Quizás sea ésta una forma definitiva de medir hasta qué grado las personas tienen el Espíritu, pues reaccionan con entusiasmo al Señor y a su prójimo.

Una cosa es tener el Espíritu consigo, y otra es ser capaz de utilizarlo con las personas. Cuando esté listo para enseñar, asegúrese de que el Espíritu esté con usted. Tal como ha dicho el Señor: "Si no recibís el Espíritu, no enseñaréis"

(D&C 42:14). Sus enseñanzas no tendrán valor alguno si usted no tiene el Espíritu.

Al observar a los maestros, a veces me preocupa el que no estén lo suficientemente interesados en tener el Espíritu del Señor con ellos *todo el tiempo* que están enseñando. Repito, si no tenemos el Espíritu, no enseñaremos —al menos no lo haremos a la manera del Señor.

Enseñemos a nuestros hijos a tener una oración en el corazón mientras les instruimos, y entonces, aprenderán por el Espíritu del Señor. Los padres también deben orar mientras estén enseñando.

Un padre podría ofrecer una sencilla oración diciendo: "Por favor, enséñame, Padre Celestial. Estoy preocupado por uno de mis hijos y no sé qué hacer para ablandar su corazón. Ayúdame". Al orar con un corazón humilde, el Señor le hablará y le susurrará algo que podrá hacer ahora y en lo que no había pensado antes. Y, a pesar de lo importante de la instrucción que reciba, algo quizás mucho más significativo es que este padre estará aprendiendo *cómo recibir* instrucción del Señor. Si nos dejamos guiar por el Espíritu, no seremos engañados y podremos soportar esta época de peligro (véase D&C 45:57).

## CÓMO INVITAR AL ESPÍRITU

Piense por un momento en las veces en que realmente necesita el Espíritu. Me gustaría hacer algunas sugerencias específicas sobre cómo puede disfrutar de esa bendición, tanto para usted mismo (por ejemplo, en momentos de desánimo) como para aquéllos a quienes usted enseña. Estas sugerencias prepararán el camino para el Espíritu; de hecho, invitarán al Espíritu *de inmediato* a participar en lo que usted vaya a hacer. He hecho hincapié en las palabras *de inmediato* porque ésta suele ser la manera en que lo necesitamos. Por ejemplo, cuando estamos enseñando o aconsejando a alguien, no podemos aguardar a recibir ayuda más tarde; la necesitamos en ese mismo momento. Éstas son las sugerencias:

## 1. ORE

Una de las cosas más importantes que usted podría hacer es orar fervorosamente por el Espíritu. El Señor así nos lo dice en las Escrituras. A veces los misioneros intentan contrarrestar las objeciones de un investigador dando su opinión, una explicación o algún tipo de razonamiento; lo cual está bien. Pero una manera más poderosa de abordar una objeción es orar. Cuando alguien intenta razonar contra el pago del diezmo, por ejemplo, un misionero podría decir: "¿Qué le dijo el Señor cuando usted le preguntó sobre el diezmo? Vamos, hermano Brown, arrodillémonos". Entonces, el hermano Brown está en las manos del Señor y, si es humilde, su corazón será cambiado por el Señor mismo.

Puede que usted esté teniendo problemas con uno de sus hijos. Cuando sea apropiado, el arrodillarse para orar con ese hijo podría influir mucho más que cualquier cosa que usted pudiera decirle para razonar con él. Los hijos tienen que ver la oración puesta en práctica, tienen que sentirla. Y entonces viene el testimonio, el cual es muy importante.

Con frecuencia he dicho algo a los misioneros que también se aplica a los padres. El objetivo principal de un misionero es proporcionar una experiencia espiritual al investigador. De igual modo, la cosa más importante que usted puede hacer por sus alumnos o por sus hijos, es brindarles una experiencia espiritual. Ayúdeles a sentir el Espíritu *con* usted, y luego enséñeles cómo pueden ellos tener esa experiencia por sí mismos. Cualquiera de las dos maneras tiene mucho más valor que toda la instrucción que usted pueda darles al respecto. Esencialmente, de lo que estamos hablando es de mostrarles un *medio* para hacerlo.

Cuando usted tiene un problema con uno de sus hijos, lo primero que hace es ¿orar con él, orar más adelante o no orar en absoluto? Puede que ésta sea una forma de medir su propia espiritualidad. Cuando se le presenta un problema de cualquier tipo, ¿lo primero que hace es orar? Si es así, yo le diría: "Bendito sea por reconocer humildemente que Dios está en los cielos, que Él tienea toda nación en Sus manos y que ciertamente Él es capaz de ayudarle". Si su primer pensamiento es volverse a Él, le testifico, en el nombre del Señor Jesucristo, que Él le hablará, le dará revelación, cambiará el corazón de su hijo, de su alumno o de cualquier otra persona que no responda. Él puede hacerlo, pero usted no. Todo lo que usted puede hacer, en gran medida, es intentar crear un ambiente en el que esto pueda tener lugar.

Recordemos, entonces, que, cuando enseñamos, orar es absolutamente esencial o no habrá entendimiento. El Señor lo dijo muy claramente en el Libro de Mormón: "Y sucedido que mandó a la multitud y también a sus discípulos que dejasen de orar; y les mandó que no cesaran de orar en sus corazones" (3 Nefi 20:1).

Es evidente que Jesús, al querer hablar a las personas, les pidió que dejasen de orar vocalmente; mas para que ellos pudieran *entender* Su enseñanza, aún siendo Él el Hijo de Dios, era necesario que orasen en el corazón mientras les enseñaba. Jesús recalcó esa enseñanza con las siguientes palabras: "Veo que sois débiles, que no podéis comprender todas mis palabras que el Padre me ha mandado que os hable en esta ocasión. Por tanto, id a vuestras casas, y meditad las cosas que os he dicho, y pedid al Padre en mi nombre que podáis entender; y preparad vuestras mentes para mañana, y vendré a vosotros otra vez" (3 Nefi 17:2–3).

Él parecía percibir cuándo los "alumnos" estaban satisfechos y cansados, y sabía cuándo dejar de enseñar. Pero les aconsejó que todavía quedaban cosas más importantes por aprender aún después de que ellos se fueran, y que para poder llevar a cabo este aprendizaje, necesitaban regresar a sus hogares, meditar y preguntar al Padre en oración para poder entender. Si hacían eso, el entendimiento de lo que Él les había enseñado descansaría en sus corazones y estarían preparados para Sus enseñanzas del día siguiente. Si somos capaces de entender este principio, tendremos mucho más éxito como padres cuando realmente estemos enseñando a nuestros hijos. Ellos desempeñan un papel muy real en el proceso de aprender. El papel de un maestro no se limita a poner conceptos en la mente de una persona, sino que consiste en ayudar a sus alumnos a aprender y experimentar dichos conceptos por sí mismos. El verdadero aprendizaje tiene lugar entre el discípulo y el Señor.

## 2. EMPLEE LAS ESCRITURAS

Sé que el Espíritu del Señor viene cuando empleamos las palabras que Él nos ha dado en las Sagradas Escrituras. Si lo hace *con humildad*, desde el momento en que seleccione los pasajes y comience a leerlos, el Señor hablará a través de usted con poder y el Espíritu se transmitirá a los que estén atendiendo.

Las Escrituras son las palabras del Señor para nosotros y Su Espíritu hablará a todos a través de ellas, tanto a los jóvenes como a los adultos. Si empleamos las Escrituras para enseñar a nuestra familia, las palabras mismas del Señor tocarán el corazón de cada uno.

Recuerdo una vez cuando dos de nuestras hijas entraron en la adolescencia y comenzarou a sentir la presión de sus amigas para vestirse un poco más "a la moda" como algunas de las jovencitas del mundo. Varias amigas les decían que debían ponerse más maquillaje, más adornos, más ropa vistosa. Una mañana estábamos leyendo las Escrituras cuando surgió el tema. Creo que fue inspirado el que estuviésemos leyendo las palabras de Isaías en el Libro de Mormón: "Por cuanto las hijas de Sión son altivas, y andan con cuello erguido y ojos desvergonzados, y caminan como si bailaran, y producen tintineo con los pies; herirá, pues, el Señor la mollera de las hijas de Sión con sarna, y descubrirá su desnudez" (2 Nefi 13:16–17).

De inmediato vimos que estos pasajes no se dirigían a las hijas del mundo, sino a las hijas de Sión, las fieles hermanas miembros de la Iglesia. El Señor hablaba de cómo en los últimos días muchos serían tentados a hacer lo que se les estaba sugiriendo a mis hijas que hiciesen, es decir, vestirse más a la manera del mundo.

Isaías continúa diciendo: "En aquel día quitará el Señor la ostentación de sus ajorcas, y redecillas [redecillas para el cabello], y lunetas [adornos en forma de luna en cuarto creciente]; los collares y los brazaletes, y los rebociños [velos]; las cofias, los adornos de las piernas, los tocados, los pomitos de olor y los zarcillos; los anillos, y los joyeles para la nariz; las mudas de ropa de gala, y los mantos, y las tocas, y las bolsas; los espejos [ropas transparentes], y los linos finos, y los rebozos, y los velos" (2 Nefi 13:18–23).

Resulta evidente que el Señor no está complacido con aquellos que llevan al límite el adorno de sus cuerpos. Por seguro que el Señor tampoco está sugiriendo que vayamos al extremo contrario de no hacer nada por vestirnos con hermosura, mas nos está dando una gran advertencia respecto a ir demasiado lejos, respecto a comenzar a vestirnos a la manera del mundo. Esto no hace sino recalcar un gran principio que se enseña a los misioneros y que, probablemente, se aplica bien a la enseñanza del mismo a nuestros hijos e hijas: No debiera haber nunca nada en ustedes —su manera de hablar o, en especial, su apariencia— que fuera mucho más fuerte que su verdadero yo. En otras palabras, queremos que la gente nos conozca y nos ame por lo que somos, y no por los adornos externos utilizados para llamar la atención o incluso llegar a motivar ciertos sentimientos indignos en aquéllos que pudieran ser influenciados por nosotros.

Al leer estos pasajes aquella mañana y, como padres, al dar testimonio de la veracidad de estos principios, pudimos ver que el mensaje había llegado hasta el corazón de nuestras hijas, quienes hicieron numerosas preguntas: "¿Y qué hay respecto a esto? ¿Y respecto a aquello?" A medida que fuimos dando respuesta a sus preguntas como familia, se fue desarrollando una norma sobre lo que el Señor espera de una jovencita digna en cuanto a la manera apropiada de vestirse. Esta norma no era nuestra norma, sino que estaba basada en una que dan las Escrituras. En otras palabras, se trataba de la norma del Señor.

Lo que hizo de aquélla una experiencia poderosa fue el hecho de que si hubiese sido nuestra norma, tendríamos que haberla reforzado más adelante con reglas más específicas y quizás abordarlas con frecuencia con nuestros hijos (como hemos hecho con algunas reglas durante el transcurso de los años). Pero lo que más nos impresionó fue el hecho de que el Señor mismo, a través de Su Espíritu, llegase a tocar el corazón de nuestras hijas aquella mañana. Él puso en sus corazones un valor, una norma, un nivel de expectativa que no procedía de sus padres sino del Señor. Así que ellas lo aceptaron como si fuese suyo propio y lo vivieron desde ese día en adelante.

Gracias por las Escrituras. Gracias al Señor por Sus palabras que tan imbuidas están de Su Espíritu. No hay nada en la vida a lo cual usted tenga que hacer frente y para lo cual no haya unos principios básicos en las Escrituras. La clave reside en entenderlos y compartirlos con su familia. Nefi enseñó el valor de las Escrituras cuando dijo: "Los ángeles hablan por el poder del Espíritu Santo; por lo que declaran las palabras de Cristo. Por tanto, os dije: Deleitaos en las palabras de Cristo; porque he aquí, las palabras de Cristo os dirán todas las cosas que debéis hacer" (2 Nefi 32:3). Resulta evidente que el Señor nos da las respuestas en las Escrituras si tan sólo las escudriñamos.

Quisiera volver a decir que no se trata simplemente de encontrar el conocimiento o la aclaración de un principio en las Escrituras, sino del testimonio que ello conlleva lo que causa la enseñanza por el Espíritu a través de un buen padre para tocar y cambiar el corazón de un hijo. A veces algunas enseñanzas no tienen lugar de manera tan rápida como expresé anteriormente. A veces, uno de sus hijos puede realmente tener que considerar algo y sopesarlo durante un período de tiempo para poder obtener una verdadera comprensión. Pero, una vez más, si el padre enseña el principio por el Espíritu, y enseña luego a su hijo cómo recibir él mismo una respuesta del Señor mediante la oración, entonces ese hijo obtendrá la verdad del Señor en su propio corazón, y esto hará que cambie su comportamiento.

Siempre me han encantado estas palabras: "Y observarán lo que está escrito y no dirán que han recibido ninguna otra revelación; y orarán siempre para que yo lo aclare a su entendimiento" (D&C 32:4).

Este pasaje guarda relación con las Escrituras pues indica claramente que si oramos sobre ellas, el Señor las aclarará a nuestro entendimiento. Con esto no me refiero solamente a un entendimiento académico, sino al verdadero entendimiento del corazón.

En el Libro de Mormón se habla de cómo los líderes de la Iglesia tuvieron algunos problemas durante cierto tiempo para enseñar a los Santos de su época a utilizar las Escrituras de manera apropiada. Trataban de llevar almas a Cristo —los no miembros y los menos activos— y habían empleado muchos medios diferentes para hacerlo, mas no habían tenido éxito. Entonces, Alma, el gran sumo sacerdote, al prepararse para ir a una misión entre los zoramitas apóstatas (los menos activos), recibió este gran entendimiento del Señor: "Y como la predicación de la palabra tenía gran propensión a impulsar a la gente a hacer lo que era justo —sí, había surtido un efecto más potente en la mente del pueblo que la espada o cualquier otra cosa que les había acontecido— por tanto, Alma consideró prudente que pusieran a prueba la virtud de la palabra de Dios" (Alma 31:5). La predicación de la palabra del Señor tocó la mente y cambió los corazones de ellos; nada había tenido un efecto más poderoso en la gente. Si los padres pueden adoptar este enfoque, asegurándose de que exponen con regularidad a sus hijos a las palabras del Señor, muchos de sus problemas se resolverán en los primeros años de sus pequeños, para nunca más volver a surgir. En realidad no hay grandes problemas, sino que hay un montón de problemas pequeños a los cuales se les ha permitido asentarse y crecer. (En el capítulo 4 se da más información específica sobre el estudio de las Escrituras).

## 3. TESTIFIQUE

Testifique con frecuencia al enseñar. El hacerlo puede ser mucho más importante que aquello que esté enseñando. Testifique en el nombre del Señor que las cosas que está enseñando son verdaderas. Si lo hace, invitará al Espíritu.

A veces los padres olvidan el gran poder que reside en compartir su testimonio con sus hijos. A veces somos de la opinión de intentar convencerles por la lógica de que algo es correcto, tal como pagar el diezmo, santificar el día de reposo, llegar a casa a una hora razonable de la noche, ser amable con sus amigos, etcétera. A veces podemos describir las cosas de manera lógica y enseñarlas a nuestra familia para que sean aceptadas; pero en muchas ocasiones no es éste el caso. Uno de los mayores instrumentos espirituales que el Señor nos ha dado para influir sobre los demás, incluyendo nuestros hijos, es el poder de nuestro propio testimonio.

Nefi escribió: "Yo... no puedo escribir todas las cosas que se enseñaron entre mi pueblo; ni soy tan poderoso para escribir como para hablar; porque cuando un hombre habla por el poder del Santo Espíritu, el poder del Espíritu Santo lo lleva al corazón de los hijos de los hombres" (2 Nefi 33:1). Si los padres y las madres hablasen por el poder del Espíritu Santo a sus hijos, con amor y testimonio, el mensaje llegaría hasta el corazón de sus pequeños y podría cambiarlo.

Alma nos da un ejemplo poderoso de este principio. Renunció al asiento judicial "para poder salir él mismo entre los de su pueblo, o sea, entre el pueblo de Nefi, a fin de predicarles la palabra de Dios para despertar en ellos el recuerdo de sus deberes, y para abatir, por medio de la palabra de Dios, todo el orgullo y las artimañas, y todas las contenciones que había entre su pueblo, porque no vio otra manera de rescatarlos sino con la fuerza de un testimonio puro en contra de ellos" (Alma 4:19).

Los niños, al igual que los adultos, pueden llenarse de orgullo, estar enfadados o llenos de contención, y de este modo rechazar el Espíritu del Señor. Pero el testimonio de un padre puede ayudar a eliminar estas actitudes negativas.

Tuve una experiencia interesante con uno de mis hijos cuando él tenía unos ocho años de edad. Se encontraba estudiando matemáticas y había aprendido casi del todo a sumar y restar, haciendo las cuentas conmigo. Pero, después de un tiempo, se desanimó y dejó de hacerlo. Le permití que decidiese qué quería hacer, creyendo que en poco tiempo volvería y terminaría las cuentas, pero nunca lo hizo. Finalmente, unos días más tarde, "hablé autoritariamente" y le dije que teníamos que solucionar el problema que había entre nosotros. Él tenía el corazón un poco endurecido y no quería hacerlo, por lo que hice que se sentara por un rato en una silla, aunque eso no contribuyó a hacerle humilde.

Al fin me di cuenta de que me estaba acercando a él de manera equivocada, por lo que ambos nos fuimos a la habitación y oramos juntos, lo cual contribuyó a ablandar un poco su corazón. A continuación le dije que tenía que quedarse en el cuarto para orar y averiguar qué era lo que el Señor quería que hiciese, y le dije que escuchase la voz del Señor. Para mi sorpresa, en vez de quedarse allí un minuto o dos, permaneció de rodillas unos diez o quince minutos. Cuando finalmente regresé para ver cómo le iba, me comentó que el Señor le había dicho por el Espíritu que debería estudiar matemáticas, que iba a obedecer esa voz y que iba a estudiar aunque no quisiera hacerlo.

Me maravilló oír que había tenido una experiencia real con el Señor y nos fuimos a contárselo a su madre. Luego estudiamos un rato y él pasó las primeras tres pruebas con las sumas. No pudo pasar las de las restas ese día, pero lo hizo un par de días más tarde.

Esa misma noche tuve una conversación con él para reforzar la importancia de lo que había sucedido. Le pregunté cómo se sentía y admitió que había sido un poco orgulloso, que había endurecido su corazón y que se había enfadado, y que por ese motivo las cosas no le habían ido bien con las matemáticas durante el mes anterior. Le dije que, cuando estaba molesto con él, me había sentido inspirado a llevarlo al cuarto para arrodillarnos y orar juntos. Le recordé que él se había humillado después de que cada uno de nosotros hubo hecho una oración.

Antes de decirle ninguna de las cosas que acabo de mencionar, le pregunté: "Hijo, ¿alguna vez en tu vida has oído la voz del Señor?"Él contestó: "Sí".

—¿Cuándo?—, le pregunté.

—Hoy—, respondió él.

—¿Qué quieres decir?

—Cuando entré, me arrodillé, oré, me quedé en el cuarto y le pregunté al Señor qué hacer; en ese momento me dijo que debía estudiar matemáticas.

—¿Cómo lo sabes? ¿Cómo era la voz?— le pregunté.

—Bueno, fue una voz que me dijo que estaba bien, que eso era lo que debía hacer, que todo iba a estar bien y que podría hacerlo.

—En otras palabras—, dije yo — ¿se trataba de una voz tranquila y apacible?

—Así fue, papá—, respondió.

Pareció estar emocionado por el hecho de que reforzase lo acontecido con él, y creo que tanto él como yo aprendimos una buena lección. Le dije que debía recordar siempre ese momento en que oró y recibió una respuesta inmediata del Señor. Le dije que cuando fuera mayor tendría otros problemas, pero que todos se podrían solucionar del mismo modo, lo cual pareció complacerle mucho.

Todo este acontecimiento pareció cobrar forma con la impresión de que debía llevar a mi hijo al cuarto para orar. La idea de que si lograba hacerlo su corazón se humillaría y que luego iba a reaccionar y aprender matemáticas, era clara. Pero tenía que ser porque él quisiese, no porque quisiese yo. El Espíritu tenía que tocarle para que sucediese —mis palabras no bastaban. Todo el asunto comenzó a encarrilarse cuando, de rodillas, compartí mi testimonio con él y le dije que el Señor le ayudaría si tenía fe. Mis palabras fueron de mi corazón al suyo, y él se humilló, se quedó en el cuarto, orando, hasta que su corazón fue completamente humilde. Si somos capaces de recordar que podemos emplear este tipo de instrumentos espirituales con nuestros hijos, tendremos un mayor impacto sobre ellos.

Otro ejemplo que ilustra este principio es cómo llegué a obtener mi propio testimonio. Mi hermano mayor ha sido siempre una fuente de inspiración para mí. Una tarde, cuando él tenía diecisiete años, volvió de una reunión de jóvenes en la Iglesia y me dijo que su maestro le había dicho que debía obtener su propio testimonio y no apoyarse constantemente en el de los demás. Dijo casi de manera profética: "Voy a obtener mi propio testimonio, sin importar el tiempo que me lleve ni lo que me cueste. Pagaré el precio de saber por mí mismo".

Comenzó a ayunar, a orar y a estudiar el Libro de Mormón. Una mañana, poco tiempo después, quedó afectado de parálisis. No podía moverse y el lado derecho de su cuerpo le dolía terriblemente. Apenas pudo susurrarle a mi padre que quería una bendición. Apenas terminada la bendición, mi hermano sanó milagrosamente. Se levantó, se estiró y quedó libre del dolor.

Cuando más tarde lo examinó un médico, el diagnóstico fue que había tenido una aparente ruptura del apéndice, pero que en su cuerpo no había rastro alguno del órgano dañado. Después, mi hermano me habló de los sentimientos que tuvo cuando fue sanado, y me dijo que sabía que la Iglesia era verdadera. Sin embargo, dijo que el testimonio espiritual del Libro de Mormón lo había recibido antes de ser sanado; me habló de cómo había estudiado el libro y de cómo había orado referente a cada una de sus páginas. Compartió su testimonio conmigo y su experiencia me tocó, al punto de decir en mi corazón: "Si el Señor contestó a mi hermano, también me contestará a mí".

De este modo, comencé a leer el Libro de Mormón a los

doce años y también yo recibí una confirmación personal de la veracidad del Evangelio. Supe entonces, y nunca lo he dudado, que el Libro de Mormón es la palabra de Dios y que el Evangelio es verdadero.

Ahora veo claramente que el testimonio de mi hermano alcanzó mi corazón e hizo surgir en mí el deseo de tener lo que él tenía. Muchas veces las enseñanzas de los padres permanecen adormecidas en el corazón de sus hijos, aguardando al momento de salir a luz. Cuando los problemas y las dificultades nos rodeen, si estamos lo suficientemente alertas para convertirlos en experiencias espirituales gracias a nuestro testimonio, nuestros hijos se volverán al Señor. De este modo, las enseñanzas que hemos plantado en su corazón florecerán y darán fruto, y nuestros hijos serán capaces de emplearlas para resolver muchos de sus propios problemas.

## 4. EMPLEE MÚSICA SAGRADA

La música tiene un gran impacto en el alma. En nuestro hogar hemos tenido por largo tiempo la costumbre de cantar siempre que hacemos la oración familiar, tanto por la mañana como por la noche. No estoy sugiriendo que ésta sea una doctrina de la Iglesia ni que usted tenga que hacerlo, tan sólo le digo lo que hacemos nosotros. Hemos descubierto que es muy útil para nuestros hijos que, cuando nos arrodillamos en círculo, cantemos un himno antes de orar. Aprendimos que esto prepara el camino para que el Espíritu esté con los integrantes de la familia, calma a los más pequeños que puedan estar molestando al que está a su lado, y los tranquiliza de tal modo que empiezan a pensar en el Señor y, a continuación, oramos.

De niño nunca aprendí las canciones de la Primaria porque no tuve muchas oportunidades de asistir a esa organización. Sin embargo, mis hijos y mi buena esposa me han enseñado la mayoría de las canciones por el hecho de cantarlas antes de la oración familiar. Cantar trae el Espíritu. Si alguna vez se siente desanimado, fórmese el hábito de cantar para sí mismo. Cante los himnos sagrados y ellos le llenarán del Espíritu del Señor.

Hace algún tiempo tuvimos una reunión del consejo de área en California (para Representantes Regionales y presidentes de misión). En vez de limitarnos a hablar de los inactivos, dijimos: "Queremos que salgan y estén con los menos activos. Vamos a darles media hora de capacitación y entonces les pediremos que salgan por unas dos horas y visiten a algunos menos activos. Su objetivo es traerlos de regreso al Señor". Les dimos instrucciones sobre cómo actuar y hablamos de los instrumentos espirituales mencionados aquí — instrumentos capaces de preparar el camino para el Espíritu.

Los hermanos estaban empezando a salir para hacer las visitas y, como puede imaginar, era un buen desafío el salir e intentar reactivar personas con un margen de una hora o así e intentar traerlos de regreso al Señor. (Más tarde supimos que treinta y siete personas fueron activadas esa noche como resultado de las visitas de estos hermanos).

Uno de los hermanos iba a salir sin el himnario, por lo que le dije: —Se olvida el himnario. Lleve uno con usted en caso de que quieran cantar en la casa de un miembro inactivo.

—Hermano Cook—, contestó él—, estoy dispuesto a hacer seis de las cosas que usted enumeró, mas no una de ellas. No puedo cantar delante de nadie, nunca he cantado en toda mi vida y no tengo pensado hacerlo.

—Entiendo—, le dije. —Pero, ¿y si el Señor tiene pensado que usted cante?.

Se me quedó mirando y dijo: —Oh, entonces lo llevaré—. Luego nos comentó que al tomar el himnario se dijo en su corazón: "Nunca cantaré para nadie".

Pues bien, se fueron al hogar de un miembro inactivo. Oraron con él, leyeron algunos pasajes de las Escrituras y compartieron su testimonio; pero aquel hombre había endurecido su corazón y no reaccionaba. Nuestro líder oró mientras estaba allí sentado: "Padre Celestial, ¿qué haremos? ¿Cómo podemos hacer que este hombre sea humilde ante Ti para que podamos enseñarle por el Espíritu? No hay motivo para que sigamos adelante mientras no sea humilde de corazón".

Luego nos contó: —Estaba allí sentado, orando, intentando decidir qué hacer, cuando de repente mi joven compañero se puso en pie y dijo: —Mi compañero y yo vamos a cantar para ustedes—. Le miré y pensé: 'Debe estar bromeando; mas decidimos cantar "Amad a otros", porque es el himno más corto del himnario,.

Esos dos hombres, uno de sesenta años y el otro de casi cuarenta, dos compañeros que nunca antes en la vida habían cantado en público, se pusieron de pie delante de aquel hombre inactivo, de su esposa y de un hijo, y comenzaron a cantar: "Como os he amado, amad a otros. Un nuevo mandamiento, amad a otros". Sólo habían cantado la mitad del himno cuando las lágrimas comenzaron a rodar por las mejillas de aquel hombre malhumorado . El ver y escuchar a los dos hombres cantar aquel dulce himno, llenó su corazón de humildad. Entonces, ellos compartieron su testimonio y le enseñaron algunas cosas básicas sobre cómo orar.

Más adelante supe que ese hombre está pagando un diezmo íntegro y que asiste a las reuniones sacramentales y a las actividades del barrio. El cambio en su vida se debe, al menos en parte, a alguien que supo cómo emplear la música para llevar humildad al corazón de las personas. Emplee la música en su hogar, con usted mismo. Ello atraerá el Espíritu del Señor.

Algunas personas han preguntado: "¿Cómo puedo utilizar la música de manera eficaz en mi hogar para crear un ambiente espiritual?" Éstas son varias de las respuestas que han venido a mi mente:

  • Nuestra familia canta antes de la oración familiar, generalmente una o dos estrofas y casi siempre de memoria.

• Cantamos antes de la lectura de las Escrituras y durante la noche de hogar.

• Tenemos cierto número de casetes con música espiritual que nos gusta y muchas veces, especialmente el domingo o por la mañana temprano, las escuchamos para crear un ambiente espiritual en nuestra casa. A veces, cuando ha habido un poco de contención o algunos problemas, mi esposa pone algo de esa música, la cual parece calmarnos a todos.

• Como padres hemos descubierto que una de las cosas más agradables es que papá y mamá les canten a los niños después de haber orado y de que éstos estén en la cama listos para irse a dormir. Siempre hemos cantado para los más pequeños y a nuestras hijas mayores les ha encantado esta "atención especial" durante sus años de adolescencia.

• Cuando fui misionero tuve un buen número de días desalentadores, pero aprendí una gran lección y ahora tengo muchos menos de esos días. Lo que aprendí es que solía aguardar a estar desanimado antes de utilizar la música o alguno de los demás recursos espirituales. A medida que me fui haciendo mayor, pensé: "¿Por qué esperar? ¿Por qué descender al valle de la desesperación antes de intentar ser feliz? ¿Por qué no utilizar estas cosas *cada día* y de este modo evitar todo el desánimo?"

• En un hogar donde se emplea de manera apropiada, probablemente se escuche buena música en muchas ocasiones. Por ejemplo, podría oír al padre cantar en la ducha casi todas las mañanas. Puede que no sea un buen cantante, pero será mejor de lo que solía ser. ¡Inténtelo! Su voz sonará mucho mejor cuando tenga todos esos azulejos a su alrededor. El cantar en la ducha fortalece nuestro ánimo y puede llegar a ayudarnos a tener un día un poco mejor. Una familia que emplee buena música podría llevar algunos casetes en el coche para poder escucharlos si tienen necesidad. Las pequeñas cosas como éstas pueden establecer una verdadera diferencia y ayudar a eliminar el desánimo.

• Creo que los padres tenemos la responsabilidad de establecer el debido espíritu por la mañana antes de que todos se vayan al trabajo o a la escuela. Cada mañana, durante años, hemos puesto música en el equipo. A veces escuchamos canciones animadas u otras divertidas, algo alegre para ponernos en marcha. Otras veces escuchamos música espiritual, como himnos interpretados por el Coro del Tabernáculo, los cuales llenan la casa y nos animan a todos.

La música puede tener un gran impacto en nuestra familia si la empleamos de manera apropiada. Fue el Señor el que dijo: "Mi alma se deleita en el canto del corazón; sí, la canción de los justos es una oración para mí, y será contestada con una bendición sobre su cabeza" (D&C 25:12).

De este modo, si podemos emplearla con el espíritu de adoración, la música se convertirá en una oración para el Señor, ayudándole a usted, a su cónyuge y a sus hijos a ablandar el corazón y ser enseñados por el Espíritu.

Siempre me ha impresionado lo que Jesús y Sus apóstoles hicieron antes de que Él fuese a padecer en el Jardín de Getsemaní: "Y cuando hubieron cantado el himno, salieron al monte de los Olivos" (Mateo 26:30).

Estoy seguro de que el Señor recibió gran consuelo de ese himno. ¿No podría acaso nuestra familia obtener el mismo beneficio? Además, recibimos grandes enseñanzas al cantar las canciones de Sión. Para mí ha sido una gran bendición el aprender canciones como "Soy un hijo de Dios" y "Hazme andar en la luz".

Si los niños escuchasen las canciones de Sión en el hogar y aprendiesen a cantarlas mientras se visten o se dan una ducha, de cierto que se eliminaría buena parte de negativismo de nuestros hogares y éste sería reemplazado por el Espíritu del Señor. No hay nada mejor que un buen himno para desalentar al desánimo. ¿Recuerda lo que hacía el rey Saúl cuando se sentía desanimado? Le pedía a David que tocase el arpa para él, lo cual parecía traerle de nuevo el Espíritu: "Y aconteció que cuando el Espíritu malo, que no era de parte de Dios, venía sobre Saúl, David tomaba el arpa y tocaba con su mano; y Saúl tenía alivio y estaba mejor, y el espíritu malo se apartaba de él" (TJS 1 Samuel 16:23).

También Pablo entendía el poder de la buena música: "La palabra de Cristo more en abundancia en vosotros, enseñándoos y exhortándoos unos a otros en toda sabiduría, cantando con gracia en vuestros corazones al Señor con salmos e himnos y cánticos espirituales" (Colosenses 3:16). En verdad podemos enseñar y amonestar por medio de los himnos y las canciones espirituales, si lo hacemos con el espíritu correcto.

Hagamos, entonces, que la música suene en nuestro hogar, música buena y sana que levante el ánimo de todos y eleve nuestro corazón al Señor. De este modo invitaremos al Espíritu a estar con nosotros.

## 5. EXPRESE AMOR Y GRATITUD POR DIOS Y POR LOS HOMBRES

Exprese abiertamente su amor por Dios y por Sus hijos, y sentirá profundamente el Espíritu (véase Juan 13:34–35; 1 Nefi 11:21–23; Moroni 7:47–48). Resulta imposible estar de pie y expresar amor por el Señor, y no tener el Espíritu consigo. Si quiere llevar el Espíritu del Señor a su hogar, debe aprender usted mismo y luego enseñar a sus hijos cómo expresar regularmente amor y gratitud por Dios y los unos por los otros. Es imposible contar humildemente sus bendiciones y que el Espíritu del Señor no venga sobre uno. Es imposible expresar amor de manera sincera a uno de los miembros de su familia o a su cónyuge sin sentir el Espíritu del Señor.

El amor tiene un poder tremendo, y no debe extrañarnos que las Escrituras digan que Dios es amor (véase 1 Juan 4:8). No conozco nada más poderoso que el abrazar cada día a nuestros hijos. Al final de la oración familiar, mi esposa y yo abrazábamos fuertemente a cada uno de nuestros hijos y les susurrábamos: "Te quiero". A veces las palabras duras y muchos problemas pueden desaparecer con un abrazo, eclipsando cualquier cosa que podamos decir. Asegúrese de expresar su amor ampliamente a su familia y al Señor, y el Espíritu estará con usted en ese mismo instante.

Permítame ilustrar este principio con un hecho ocurrido entre mi hija y yo cuando me disponía a dirigirme a una conferencia de estaca. Una noche estaba hablando con ella y, después de que hubiera dicho sus oraciones, le pregunté sobre qué había orado.

—¿Qué quieres decir, papá?—, dijo ella.

—¿Sobre qué oraste?—, le respondí. —Ahora que eres mayor dices tus oraciones en silencio y ya no puedo escucharlas.

—Bueno, siempre le digo a nuestro Padre Celestial lo mucho que lo amo. No sólo a veces, siempre se lo digo. Él me ha dado muchas bendiciones y estoy muy agradecida por todas ellas.

Entonces añadió: —Papá, ¿tienes que volver a la conferencia mañana?

Le dije que sí.

—Se me parte el corazón cada vez que te vas. Me resulta duro ver cómo te vas cada semana. ¿Tienes que marchar otra vez?

Le dije que sí y le expliqué el porqué. Ella arrojó sus brazos alrededor de mi cuello y me expresó su amor, diciéndome lo mucho que me echaba de menos. Me resultó difícil hacerle entender por qué tenía que irme.

Finalmente decidí que la mejor manera de ayudarla a entender era orar con ella. Le pedí que orara para que yo fuese protegido durante el viaje, y lo hizo, expresando su amor por mí, así como su fe en el Señor de que yo sería protegido. Entonces yo ofrecí una oración de gratitud por esta hija tan maravillosa. Sentimos fuertemente el Espíritu del Señor y nuestro amor aumentó notablemente como resultado de esa pequeña experiencia que tuvimos juntos.

Al día siguiente, mientras volaba hacia San Francisco, pensaba: "Qué poder es el amor, especialmente el amor entre un padre y una hija". El Espíritu parecía grabar en mí cuánto amaba yo a mi hija y cuán buena era ella. Su corazón era siempre sensible a las cosas espirituales, siempre estaba dispuesta a ayudar a los demás. Pensé en la esposa y madre maravillosa que sería algún día.

La impresión continuó, y yo me preguntaba: "Si alguna vez mi hija se inactiva cuando sea mayor, ¿cuán lejos iría yo para reclamarla?" A lo que contesté en mi corazón: "Sabiendo lo mucho que la amo, daría todo lo que tengo. Oraría y ayunaría por ella, y la amaría. Haría todo lo que estuviese a mi alcance para influir en su regreso al Señor. *Nunca me rendiría*. No importaría lo mucho que tardase ni cuánto tuviese que dedicarle, *nunca me rendiría* hasta que volviese a estar con el Señor". ¡Cuán fuerte sentí el Espíritu aquella mañana! Sí, cuando uno está lleno de amor, el Espíritu se siente abundantemente.

Justo al volver de mi misión, mi obispo me llamó a ser secretario auxiliar en el barrio. Al asistir a diversas reuniones de liderazgo, de vez en cuando los líderes hablaban de una tal hermana Smith que vivía en nuestro barrio. Oí comentarios del tipo: "Bueno, ya saben cómo es la hermana Smith", o "visitar a la hermana Smith no es un camino de rosas; de hecho, sus maestros orientadores no la han visitado en los dos últimos años", o "la hermana Smith es la peor ama de casa del barrio", o "la hermana Smith no hace nada excepto barrer su casa y coleccionar periódicos. Si vas a su casa podrás ver periódicos a la entrada y apilados hasta el techo de la sala de estar". Yo pensaba: "Espero que nunca me asignen para ser maestro orientador de la hermana Smith".

Un día, mi hermano menor y yo estábamos en el mercado comprando algunas cosas para mi madre y al ir caminando me sobrevino el pensamiento: "¿Por qué no regresas por detrás de esta tienda y visitas a la hermana Smith?". Me sorprendió el pensamiento y, debido probablemente a la curiosidad más que a otra cosa, le dije a mi hermano: "¿Por qué no regresamos y vemos dónde vive la hermana Smith?". Supongo que la idea era: "Vayamos a ver si todo lo que dice la gente sobre su casa es verdad".

Al ir por detrás de la tienda y ver la casa a la distancia, pudimos constatar que algunas de las historias que se contaban eran verdad. La casa estaba derruida. La valla estaba rota y con la pintura descascarada, y el patio estaba lleno de basura. Al estar allí, recibí la impresión: "Vé y visita a la hermana Smith". Reaccioné y pensé: "No soy su maestro orientador"; mas la impresión continuó: "Vé y visita a la hermana Smith".

Le dije a mi hermano: "Vamos a visitarla". Él se quedó sorprendido, pero aún así nos dirigimos a su puerta. Recuerdo que oré con mucha intención: "¿Qué diré? ¿Qué haremos? ¿Por qué vamos allá?". Al acercarnos a la entrada de la casa, vimos los periódicos. Por cierto que estaban apilados por toda la entrada; hasta podía ver a través de la ventana que los periódicos también estaban apilados en el interior.

Llamamos a la puerta, ella abrió y un tanto malhumorada, dijo: "Sí, ¿qué quieren?". No sabía qué decirle, mas finalmente pude dejar escapar: "Somos miembros de su barrio". En cuanto mencioné la palabra *barrio*, ella dijo: "¿Quiere decir que ustedes son mormones? Le he dicho diez veces al obispo que no envíe a nadie a mi casa. No quiero tener nada que ver con la iglesia mormona, así qué váyanse". Al orar en mi corazón para saber qué decir, salieron las siguientes palabras: "Bueno, hermana Smith, éste es mi hermano menor, y él y yo sólo pasábamos para decirle que la amamos. Aun cuando no le importemos a usted, nosotros la amamos. Tan sólo queríamos preguntarle si había algo en lo que pudiéramos ayudarle".

Ella se quedó allí de pie, mirándonos, y finalmente dijo:
—¿Qué ha dicho?

Repetí mis palabras, con el anhelo de que ella pudiera sentir nuestro amor.

—¿Han venido para preguntarme si pueden ayudarme?—. Las lágrimas acudieron a sus ojos, montones de lágrimas. Nos invitó a pasar y estuvimos casi dos horas escuchando mientras nos hablaba de sus problemas.

Se disculpó por la situación de su casa y de la entrada. Nos habló de la filtración en el tejado. Dijo que no contaba con ayuda de nadie, pues no tenía familiar alguno. Nos habló de sus problemas a la muerte de su esposo, pocos años antes, cuando se había sentido ofendida por algunos miembros de la Iglesia. Derramó sus lágrimas; lo echó todo afuera. Nosotros nos regocijamos, quizás más que ella, al ver cómo finalmente nos confesaba toda esa amargura.

Puede imaginarse la dicha que sentimos mi hermano y yo cuando la acompañamos a la iglesia el domingo siguiente, y cuando asistió muchos otros domingos antes de fallecer seis meses después.

A menudo he pensado: "¿Qué habría sucedido si no hubiésemos respondido a las impresiones del Espíritu? ¿Qué habría pasado si no se nos hubiera inspirado qué decirle?". Ciertamente, las cosas no habrían resultado del mismo modo. Es impresionante entender que cuando expresamos amor o gratitud con sinceridad, el Espíritu del Señor se manifiesta abundantemente. Colmemos de amor a a nuestra familia y seamos llenos del Espíritu del Señor.

## 6. COMPARTA EXPERIENCIAS ESPIRITUALES

Cuando así lo sienta, comparta una experiencia espiritual con su familia. No se limite a tener un repertorio de experiencias que relatar de manera tradicional (aunque es bueno tenerlo), sino ore para que el Señor extraiga de usted aquéllas que debe compartir. Si lo hace, ¿quién sabe el bien que ello pueda ocasionar? Es posible que a veces no demos lo mejor de nosotros al enseñar porque, después de todo, ¿quién nos escucha? "Sólo nuestra familia". Pero ¿quién es más importante?

Realmente debemos esforzarnos por tener el Espíritu del Señor cuando enseñamos a nuestra familia. ¿Alguna vez ha intentado compartir una experiencia espiritual cuando no era el momento adecuado? ¿O ha contado una experiencia que no debería haber mencionado? ¿Cómo se siente al contar una experiencia que no está siendo bien recibida? Mucha gente siente un espíritu de rechazo por parte de aquéllos a quienes enseñan. Uno de mis mayores temores al enseñar, y en la vida, es sentir que el Espíritu se retira, sentir que quedo solo. A veces me he sentido así y no me gusta, en cierto modo es un rechazo, una afrenta para el Señor. Y también uno misma acaba sintiendo esa afrenta. Al compartir una experiencia espiritual, asegúrese de hacer únicamente lo que sienta. Alma dio algunos consejos estrictos sobre cuándo es apropiado compartir cosas espirituales: "A muchos les es concedido conocer los misterios de Dios; sin embargo, se les impone un mandamiento estricto de que no han de darlos a conocer sino de acuerdo con aquella porción de su palabra que él concede a los hijos de los hombres, conforme a la atención y la diligencia que le rinden" (Alma 12:9). Algunas cosas sólo pueden ser dadas por el Espíritu. Algunas cosas sólo deben ser dadas cuando aquellos que las escuchan las reciban con "atención y diligencia".

En vez de simplemente enseñar principios o de incluso decirles a nuestros hijos lo que deben hacer, podemos contarles una experiencia espiritual y ayudarles a relacionarla con la dificultad que se estén enfrentando. Esto tendrá un impacto mucho mayor en el cambio de sus corazones. Si hacemos esto, influiremos en ellos para bien, porque el Espíritu del Señor estará con nosotros.

He aprendido también que muchas de las experiencias que ha tenido mi familia han sido de gran beneficio para otras personas, y creo firmemente en anotar con cierto detalle, semana tras semana, las experiencias más importantes. He aprendido, al igual que muchos otros, que si no las escribimos cuando suceden, el impacto y los sentimientos de dichas experiencias se pierden pronto. Sin embargo, si las anoto y las recuerdo, puedo utilizarlas para ayudar a otras personas.

Durante una conferencia de estaca celebrada en el oeste medio de los Estados Unidos, me enteré que el presidente de misión y su esposa iban a traer una investigadora a la reunión, la cual había recibido las charlas misionales en varias ocasiones y había leído mucho sobre la Iglesia pero no se atrevía a tomar la decisión de ser bautizada. Dado que era una psicóloga profesional, tenía ciertos problemas con la decisión intelectual de si la Iglesia era verdadera. El presidente y su esposa me preguntaron si yo podría hablar con ella.

Antes de la reunión del domingo, me encontraba dando la mano a la congregación y hablé con aquella mujer por unos breves minutos. Me dio la impresión de que era una de esas personas que tiene un testimonio pero que no se ha dado cuenta de ello. Le pedí que prestase suma atención durante la conferencia, indicándole que el Señor le diría a su corazón y a su mente lo que debía hacer, y que ella entonces tendría que tener el valor suficiente para seguir tales impresiones.

Durante mi discurso, me referí a la necesidad de confiar en los sentimientos que tenemos, y conté la historia de un científico a quien yo había conocido y que quería evaluarlo todo en un tubo de ensayo, hablando en sentido figurado, antes de aceptarlo como verdadero. Sin embargo, amaba profundamente a su esposa e hijos, y finalmente se dio cuenta de que esta verdad de su corazón era mucho mayor que cualquier cosa que él pudiera aprender a través del método científico.

Seis semanas más tarde recibí una carta de aquella mujer, en la que me decía: "Mi mayor piedra de tropiezo a la hora de acercarme a la Iglesia es mi temor a confiar en mis sentimientos como una base válida para tomar una decisión. Respeto demasiado el compromiso del bautismo como para unirme a la Iglesia careciendo de una convicción y confirmación sobre la cual edificar los cimientos de un testimonio y una vida sólida como miembro. Sinceramente, deseo creer. He ayunado, orado y leído las Escrituras. Asisto a las reuniones, guardo los mandamientos, observo la Palabra de Sabiduría y pago mi diezmo. Me siento cansada y frustrada, y sé que es culpa mía. Aunque ésta no es una de esas decisiones que uno puede intelectualizar por completo ni dejarse llevar por los buenos sentimientos, los programas o la amistad de la gente, me resulta difícil saber cómo discernir entre la devoción apropiada y la causa para actuar. Ésta es la decisión más importante que jamás vaya a tomar y me siento enormemente responsable e inadecuada. Esta circunstancia me hace sentir muy humilde y buscar la ayuda de Dios, lo cual probablemente sea bueno.

"Sin importar la decisión que acabe tomando, me siento agradecida por lo que he aprendido. Tanto si me uno o no a La Iglesia de Jesucristo de los Santos de los Últimos Días, siempre me sentiré bien hacia ella pues me ha dado mucho. Gracias".

Mientras leía la carta, pensaba: "La llamaré esta semana en algún momento, o puede que le escriba unas líneas". Pero al trabajar en casa esa mañana, tuve la impresión un par de veces de que debía llamarla, y que tenía que hacerlo *enseguida*. Llamé al presidente de misión, obtuve el número de teléfono de la mujer y la llamé, sólo para escuchar el contestador automático, por lo que pensé: "Bueno, quizás esté trabajando, así que le dejaré mi número de teléfono". ¿Por qué entonces había sentido esas impresiones urgentes?

Mas para mi sorpresa, justo dos minutos más tarde, ella me llamó y dijo: "Entraba en la casa justo cuando usted terminaba su mensaje".

Le di las gracias por la carta y le dije que había sentido que debía llamar y hablar con ella sobre sus sentimientos.

Me dijo que yo no había llamado por casualidad, y que le había impresionado el hecho de mi llamada. "Le diré algo que usted no sabe," me dijo. "En las últimas dos semanas he estado un tanto desanimada con todo esto y le he dado la espalda, decidiendo casi que no debía continuar con el proceso de llegar a ser miembro de la Iglesia. Me he sentido desanimada y casi había decidido olvidarme de todo. Había estado pensando en esto durante la mañana y resulta interesante el que usted llamase justo cuando lo necesitaba".

Su mayor preocupación parecía estar centrada en su incapacidad para confiar en sus *sentimientos* como una base válida para tomar una decisión. Era evidente, mientras la entrevistaba por teléfono, que ella era moralmente limpia, pues obedecía la Palabra de Sabiduría y hasta pagaba el diezmo. Era obediente a los mandamientos; simplemente no estaba segura de si todo era verdad o, al menos, no sabía cómo obtener una confirmación para poder *saber* que lo que conocía era verdad.

Hablé con ella sobre las ocasiones en las que había sentido el Espíritu como si se le hinchase el pecho (véase Alma 32:28), como un calor en el pecho (véase D&C 9:8), y como un sentimiento de paz (véase D&C 6:22–23), y sobre la necesidad de confiar en el Espíritu y, por tanto, de recibir sus frutos y el testimonio del que carecía (véase D&C 11:12–14).

Previamente había comentado con mi esposa un par de relatos que podría compartir para ayudar a aquella mujer a entender cómo confiar en sus sentimientos con fe, y decidí hablarle acerca de uno de mis hijos.

Este hijo mío había decidido ir a la universidad, pero no

tenía un trabajo para mantenerse mientras estuviera allí.
Sin embargo fue, lleno de fe en que encontraría empleo,
confiando en que el Señor le daría algo. Los días pasaban y
no aparecía nada. Finalmente, al no tener dinero, nos llamó
para decirnos que iba a volver a casa. Nuestra familia ayunó
y oró por él, y dentro de las veinticuatro horas antes de
emprender el regreso, recibió tres ofertas de empleo y ahora
estaba trabajando en dos de ellos. Le dije a la mujer que
tales cosas acontecen por medio de la fe, después de que
ésta haya sido probada.

La desafié a no hacer lo que le dijesen los demás; no
queríamos que se sintiese presionada por ser bautizada, pero
tenía que acudir al Señor y volver a orar con humildad en
busca de dirección para saber qué quería Él que hiciera ella.
Le prometí en el nombre del Señor que si lo hacía, recibiría
la impresión en su corazón y en su mente de lo que tenía
que hacer, y que debía entonces ser lo suficientemente
madura espiritualmente como para actuar de acuerdo con
las impresiones del Espíritu.

Al día siguiente llegó a mi despacho un mensaje del presidente de la misión, diciendo que aquella mujer le había
pedido ser bautizada el sábado siguiente.

Durante nuestra conversación telefónica, esa buena hermana y yo abordamos muchos de los principios sobre cómo
obtener un testimonio, pero creo que fue el relato de mi
hijo en la universidad —relato que había escrito en mi diario para no olvidarlo— el que realmente le ayudó a entender lo que tenía que hacer.

Procure las experiencias espirituales y luego regístrelas;
ore durante sus momentos de necesidad para que las experiencias más apropiadas vuelvan a su mente cuando deba
ayudar a las personas que lo necesitan. Las experiencias
espirituales tienen un gran impacto en el alma.
Compártalas según se lo indique el Espíritu (véase D&C
50:21–22; Lucas 10:25–37; Hechos 26:1–32).

## 7. EMPLEE LAS ORDENANZAS DEL SACERDOCIO

Qué gran bendición es tener el sacerdocio en el hogar, tanto en un padre como en un hijo dignos. Aquellas familias que no tienen ninguno de los dos, todavía pueden acudir a un pariente o a un amigo que sea un líder del sacerdocio, maestro orientador, líder de quórum o un vecino. El empleo del sacerdocio y sus ordenanzas en el hogar es otra manera de invitar al Espíritu del Señor para ayudarle a criar a su familia.

Sin duda alguna, el Espíritu se puede sentir en ordenanzas como el bautismo, la Santa Cena y en las del templo. Las Escrituras enseñan que "en sus ordenanzas se manifiesta el poder de la divinidad" (D&C 84:20). Además, el Señor bendecirá grandemente a aquellos que procuren recibir una bendición patriarcal. Los padres debieran animar siempre a sus hijos a obtener tal bendición en el momento apropiado y de un patriarca de la Iglesia. Les será de gran guía y, si la leen con humildad, el Espíritu del Señor acudirá a ellos cada vez que mediten en esas palabras que el Señor les dice.

Una bendición del sacerdocio es una ordenanza que puede ayudar enormemente a las personas y a las familias. No conozco ninguna otra cosa que pueda traer el Espíritu con mayor rapidez que cuando un hijo pide una bendición. Tristemente, sin embargo, la mayoría de los miembros de la Iglesia probablemente no se benefician lo suficiente de las bendiciones del sacerdocio. ¿Cuánto tiempo hace que usted ha recibido una? No se nos dice con qué frecuencia debemos hacerlo, pero, ¿no sería apropiado recibir una bendición en los momentos de pruebas, dificultades o cuando tenemos que tomar una decisión? Algunos miembros de la Iglesia, incluyendo a madres y padres, dejan pasar muchos años sin pedir una bendición, o esperamos hasta estar pasando por una crisis antes de pedir una. A veces es beneficioso pedir una bendición para ver si el Señor tiene alguna instrucción adicional que darnos.

Seamos prestos en enseñar a nuestra familia la necesidad de recibir una bendición. Los padres que crían hijos sin la ayuda de un cónyuge y las familias en las que no todos son miembros de la Iglesia enfrentan desafíos especiales en este sentido, pero, del mismo modo, necesitan procurar fielmente una bendición de los dignos líderes del sacerdocio. Los abuelos suelen ser una gran ayuda en este aspecto.

A veces algunas personas han preguntado: "¿Es apropiado dar una bendición si no se ha pedido?" Con frecuencia suelen citar el pasaje que dice: "No exijáis milagros, a no ser que os lo mande, sino para echar fuera demonios, sanar enfermos, y para resistir serpientes ponzoñosas y venenos mortíferos. Y no haréis estas cosas a menos que os lo pidan aquellos que lo deseen, a fin de que se cumplan las Escrituras; porque obraréis conforme a lo que está escrito" (D&C 24:13–14).

Algunas personas han interpretado mal estos versículos, creo yo, dando a entender que no deberían dar una bendición a menos que se les pida. Permítame ponerle un ejemplo. Ocurrió un fuerte terremoto en un país de América Central donde yo estaba sirviendo como Presidente de Área. Murieron cerca de diez mil personas, incluyendo varios miembros de la Iglesia.

La primera tarde tras el terremoto acudí a una capilla en donde estábamos alojando a algunos de los heridos. No había electricidad y el centro de reuniones estaba a oscuras. La gente sufría y no tenía ayuda médica. Las primeras tres personas a las que vi tenían heridas graves: una tenía rota la cadera, otro un brazo, y la tercera padecía de serias heridas internas. Le pregunté a cada uno: "¿Ha recibido una bendición del sacerdocio?" Me respondieron que no.

Me quedé bastante sorprendido. Me llevé al obispo al recibidor y le pregunté: "Obispo, ¿por qué estas personas no han sido bendecidas?".

El respondió: "Ninguno lo pidió, élder Cook. No puedo darles una bendición a menos que me lo pidan, ¿no es cierto?". Bueno esto no fue muy sabio, ¿no cree usted?

Cuando las personas parecen necesitar una bendición

pero no la han pedido, quizás podríamos repasar con ellas el consejo que se halla cn Santiago 5:14—16: "¿Está alguno enfermo entre vosotros? Llame a los ancianos de la iglesia, y oren por él, ungiéndole con aceite en el nombre del Señor. Y la oración de fe salvará al enfermo, y el Señor lo levantará; y si hubiere cometido pecados, le serán perdonados. Confesaos vuestras ofensas unos a otros, y orad unos por otros para que seáis sanados. La oración eficaz del justo puede mucho".

Entonces podríamos dar testimonio del poder sanador del sacerdocio y decir algo así: "¿Sabe, hermana? Me pregunto si le gustaría recibir una bendición. No tiene que hacerlo si no quiere. Pero en caso de querer, estaría encantado de dársela". Siempre que he empleado este tipo de invitación, nadie jamás me ha dicho que no.

Éstos son asuntos muy delicados. El Señor quiere que la gente pida una bendición como medida de su fe, pero muchas personas ni siquiera saben que pueden recibirla. Otras no son lo bastante sensibles como para pedirla, o puede que hayan olvidado que existe tal posibilidad y necesitan que les sea recordada con cierta discreción. Al menos podemos dar pie a ello y tener la esperanza de que nos pidan la bendición.

Creo que los padres deben enseñar a sus hijos a pedir bendiciones del sacerdocio con bastante regularidad, siempre que lo necesiten. Probablemente necesitamos una bendición en más ocasiones de las que la pedimos. Puede que no queramos molestar a nadie o que no seamos lo bastante humildes para pedirla. Quizás hemos pensado: "Yo puedo arreglármelas solo; no necesito al Señor en este problema".

Los niños aprenden a pedir bendiciones si ven a sus padres recibirlas. Aprenden a pedirlas si los padres, por medio de la fe, les enseñan la importancia de recibir una bendición. Entonces, el Señor les ayudará más por motivo de su fe. Si sus hijos pueden ver los resultados de una bendición del sacerdocio, usted no tendría que decirles que pidan una.

Cuando regresamos a los Estados Unidos después de haber vivido en México, una de mis hijas tenía algunas dificultades para adaptarse, pues le costaba hacer amigos. No se llevaba bien con nadie, especialmente en la escuela. Y para colmo, su mejor amiga acababa de ir a una misión con su familia justo el día antes de nuestro regreso. Ambas muchachas se escribían con frecuencia, hablando de cuánto echaban de menos el estar juntas.

Aún después de muchas semanas, las cosas seguíau siu mejorar. Animamos a nuestra hija a hacer más amigos y a participar más en las actividades de la escuela. Hablamos con ella sobre las diferentes jóvenes de su clase de seminario de nuestro barrio, pero sin éxito alguno. Tras algún tiempo, decidimos que lo que ella necesitaba en realidad era una bendición del sacerdocio. Se lo sugerimos y en pocos días se preparó para recibirla.

En la bendición se le dijo que no tendría sólo una amiga, sino muchas, lo cual pareció animarla considerablemente, y estoy seguro de que ella creyó lo que le se había dicho. Sin embargo, las siguientes semanas pasaron sin cambio alguno. No hubo nuevas amistades; ni siquiera una.

Le dijimos que no perdiera la esperanza y le explicamos que a veces el Señor nos prueba para ver si realmente creemos. Le recordamos estas palabras de Moroni: "Quisiera mostrar al mundo que la fe es las cosas que se esperan y no se ven; por tanto, no contendáis porque no veis, porque no recibís ningún testimonio sino hasta después de la prueba de vuestra fe" (Éter 12:6). Ella siguió adelante con fe y a las pocas semanas comenzó a salir con una de las jóvenes del barrio. Pronto se hicieron buenas amigas. Al poco apareció otra amiga y luego otra. Nuestra hija volvió a ser feliz y aprendió mucho al tener este nuevo grupo de amistades. Además, cuando tres años más tarde regresó su antigua amiga, al cabo de pocos minutos habían retomado su vieja amistad.

Creo que mi hija aprendió una gran lección sobre la importancia de recibir una bendición del sacerdocio cuando la oración por sí sola parece no ser suficiente. De seguro que ello proporcionó a la familia una oportunidad, tras la bendición y con su permiso, de orar para que ella pudiera encontrar amistades. Así que esta experiencia nos ayudó a todos a aumentar nuestra fe.

Su hogar también puede recibir una bendición del sacerdocio. Especialmente durante los momentos de contención o dificultad, ¿no sería sabio bendecir la casa y a todos los que viven en ella? El Señor nos ha dicho cómo hacerlo (véase D&C 75:18–22; Lucas 10:5–9).

Además, los líderes de la Iglesia nos han dicho que podemos dedicar nuestro hogar. El *Manual de Instrucciones de la Iglesia* dice:

> Los miembros de la Iglesia pueden dedicar sus hogares, tanto si la casa está o no libre de deuda, como un edificio sagrado donde el Santo Espíritu pueda morar y donde los miembros de la familia adoren al Señor, encuentren refugio del mundo, progresen espiritualmente y se preparen para tener relaciones familiares eternas. A diferencia de lo que se hace con los edificios de la Iglesia, un hogar no se consagra al Señor (pág. 209).

El vivir en un hogar dedicado puede ser una gran bendición para la familia. Esta bendición del sacerdocio puede ayudarle enormemente en su progreso para crear un hogar celestial.

Las siete sugerencias de este capítulo le ayudarán siempre a invitar al Espíritu del Señor tanto si trabaja con su familia como con otras personas. ¿No son éstos algunos de los dones espirituales que Cristo dio al preparar el camino para que el Espíritu Santo testificase y cambiase el corazón de las personas? Dé espiritualmente de usted mismo y podrá discernir las necesidades espirituales de los miembros de su familia y comprometerlos, con el Espíritu, para actuar. Ellos se arrepentirán y vendrán a Cristo.

Puede que usted tenga hijos que no respondan a la voz del Maestro en esta ocasión, repito, *en esta ocasión*. Jesús enseñó que podía traer a la gente hacia Él sólo bajo la condición de que se arrepintiesen (véase D&C 18:12). Debemos seguir amando a los hijos y otras personas rebeldes, y continuar intentándolo una y otra vez en diferentes ocasiones en las que puedan tener un corazón más arrepentido y respondan al Espíritu (véase 3 Nefi 18:32).

No nos desanimemos por ninguna de estas sugerencias. Algunos podrían pensar: "No puedo hacer todas estas cosas; realmente no estoy en condiciones de hacerlas". Mi respuesta sería: "Cualquiera puede hacer estas cosas si tan sólo se humilla y cree". Algunos podrían preguntar: "¿Cómo se ora con humildad? ¿Cómo se humilla uno hasta el punto de hacer que estas cosas sucedan?"

Una pregunta excelente pero difícil. Echemos un vistazo a Alma 38:13–14 a modo de ejemplo: "No ores como lo hacen los zoramitas, pues has visto que ellos oran para ser oídos de los hombres y para ser alabados por su sabiduría. No digas: Oh Dios, te doy gracias porque somos mejores que nuestros hermanos, sino di más bien: Oh Señor, perdona mi indignidad, y acuérdate de mis hermanos con misericordia. Sí, reconoce tu indignidad ante Dios en todo tiempo".

Ésta es una gran clave. Con el paso de los años, mis oraciones se han llenado en gran manera con este pensamiento: pedir perdón al Señor y tratar de no juzgar a los demás, ni estar preocupado por lo que ellos estén haciendo mal, sino reconocer mi propia debilidad ante Él. Estoy convencido, al igual que usted, que cuanto más se acerca uno al Señor, más se da cuenta de la distancia que nos separa de Él.

Brigham Young predicó una vez un sermón muy enérgico sobre el arrepentimiento, tras el cual John Taylor y Wilford Woodruff fueron a hablar con el Profeta para que se les relevase como apóstoles, diciendo: "No nos sentimos dignos, presidente Young, de seguir siendo apóstoles del Señor", a lo que Brigham Young respondió: "No, hermanos míos, ustedes aprenderán que cuanto más nos acercamos al Señor, más nos damos cuenta de lo lejos que estamos de Él, lo cual nos trae una verdadera humildad". Si usted reconoce quién es el Señor y quién es usted, ello le brindará el espíritu de humildad. Me aventuraría a decir que no hay ninguno entre nosotros que no tenga mucho que pedir cada día en el espíritu de perdón. El recordar esto nos ayudará a ser más humildes.

Cuando haya problemas o preguntas en nuestra familia, en vez de reaccionar demasiado deprisa o dar una respuesta fácil, como hacemos algunos, podemos volver nuestro corazón con humildad al Señor y encontrar una manera de hacer lo mismo con el corazón de nuestros hijos. Si lo hacemos, tendremos mucho más éxito en nuestra familia.

No olvidemos estar alertas ante Satanás. Él hará todo lo que esté a su alcance para destruir nuestro entendimiento de estos principios. No disciplinemos cuando estamos enfadados; la verdadera enseñanza sólo puede tener lugar en un ambiente en el que esté presente el Espíritu del Señor. Sólo entonces el corazón quien escuche con atención recibirá la enseñanza de manera permanente. Lo único que hace un maestro es crear el ambiente en el cual las personas puedan tener una experiencia espiritual. ¿Cómo hace esto un maestro? Estas siete claves espirituales le ayudarán a proporcionar una experiencia de este tipo. Es mi oración que todos aprendamos cómo hacerlo mejor.

A medida que los padres aprendan a enseñar con el Espíritu, los hijos aprenderán a oír la voz del Señor por sí mismos. Conocerán el poder del Espíritu por medio del ejemplo de sus padres y sabrán cómo recibir respuestas a sus oraciones. Le testifico que si invitamos humildemente al Señor a una situación de este tipo, Él estará allí de inmediato por medio del poder del Espíritu Santo. ¿No es ésta una gran evidencia de Su amor?

Si los padres y sus hijos son humildes de corazón, el Espíritu del Señor acudirá a ellos de inmediato. Percibirán cómo reciben instrucción de manera individual y única. Cada uno sabrá que el Señor ha hablado. Ésta es una gran verdad de la que no debemos hacer caso omiso ni pasar por alto.

## CONCLUSIÓN

Que el Señor le bendiga, por sobre todo, para ser un gran maestro en su familia, en la Iglesia, o en cualquier lugar donde vaya. Creo que uno de los mayores tributos que se puede rendir a un maestro es: "A través de sus enseñanzas, magnifica al Señor ante los ojos del pueblo". Moisés no podía entrar en la tierra prometida porque no había magnificado al Señor ante los ojos del pueblo (véase Números 20:12). Si usted hace que su familia u otras personas se vuelvan a Dios, si les ayuda a ser humildes y a acudir al Señor en busca de fortaleza y de respuestas, le doy mi testimonio de que Él le magnificará a usted como maestro, tendrá el Espíritu del Señor con usted y lo utilizará como un instrumento para cambiar el corazón, tanto de sus hijos como el de las demás personas que buscan a Dios con el fin de recibir las bendiciones que Él ha prometido a todos los que le siguen.

Le testifico que estas cosas son verdaderas. Pueden haber sido dichas con debilidad o tal vez no hayan sido comunicadas de manera clara, mas si usted ha escuchado por el Espíritu, el Señor habrá podido decirle algunas cosas a su corazón que pueden haberle ayudado a buscar la manera de aprender mejor cómo recibir el Espíritu y de ese modo ser una bendición en la vida de todas las personas a las que pueda enseñar. Que el Señor le bendiga para hacerlo. Dé participación al Señor y muchas vidas cambiarán.

Comparto con usted mi testimonio de que Dios vive y expreso mi amor a Aquel que no le ha fallado a Sus hijos y que no dudará en ayudarle tanto con Sus hijos, los cuales ahora también son de usted. Él siempre está listo para responder por medio de Su hijo, Jesucristo, con cualquier bendición que nuestros hijos deseen de Él. Testifico de Jesucristo, como discípulo especial que soy de Él, uno de los Setenta, que todo lo que nos ha enseñado es verdadero, que

Él es el camino, el ejemplo. Si tiene alguna duda sobre cómo enseñar por el Espíritu, simplemente pregúntese: "¿Qué haría Él?" Si escudriña este pensamiento, comenzará a enseñar más como Él lo hizo y acabará siendo como Él es.

Que el Señor les bendiga a usted y a su familia. Dejo sobre usted, con fe, una bendición para que, si ejercita sus deseos justos, piensa fervorosamente en ellos, medita y trabaja con ellos, el Señor le conduzca paso a paso por el camino, hasta que obtenga las cosas que Él desea que tengan tanto usted como su familia.

# CAPÍTULO 3

# ENSEÑE A SU FAMILIA A ORAR

Mientras nuestra familia estaba viviendo en Montevideo, Uruguay, un día salimos a pasear en coche y pasamos por delante de un lugar donde vendían animalitos domésticos. Nuestros hijos habían estado insistiéndonos durante cierto tiempo para que comprásemos un perro, pues en Montevideo los perros podían ir sueltos, no tenían que estar atados ni encerrados. Hablamos del asunto por un rato y finalmente entramos. Nos vimos rodeados por montones de perros de todas clases. Tras echar un vistazo, finalmente encontramos una perrita de pelo rizado y dorado. Parecía ser la mascota ideal para nuestra familia. La compramos y fuimos a casa en medio de un gran alborozo y excitación.

Nuestro hijo mayor, que por aquel entonces tenía ocho años, se convirtió pronto en el cuidador del animal. La perrita respondía a todos los miembros de la familia, pero en especial a él. Le daba de comer, la sacaba a dar largos paseos, la escuchaba aullar por la noche, y hacía todas las demás cosas del orgulloso dueño de un cachorro, al que llamó Dixie. Parece que los perros existen para mover la colita y hacer feliz a la gente, pero Dixie hizo mucho más que eso, y pronto se convirtió en una parte importante de la familia.

Una tarde, al volver del trabajo, me encontré con mi hijo mayor que estaba llorando porque Dixie llevaba gran parte del día perdida y no podía encontrarla. La búsqueda se había extendido durante dos o tres horas. Mi esposa había llevado en coche a varios de nuestros hijos, quienes habían estado orando gran parte del tiempo, para buscar por el vecindario y en las calles de los alrededores. Para cuando yo llegué a casa, ellos casi habían perdido toda esperanza, ya que en la zona había un número elevado de robos y existían bastantes probabilidades de que alguien se hubiese llevado a nuestra hermosa perrita.

Sin embargo, la fe de nuestro hijo mayor no disminuyó. Me dijo entre lágrimas que había orado y orado, pero que el Señor aún no le había ayudado a encontrar a Dixie; mas me dijo con fe y confianza: "Papá, *sé* que si tú oras con el resto de la familia, todos juntos en una oración familiar, nuestro Padre Celestial nos mostrará dónde está Dixie".

Mientras nos dirigíamos a la sala de estar para hacer la oración, mi propia fe necesitaba ser fortalecida. ¡Cómo oré para que el Señor le contestara a ese muchacho y fortaleciese su fe en la oración! Debido a que la situación era seria, y ya que se me daba una oportunidad para enseñar a nuestros hijos sobre el poder de la oración, cada miembro de la familia (los seis), desde el mayor hasta el más joven, oró en voz alta para que el Señor nos mostrase dónde estaba Dixie. Nuestro hijo mayor, guiado por el Espíritu, oró para que Dixie estuviese protegida allí donde se encontrase, y que si alguien se la había llevado para no devolverla, que la amase y cuidase bien de ella.

Tras la oración hablamos de la necesidad de hacer todo lo que estuviese en nuestro poder para encontrar a Dixie si esperábamos que el Señor nos ayudase. Toda la familia se subió al coche y emprendimos otra búsqueda. Cuando el coche llegó a la calle, vimos a una vecinita que corría hacia nosotros. Para nuestro gozo, venía gritando: "¡Tengo a Dixie!" La perrita había quedado atrapada en el garaje de los vecinos durante todo ese tiempo. Todos los niños la abrazaron, y mi esposa y yo sentimos mucha gratitud en nuestro corazón porque el Señor había contestado nuestras oraciones *en el momento mismo* en que las estábamos ofreciendo.

Cuando las cosas se tranquilizaron y llevamos a Dixie a casa, uno de los niños más pequeños habló de lo agradecido que estaba y dijo que debíamos darle gracias a nuestro Padre Celestial. Una vez más, de rodillas, toda la familia dio gracias de manera individual al Señor por haber contestado nuestras oraciones.

Aun cuando estaba contento por haber encontrado al animal perdido, me alegró mucho más el que nuestro hijo tuviese la inclinación natural de orar cuando la perrita se perdió, y que supiese que si podía hacer que toda la familia orase por algo, tal cosa acontecería.

Muchas familias creen que no es necesario orar por este tipo de pequeños problemas temporales tales como un perro perdido. Quizás piensen que la oración debiera utilizarse únicamente para los problemas serios o para asuntos meramente espirituales, pero yo creo que los pequeños incidentes como el que experimentó nuestra familia, proporcionan gran fe a los niños (y a los padres). Luego, cuando vengan los problemas mayores, sabrán cómo obtener respuestas por medio de la oración.

## ENSEÑE A SUS HIJOS A ORAR

Ninguna otra enseñanza parece tener mayor efecto en los jóvenes (y en la gente no tan joven también) como la de la oración personal y la oración familiar. Ello no debiera sorprendernos, pues las Escrituras están llenas del mandato de orar. La instrucción del Señor a los padres es: "Y... enseñarán a sus hijos a orar y a andar rectamente delante del Señor" (D&C 68:28).

El Señor enseñó en el Libro de Mormón: "Orad al Padre en vuestras familias, siempre en mi nombre, para que sean bendecidos vuestras esposas y vuestros hijos" (3 Nefi 18:21). ¿Y si no oramos en nuestras familias? Puede que nuestra familia no sea bendecida, al menos en la medida en que podría serlo.

Por medio del profeta José Smith, el Señor dio este consejo a uno de Sus siervos: "Newel K. Whitney, obispo de mi iglesia, también tiene necesidad de ser reprendido, y de poner en orden a su familia, y procurar que sean más diligentes y atentos en el hogar, y que oren siempre, o serán quitados de su lugar" (D&C 93:50). Evidentemente, el obispo Whitney, al igual que muchos de nosotros, no tenía su casa en buen orden en lo que orar al Señor concierne.

Una de las cosas mayores que podemos hacer por nuestros hijos es enseñarles a confiar más plenamente en el Señor por medio de la oración. Qué bendición para ellos es saber que el Señor vive y que dará respuesta a sus oraciones. Qué bendición sería saber cómo orar con Dios y cuáles son algunas de las leyes y condiciones para que reciban respuestas a sus oraciones. Tales bendiciones pueden ser lo mejor que podamos darles.

La mejor manera de que nuestros hijos aprendan a orar y a conocer el poder de la oración es llevarla a la práctica en su propia familia. Si ven que sus padres se arrodillan humildemente en oración, ellos harán lo mismo. Si ven que sus padres, al hacer frente a un problema, se vuelven de inmediato al Señor, lo mismo harán los hijos. Nuestros hijos necesitan vernos cada día dar gracias a Dios por medio de la oración. Vuelvo a decir, si los hijos ven a sus padres ser agradecidos de verdad, ellos también lo serán.

Un padre debe tomar las riendas de su casa, como patriarca, a la hora de dar el ejemplo de orar y pedir a otros miembros de la familia que oren. Puede que lo que digan al orar no sea tan importante como lo que sientan. Los hijos necesitan oír que mencionamos *sus nombres* cuando tengan un problema con un amigo, en la escuela o en el trabajo. Con el transcurso de los años necesitaremos orar por ellos para que sean bendecidos y sirvan una misión, y luego debemos orar con fervor cuando estén en la misión. Con esta actitud, los padres pueden orar para que todos sus hijos sirvan en el campo misional.

Soy de la opinión de que debemos enseñar a nuestros hijos a orar por las "cosas pequeñas", para que cuando tengan que orar por las cosas más importantes y que requieran una mayor fe, arrepentimiento y sacrificio por su parte, sepan cómo hacerlo. Si consiguen desarrollar la actitud, el hábito y la destreza para orar por todas las cosas, cuando necesiten una respuesta crucial, estarán preparados para obtenerla.

## RESPUESTAS A LOS PROBLEMAS TEMPORALES

Otra experiencia que nuestra familia tuvo con la oración nos hizo reconocer que el Señor nos ayuda con todos nuestros problemas, tanto temporales como espirituales.

Hace un par de años, uno de mis hijos y dos de sus amigos, uno sentado en el asiento delantero y el otro en el trasero, iban en coche por una carretera en Bountiful, Utah, en dirección hacia la autopista, cuando de repente otro automóvil que iba a cierta distancia hizo un giro inesperado. El conductor del coche que iba delante de mi hijo clavó los frenos y pudo detener el coche sin mayor percance, al igual que hizo mi hijo. Pero el joven que iba detrás miraba en otra dirección y no vio que los coches que iban delante se habían detenido, por lo que chocó contra la parte trasera de nuestro viejo Honda, aplastando el parachoques y el maletero. El vidrio trasero estalló en miles de pedazos, los cuales fueron a parar al asiento de atrás del coche de mi hijo, lastimando a su amigo en la espalda y el cuello. El impacto hizo que nuestro coche chocara a su vez con el de delante, rompiendo así los faros y la parte izquierda del Honda.

Al poco rato llegó la policía. Nuestro hijo me llamó y me dirigí al lugar del accidente, donde encontré un gran revuelo. Después de tomar declaración a los implicados, la policía citó al otro conductor y nos dio autorización para manejar nuestro coche, lo cual afortunadamente pudimos hacer; y entonces nos fuimos todos, dejando el asunto en manos de las compañías aseguradoras.

Nuestro coche estuvo en el garaje durante casi una semana. No vino ningún perito, como se nos había prometido, y tras numerosas llamadas vino uno que se pasó casi dos horas examinando el coche de arriba a abajo; y a los pocos días supimos que lo había declarado siniestro total ¡No podíamos creerlo! Pensábamos que habría una manera

de reparar los golpes y de pintarlos por menos de mil dólares, pero la compañía de seguros dijo que nos daría unos
3.500 dólares para comprar un coche nuevo, o una cantidad
mucho menor si persistíamos en reparar el viejo.

Pasé la mayor parte del día siguiente averiguando en los
concesionarios de venta de coches si la cantidad que la
compañía nos había ofrecido era justa, pues a nosotros nos
parecía pequeña. Encontré tres vendedores de coches que
estuvieron dispuestos a confirmar que el valor de nuestro
vehículo era de unos 4.500 dólares. Pedí a la compañía de
seguros que se pusiera en contacto con estos vendedores y
les dije que no íbamos a aceptar su oferta.

Con el paso de las semanas, la idea de que teníamos un
coche destrozado en el garaje y que tendríamos que gastar-
nos al menos unos 1.000 dólares para comprar otro nos produjo una gran ansiedad, idea que tuvimos que descartar a la
vista de nuestro presupuesto.

Durante ese tiempo llevé el coche a cuatro o cinco talleres de reparación para saber cuánto costaría arreglarlo. Dos
de esos sitios dijeron que el coche estaba totalmente inser-
vible y que no querían tener nada que ver con él. Otros dos
sitios pensaban que podrían repararlo, pero el precio era tan
elevado que no merecía la pena. Un hombre, muy práctico
él, me dijo: "Su coche tiene 200.000 kilómetros. Sería mejor
que invirtiese el dinero en otro, pues éste podría estropeár-
sele la semana que viene y habría perdido todo el dinero".

Mi esposa y yo le dimos vueltas y vueltas al asunto día
tras día, pero para empeorar las cosas, la máquina de cortar
el césped se estropeó en esos mismos días y tuvimos que
comprar una nueva, lo cual afectó nuestro presupuesto.
Nuestras dos aspiradoras dejaron de funcionar en la misma
semana, al igual que mi maquinilla de afeitar eléctrica. Las
cosas iban de mal en peor. Los problemas temporales parecían haberse cebado en nosotros, algo que raras veces habíamos permitido que ocurriese.

Un par de días antes de que mi esposa se fuese durante
una semana a un campamento femenino, ambos estábamos

sentados en el sofá intentando decidir qué hacer. Yo no quería que se fuera antes de tomar una decisión, pues sabía que la compañía de seguros nos iba a llamar para conocer nuestra decisión. Habíamos escrito las alternativas, los pros y los contras de cada una, pero todavía seguíamos confusos. Cada alternativa parecía ser mediocre.

Al tratar el problema, fue como si se encendiera una luz. Nos preguntamos: "¿Realmente hemos preguntado al Señor?" La respuesta fue: "Sí, hemos estado orando por el problema, mas no lo hemos hecho de manera muy específica ni con verdadera intención. Hemos estado confiando demasiado en nuestra propia fuerza". Inclinamos juntos la cabeza y oramos con fervor para que el Señor nos inspirase en ese mismo momento, para que nos dijese qué hacer.

Al término de la oración, vino a mi mente el nombre de un miembro de nuestro barrio. Recordé que el día del accidente, mi hijo me había hablado de ese hermano, quien solía trabajar en un taller de reparaciones. Lo llamé por teléfono y su esposa me dijo que ya no hacía ese tipo de trabajo, pero que su hijo, que también vivía en nuestro barrio, era tan habilidoso como el padre.

Lo llamé y diez minutos más tarde estábamos en su casa, mostrándole el Honda y preguntándole qué se podía hacer. Para nuestro asombro nos dijo que el coche no estaba completamente destruido, y que con algo de trabajo y muy poco dinero, podría volver a funcionar y tener buen aspecto.

Cuando mi hijo llegó del trabajo, fuimos juntos a la casa del vecino. El joven y su padre nos enseñaron cómo doblar los salientes para volverlos a su posición original. Mi hijo escuchó con gran interés y esa misma noche él y su amigo pasaron varias horas dando martillazos a la parte trasera del maletero. Varios días más tarde, tras muchas horas de martillar, de doblar el metal y de recibir consejo de nuestro vecino, pudimos volver a dar forma al coche.

Además, yo fui en un buen número de ocasiones a comprar piezas sueltas en los talleres de repuestos usados. En el servicio técnico de Honda querían 300 dólares por una ventanilla trasera nueva, pero yo compré una de segunda mano por cincuenta y tres. El del servicio técnico quería 189 dólares por los faros, y yo los conseguí por treinta y cinco. Llevó algún tiempo buscar las piezas; de hecho, tuve que llamar a cuarenta y tres lugares para encontrar algunas de las que necesitábamos, pero valió la plena pues al final del proyecto sólo habíamos gastado 300 dólares.

Como resultado de todo ello pudimos conservar nuestro coche. No tuvimos que gastar mucho dinero para arreglarlo, ni tuvimos que poner una gran cantidad para conseguir un coche nuevo. Recibimos el dinero de la compañía de seguros y lo pusimos en el banco hasta que tuviéramos que comprar otro coche.

Mientras mi hijo y yo contemplábamos el coche recién reparado y limpio, apenas podíamos creer que casi había sido llevado a un taller de desguace. Tenía tan buen aspecto como antes del accidente y probablemente tenía el mismo valor. Verdaderamente sentíamos que el Señor nos había bendecido e inspirado, y que habíamos aprendido algunas cosas de gran valía. Estábamos tan felices con nuestro trabajo que dimos una vuelta por el vecindario, maravillándonos de nuestra buena fortuna y sintiéndonos agradecidos por todo lo que había pasado.

Le testifico que en muchos de nuestros problemas, no pedimos de manera bastante específica ni con verdadera intención. El Señor desea enormemente poder bendecirnos, pero muchos de nosotros ni siquiera se lo pedimos, por lo que no puede bendecirnos tanto como quisiera. Qué hermosas son las palabras del Señor cuando se lamenta en cuanto a esto: "Porque, ¿en qué se beneficia el hombre a quien se le confiere un don, si no lo recibe? He aquí, ni se regocija con lo que le es dado, ni se regocija en aquel que le dio la dádiva" (D&C 88:33). Mas si reconocemos la mano del Señor en nuestra vida, pidiendo y recibiendo toda cosa buena de Él, entonces el Señor responderá.

Una vez más le testifico que el Señor responde a las oraciones que Sus hijos le ofrecen con fe. Él dará respuesta a cada cuestión que sea de interés para el que ora, pues Él tiene un gran amor por cada uno de Sus hijos. Es mi deseo que cada uno de nosotros ore de manera más específica y con verdadera intención, para que los cielos puedan respondernos de manera más eficaz.

El Señor nos ha mandado orar por todas las cosas, sin importar lo triviales que éstas puedan parecernos:

> Por tanto, hermanos míos, Dios os conceda empezar a ejercitar vuestra fe para arrepentimiento, para que empecéis a implorar su santo nombre, a fin de que tenga misericordia de vosotros; sí, imploradle misericordia, porque es poderoso para salvar. Sí, humillaos y persistid en la oración a él.
>
> Clamad a él cuando estéis en vuestros campos, sí, por todos vuestros rebaños.
>
> Clamad a él en vuestras casas, sí, por todos los de vuestra casa, tanto por la mañana, como al mediodía y al atardecer.
>
> Sí, clamad a él contra el poder de vuestros enemigos.
>
> Sí, clamad a él contra el diablo, que es el enemigo de toda rectitud.
>
> Clamad a él por las cosechas de vuestros campos, a fin de que prosperéis en ellas.
>
> Clamad por los rebaños de vuestros campos para que aumenten.
>
> Mas esto no es todo; debéis derramar vuestra alma en vuestros aposentos, en vuestros sitios secretos y en vuestros yermos.
>
> Sí, y cuando no estáis clamando al Señor, dejad que reposen vuestros corazones, entregados continuamente en oración a él por vuestro bienestar, así como por el bienestar de los que os rodean (Alma 34:17–27).

## EL PODER DE LA ORACIÓN FAMILIAR

He preguntado a diversas familias y miembros de la Iglesia por qué no oran por las cosas mencionadas en este capítulo, y algunos se han sorprendido ante esta idea. Otros simplemente no han pensado en orar al respecto, mientras que los demás, sencillamente, ni siquiera lo han intentado. Pero los niños necesitan ver la oración puesta en práctica. Al ser testigos de lo que puede suceder gracias a la oración familiar, desarrollan la fe y el conocimiento de orar de manera individual por aquellas cosas que necesiten.

Quizás nuestro desafío más grande sea el tener de manera fiel nuestra oración familiar por la mañana y por la noche. Muchos Santos de los Últimos Días todavía no han establecido esta tradición. Cuando pregunto a las personas el motivo por el cual no hacen la oración familiar de manera regular, éstas son las razones que recibo como respuesta:

- No tenemos tiempo por la mañana.
- Todavía no hemos adquirido el hábito.
- Nuestros hijos se levantan a horas diferentes en las mañanas.
- Nuestras respectivas familias no oraban, y nosotros tampoco hemos desarrollado el hábito de hacerlo.
- Nuestros hijos no quieren hacer la oración familiar. Se resisten y, a veces, tenemos verdadera contención a la hora de orar.
- Me cuesta admitirlo, pero no creo que la oración familiar tenqa mucho efecto.

Creo que todas estas respuestas no son sino excusas o, para decirlo de manera osada, son mentiras. Es el diablo el que intenta que nosotros no oremos. Nefi enseñó este principio con mucha claridad:

> Amados hermanos míos, percibo que aún estáis meditando en vuestros corazones; y me duele tener que hablaros concerniente a esto. Porque si escuchaseis al Espíritu que enseña al hombre a orar, sabríais que os es menester orar; porque el espíritu malo no enseña al hombre a orar, sino le enseña que no debe orar.

Mas he aquí, os digo que debéis orar siempre, y no desmayar; que nada debéis hacer ante el Señor, sin que primero oréis al padre en el nombre de Cristo, para que él os consagre vuestra acción, a fin de que vuestra obra sea para el beneficio de vuestras almas (2 Nefi 32:8–9).

Está claro que debemos orar por todas las cosas; al hacerlo, éstas serán consagradas para nuestro beneficio. Lo opuesto a esto también es verdad. Si no oramos por todas las cosas que estamos haciendo, éstas no serán consagradas para nuestro beneficio ni para el bienestar de nuestra alma. También se desprende claramente del pasaje quién es el que nos enseña a no orar. Creo que algunos de los emisarios mejor capacitados de Satanás nos ofrecen mentiras sencillas como éstas: "Estás demasiado cansado". "Puedes hacerlo mañana". "La oración no da resultado. ¿No recuerdas la ocasión en que oraste y no pasó nada?"

A mi entender, todas las excusas pueden solucionarse fácilmente si tan sólo creemos que la oración va a dar un resultado favorable, si decidimos que debemos orar, y nos ponemos de acuerdo en cuanto a cómo y cuándo lo haremos. *Si estamos demasiado ocupados para orar, entonces estamos demasiado ocupados.*

El tener la oración familiar por la mañana puede requerir que hagamos dos oraciones por separado, una con nuestros hijos más jóvenes y otra con los mayores. Pero la alternativa inaceptable es no orar. Si no tenemos el hábito, ya va siendo hora de adquirirlo. Si no creemos que la oración vaya a dar frutos, es hora de estar más inmersos en ella y así descubrir el poder de las grandes verdades que el Señor nos ha enseñado.

## ¿POR QUÉ DEBEMOS ORAR?

Quizás la razón más importante para orar sea que el Señor nos lo ha mandado. Orar es una manera de comunicarnos con nuestro Padre Celestial. Cuando Él nos envió a la tierra, nos dio la oportunidad de vivir por la fe, y una de las principales maneras de recibir instrucción, consejo y dirección es mediante la oración.

## ¿CUÁNDO DEBEMOS ORAR?

Las familias deben orar, sin duda alguna, por la mañana y por la noche, cada día sin falta. También se deberán ofrecer oraciones familiares en ocasiones especiales. A veces, simplemente cuando una familia siente dicha y felicidad, bien podría arrodillarse y hacer una oración. Cuando un hijo está pasando por un momento difícil, qué gran oportunidad es el poder decir: "Oremos juntos". Cuando los integrantes de una familia estén pasando por una crisis, una oración familiar especial podría ser de gran ayuda a la hora de solucionarla, a la par que estamos enseñando a los hijos a orar. Si cuando hay contención en el hogar, uno o más miembros de la familia dijera: "Hagamos una oración especial", el espíritu de contención desaparecería de inmediato, y sería reemplazado por el Espíritu del Señor.

## ¿SOBRE QUÉ DEBEMOS ORAR?

El Señor nos ha mandado orar por todas las cosas. Algunos piensan que sólo deben orar por asuntos graves o respecto a problemas espirituales, mas el Señor nos ha dicho que oremos por cualquier cosa de que tengamos necesidad, y que debemos asegurarnos de dar gracias a Dios por todas las cosas. Debemos orar por nuestra familia, por nuestros vecinos, por los asuntos personales, por ayuda para vencer nuestras debilidades, por ayuda en los estudios, etcétera.

## ¿DÓNDE DEBEMOS ORAR?

Algunas familias tienen problemas con algo tan nimio como dónde orar. Puede que todavía no hayan decidido qué lugar sería el mejor. Realmente, podemos orar en cualquier parte: en nuestro corazón, de rodillas, solos o juntos. Siempre que sea posible, los miembros de la familia deben orar tanto de manera individual como en familia. Algunas familias se arrodillan alrededor de la cama en un cuarto tranquilo, otras se arrodillan alrededor de la mesa antes de desayunar o de cenar, mientras que para otras es más sencillo orar en la sala de estar, después de haber leído juntos las Escrituras.

## ¿QUIÉN DEBE ORAR?

Un padre recto debe dar el ejemplo en la oración, al igual que una madre justa, pero también se deben dar amplias oportunidades de orar a cada uno de los hijos. La mayoría de las familias han descubierto que les resulta útil el que cada persona siga un turno. Incluso se puede ayudar a los más pequeños a repetir las palabras de sus padres o de un hermano mayor, para que también ellos aprendan a orar.

El tomar o seguir un turno no es un requisito. Puede que en ocasiones alguien que esté pasando por problemas necesite orar aun cuando no sea su turno. Lo importante es que todos tengan la oportunidad de orar.

A algunos padres les ayuda recordar a la familia que hay cierta persona por la cual podrían orar, o mencionan alguna otra necesidad especial de la que deban ser conscientes.

El cómo, cuándo o dónde tiene que orar una familia no es tan importante como el hecho de orar. Orar juntos con regularidad traerá grandes bendiciones a toda la familia.

## UNA ORACIÓN EN BUSCA DE PAZ

Cuando uno de nuestros hijos tenía diez años, experimentaba cierta dificultad para dormir. Con frecuencia estaba tan excitado que no podía dormir en absoluto. Una noche estaba tan animado por su primer día de escuela, que llevaba cerca de hora y media en su habitación y todavía no había logrado dormir para cuando yo estaba listo para irme a la cama. Le oí llorar en su cuarto, por lo que entré para hablar con él.

Me dijo que estaba teniendo problemas y que no podía dormir. Estaba muy molesto y tenso. Le pregunté si había orado al respecto, asegurándole que nuestro Padre Celestial le ayudaría a dormir, y él me dijo: "Ya he orado cuatro veces".

Entonces le dije que el Señor no podría ayudarle a menos que él hiciese su parte, y pasé a comentarle qué era lo que podría hacer:

- Calmarse y no estar tan exaltado.
- No estar tan tenso al pensar que tenía que irse a dormir.
- Concentrarse en el hecho de que su cuerpo estaba acostado y descansando, lo cual no era tan bueno como dormir, pero sí era algo muy positivo. Si dejaba de estar tan preocupado, terminaría por quedarse dormido.

Pareció recibir bien el consejo y se calmó bastante. Me arrodillé con él para orar y ejercer mi fe con la suya en que podría dormirse rápidamente.

A la mañana siguiente nos dijo durante la lectura de las Escrituras cómo había sido contestada su oración y que el Señor verdaderamente le había ayudado a quedarse dormido de inmediato. A los cinco minutos de nuestra oración ya estaba dormido, y durmió toda la noche de un tirón.

Resulta evidente que si alguien ejerce fe, especialmente un niño pequeño o nosotros, adultos, al intentar ser como niños pequeños, los cielos nos responden. El Señor presta atención y está deseoso de bendecir a Su pueblo si le piden con fe.

Estaba agradecido al Señor por responder a nuestra oración de manera tan inmediata. Algunos pueden pensar que esto es algo pequeño, pero no lo era para mi hijo. Lo más significativo para mí era que mi hijo supo que el Señor había contestado directamente su oración.

Resulta asombroso ver cómo el Señor puede dar paz y consuelo. Cuando Él contesta oraciones, generalmente lo hace a través de un sentimiento de paz a nuestra mente y a nuestro corazón. Él le dijo a Oliver Cowdery: "Si deseas más testimonio, piensa en la noche en que me imploraste en tu corazón, a fin de saber tocante a la verdad de estas cosas.

¿No hablé paz a tu mente en cuanto al asunto? ¿Qué mayor testimonio puedes tener que de Dios?" (D&C 6:22–23).

El tener paz es un gran testimonio de que el Señor ha contestado nuestras oraciones, así como cualquier otra cosa que podamos recibir. Así fue con mi hijo aquella noche.

## ORACIONES PARA HALLAR UN HOGAR

Déjeme contarle otra experiencia que vivió toda la familia y que fortaleció enormemente nuestra fe en que el Señor escucha y contesta nuestras oraciones.

Cuando volvimos a casa tras haber vivido en Sudamérica, nuestra familia había aumentado de seis a ocho personas, por lo que decidimos vender nuestra pequeña casa. Al principio intentamos venderla por nuestra cuenta y luego a través de dos agencias inmobiliarias diferentes.

Aquéllos eran momentos de dificultad económica. Los intereses de las hipotecas estaban a un 20% y casi no había casas en venta. El vender nuestra casa y comprar otra parecía ser algo imposible. Algunas personas vinieron a verla, pero durante año y medio no recibimos ningún tipo de oferta concreta.

Ninguna de las agencias trajo a nadie para ver la casa, aun cuando la limpiamos muy bien para hacerla más atractiva, pusimos moqueta nueva, pintamos, etcétera. Oramos una y otra vez sobre la venta de la casa y para poder encontrar otra, mas nada parecía tener éxito.

Durante esa época encontramos una casa en venta en los límites de nuestro barrio, y luego apareció otra casa más. Llegamos a hacer una oferta a ambas casas dependiendo de la venta de la nuestra. Sin embargo, ninguna agencia quiso tomar nuestra casa a cambio, y debido a que no pudimos venderla, el trato con las otras dos casas no siguió adelante. Nos sentíamos como si todas las puertas estuviesen cerradas.

Seis meses más tarde comenzamos a tener unas fuertes impresiones respecto a tener otro hijo; pero nos decíamos:

"¿Cómo puede ser, si ni siquiera tenemos lugar para poner al bebé, excepto en nuestra cómoda?" Aun cuando sentíamos que la casa estaba terriblemente abarrotada, decidimos ejercer la fe y tener otro hijo.

Queríamos tener una casa más grande no sólo por el tamaño de nuestra familia, sino porque queríamos tener un lugar en el cual plantar un huerto, con árboles frutales y espacio suficiente para que los jóvenes pudiesen jugar, un lugar al que pudieran traer a sus amigos. Comenzamos a considerar en serio la opción de mudarnos a otra ciudad.

Pocos meses más tarde, mi esposa y yo íbamos en dirección a otra parte de la ciudad, y le hablé de la fuerte impresión que había tenido el día antes sobre dejar de preocuparnos por mudarnos a otra ciudad, comprar una casa nueva o construirla. Le relaté un sueño que había tenido, en el cual vivíamos en una casa grande y antigua, con jardín y árboles maduros, y sentía fuertemente que nos iba a ser concedida con el tiempo. Estas impresiones parecieron tranquilizar su corazón.

Seis meses más tarde contactamos nuevamente con las agencias inmobiliarias para la venta de nuestra casa, y esta vez comenzamos a orar con verdadera intención, sabiendo que sólo estábamos a seis semanas del nacimiento del nuevo bebé. Tanto nosotros como nuestros hijos, oramos mañana, tarde y noche en las oraciones familiares y en nuestras oraciones personales, para que el Señor nos mostrarse la casa que debíamos comprar y que trajese a alguien para comprar la nuestra. La dificultad de vender nuestra casa residía en el hecho de que la teníamos en propiedad desde antes de ir a Sudamérica, y que por tal motivo no había hipoteca alguna que asumir. Además, queríamos el dinero en efectivo y en aquellos días, cuando casi nadie podía obtener un préstamo, la venta de una casa al contado parecía casi imposible. Cualquiera que tuviera esa cantidad de dinero la emplearía para comprar una parcela mucho mejor que la nuestra. Sin embargo, continuamos orando con verdadera intención durante dos o tres semanas.

Para entonces, nos llamó la atención una casa situada en una zona muy bonita de la ciudad. Había estado en venta por un par de años a través de los propietarios y tenía un gran patio con árboles frutales. Entramos y echamos un par de vistazos, y tras orar sentimos fuertemente que ésa era la casa que debíamos comprar, aunque nos sentíamos un tanto inquietos por tener que hacerlo sin haber vendido previamente nuestra vieja casa. Pero tras un poco más de oración, tomamos la determinación de tener fe y comprarla.

Comenzamos a negociar con los propietarios. Al principio decidieron incluir nuestra casa en el trato, aunque luego acordaron incluir sólo una parcela que teníamos en propiedad. Ahora estábamos realmente comprometidos, y toda nuestra familia comenzó a orar con mayor fervor para que el Señor pudiera traer a alguien que quisiera comprar nuestra casa antes de que naciera el bebé.

Parece que al Señor le gusta probarnos hasta el último minuto, y para nuestro deleite, justo antes del nacimiento de nuestro bebé, unos miembros de la Iglesia que se iban a mudar desde California vinieron a ver la casa. La esposa estaba especialmente impresionada con ella. Nos hicieron una oferta y pagaron *al contado*, algo casi increíble.

Sentimos que el Señor había intervenido de manera directa a causa de la fe de nuestros hijos, junto con la del resto de la familia, para ayudarnos a encontrar una casa con árboles frutales, una parcela llana (algo difícil de encontrar en una ciudad situada en una colina), con habitaciones amplias y todo el espacio que quisiéramos tanto dentro como fuera. La casa iba a proporcionarnos trabajo para los hijos y bastante terreno como para ser autosuficientes, con espacio de sobra para el nuevo bebé. ¿Qué más podríamos haber pedido?

Sin duda alguna, el Señor dará respuesta a las oraciones sinceras de una familia, sin importar su situación. Nunca debemos emplear la excusa de que no tenemos una familia normal o que nuestra familia no es del todo activa. Percibo que muchos de nosotros seguimos intentando dar solución a nuestros propios problemas espirituales, temporales o emocionales, sin acudir al Señor como debiéramos. Podemos tener casi cualquier bendición que deseemos recibir del Señor, pero debemos pedirla, y debemos hacerlo con fe.

Una familia unida en oración puede ejercer un poder espiritual real. Creo que si una familia está orando por algo que es bueno y correcto, tiene todo el derecho a creer que el Señor responderá y les bendecirá con lo que desean de Él, o aun con algo mejor, dándoles alguna indicación de por qué no pueden tener lo que quieren o haciéndoles saber que deben dejar de orar por algo que no van a recibir. Fue muy gratificador para nuestra familia el que nuestras oraciones fuesen contestadas de ese modo.

## LOS PRINCIPIOS DE LA ORACIÓN

Las Escrituras nos dan un buen número de principios que, al ser obedecidos, nos ayudan a recibir respuestas a nuestras oraciones. Estos principios son:

1. Humíllese (véase D&C 112:10).
2. Arrodíllese para orar (véase D&C 5:24).
3. Ore con fervor.
4. Ore con fe, creyendo que recibirá (véase D&C 18:18; 29:6; Alma 32:28).
5. Ore sinceramente y con un sincero deseo de corazón (véase D&C 5:24).
6. Busque un lugar tranquilo para orar (véase D&C 6:22–23).
7. Discipline su mente para concentrarse en la oración (véase Jacob 3:1).
8. Medite, estudie sus sentimientos e ideas en su propia mente (véase D&C 9:7–9).
9. Ore de antemano por el Espíritu Santo para saber por qué orar (véase D&C 46:30).
10. Utilice el poder del ayuno (véase D&C 88:76).
11. Obtenga el Espíritu por la oración de fe (véase D&C 42:14).

12. Confiese sus pecados; reconozca las cosas que haya hecho mal (véase D&C 5:28).

13. Obedezca los mandamientos; sea digno (Mosíah 2:41).

14. Despréndase de las disputas, contenciones, codicia y de todo deseo impuro (véase 4 Nefi 1:1–2; D&C 88:123).

15. Prepárese para tener pruebas (véase D&C 58:3; 101:16).

16. Reconozca la mano del Señor en todas las cosas (véase D&C 59:21).

17. Demuestre agradecimiento (véase D&C 46:32).

18. Permita que el Señor ilumine su mente (véase D&C 11:12–13; 6:15–16).

19. Ore para conocer la voluntad de Dios. Ore para estar sujeto a Su voluntad, para conocerla de antemano (véase Romanos 8:26–28; Mateo 6:8).

20. Ore por los demás, quizás mucho más de lo que ora por usted mismo (D&C 112:11–12).

21. Aumente su deseo de hablar con el Señor (véase 3 Nefi 19:24; D&C 11:17).

22. Céntrese en la comunicación y no tanto en la cantidad de palabras.

23. Haga pausas, aguarde, escuche.

24. No multiplique las palabras (véase 3 Nefi 19:34).

25. Ore sin cesar (véase D&C 10:5).

26. Utilice la forma familiar de la segunda persona del singular (tú, tuyo, etcétera; véase Mateo 6:9).

27. Ejercítese mediante la oración (véase 2 Nefi 32:8–9).

28. Sea específico. Pida de manera específica aquello que necesite (véase D&C 103:31).

29. Reconozca que es usted un hijo o una hija de Dios, siervo del Señor. Ore: "Habla, porque tu siervo oye" (véase 1 Samuel 3:10).

30. Ore mientras ayude a las personas: "Ábreme su

corazón". "¿Cómo puedo ayudar a esta persona?". "¿Cómo puedo aligerar las cargas de esta
persona?"

31. Escuche intensamente durante y después de la
    oración.

32. Ore por todas las cosas, para que el Señor las con-
    sagre para su beneficio (véase 2 Nefi 32:8–9;
    D&C 46:7).

Podemos aprender muchos otros principios de las
Escrituras y de nuestras propias experiencias con la oración.

## UNA ORACIÓN POR UN MISIONERO

Cuando era un joven misionero en Uruguay, aprendí por
experiencia propia sobre el poder que pueden tener las oraciones de otras personas, a pesar de las grandes distancias.
Durante mi misión tuve bastantes problemas digestivos, los
cuales eran tan graves que el presidente de la misión consideró la idea de enviarme a casa. Por si fuera poco, un día
mientras estaba caminando noté un fuerte dolor en el pie
izquierdo. Ni siquiera pude caminar hasta la charla que mi
compañero y yo teníamos planeado enseñar. Nos fuimos al
médico, el cual me dijo: "Se trata de artritis, causada por el
tiempo húmedo. Si puede dejar de poner peso sobre el pie
durante dos o tres días, el dolor disminuirá".

Lo hice, y también recibí una bendición del sacerdocio,
pero el pie no mejoró. Yo era líder de distrito, y mi distrito
estaba empezando a bautizar en una ciudad en la que hacía
tiempo que no había bautismos. No podía entender cómo el
Señor permitía que estuviese inmovilizado esos días en los
que mi distrito comenzaba a tener éxito.

Pasó una semana, luego pasaron dos y tres, y finalmente
pasé un mes en cama. Seguía incapacitado, sin cambio
alguno en el dolor del pie. Al final me llevaron a la casa de
la misión, en la capital, donde había una mayor disponibi-
lidad de equipos médicos.

Los rayos X mostraron que uno de los huesos del pie
había estado roto y que luego se había soldado de manera

incorrecta. Los médicos hablaron de romper el hueso nuevamente o darme un tratamiento eléctrico con el propósito de fusionar el hueso en la forma debida, mas cualquiera de los dos tratamientos duraría otro mes. Comencé a recibir tratamiento eléctrico dos veces al día, pero no parecía haber diferencia alguna. Ese problema, sumado a otros de salud, terminó por desanimame.

Una mañana, después de casi tres meses de luchar con aquella aflicción, me levanté de la cama para descubrir que no tenía dolor alguno en el pie. Caminé con cuidado, luego apoyé el pie del todo y terminé por correr un kilómetro con mi compañero y con el pie totalmente curado. Ni que hablar que volví a mis labores misionales de inmediato y con un gran gozo.

Pasaron dos semanas y recibí una carta de mis padres, la cual decía: "Querido hijo", seguido de uno o dos párrafos de amonestación por no haberles dicho nada de mis problemas. Decían que se habían enterado de mi situación gracias a otro misionero, amigo mío, que había escrito a casa. Mis padres me dijeron con mucho amor: "Hemos comenzado a ayunar y a orar de manera constante como familia por tu bienestar. También hemos puesto tu nombre en la lista de oración del templo y esperamos que todo ello pueda serte de ayuda".

Cuando con lágrimas en los ojos leí la carta y examiné mi diario, descubrí que había sido curado el mismo día en que mis padres escribieron la carta, el día exacto en que pusieron mi nombre en el templo y comenzaron a orar y a ejercer su fe en favor del hijo y hermano distante.

Para mí eso era una muestra clara de que la fe de los Santos, aún a pesar de una gran distancia, puede tener un impacto real en la persona que necesita ayuda. Los médicos no podían hacer nada, pero el Señor tomó parte y en un instante, en gran medida gracias a la fe de otras personas, mi pie fue curado. No hay nada imposible para el Señor, de hecho, cuanto más imposible sea una cosa tanto más parece interesarse en ella si ejercemos fe al respecto.

## EL ESCUCHAR LA VOZ
## APACIBLE Y DELICADA

Cuando estamos intentando obtener respuestas a nuestras oraciones y ser guiados por el Señor, por cierto que debemos aprender a seguir las impresiones del Espíritu. Estas impresiones vendrán a nosotros para ayudarnos a solucionar el problema por el que estemos pasando, nos ayudarán a saber cómo debemos orar y, por qué cosas debemos orar. De hecho, las Escrituras nos dicen que debemos orar para tener el Espíritu Santo y de tal modo saber por qué cosas debemos orar: "Y de igual manera el Espíritu nos ayuda en nuestra debilidad; pues qué hemos de pedir como conviene, no lo sabemos, pero el Espíritu mismo intercede por nosotros con gemidos indecibles. Mas el que escudriña los corazones sabe cuál es la intención del Espíritu, porque conforme a la voluntad de Dios intercede por los santos" (Romanos 8:26–27). Fíjese también que el Espíritu mismo intercederá por nosotros cuando oremos.

Además, las impresiones del Espíritu nos dirán cuánta fe necesitamos ejercer. Quizás recibamos impresiones acerca de aquello de lo que tenemos que arrepentirnos y demás. En resumen, el Señor nos guiará a través de nuestras propias experiencias si buscamos Su guía.

Ciertamente, si oramos de manera constante, oiremos la voz del Espíritu con mayor facilidad. Debemos concentrarnos para poder oír la voz, pues más que oirse, se siente. Por este motivo, si estamos demasiado ocupados, preocupados o con nuestra sensibilidad endurecida, puede que no percibamos las palabras. Tal como Nefi les dijo a Lamán y Lemuel: "Sois prontos en cometer iniquidad, pero lentos en recordar al Señor vuestro Dios. Habéis visto a un ángel; y él os habló; sí, habéis oído su voz de cuando en cuando; y os ha hablado con una voz apacible y delicada, pero habíais dejado de sentir, de modo que no pudisteis sentir sus palabras; por tanto, os ha hablado como con voz de trueno que hizo temblar la tierra como si fuera a partirse" (1 Nefi 17:45).

En verdad la voz del Espíritu es dulce y apacible. El Libro de Mormón describe la voz del Señor de esta manera: "No era una voz de trueno, ni una voz de un gran ruido tumultuoso, mas he aquí, era una voz apacible de perfecta suavidad, cual si hubiese sido un susurro, y penetraba hasta el alma misma" (Helamán 5:30).

Para mí es muy claro que el Espíritu habla con una voz dulce y apacible, y que realmente nosotros tenemos que escuchar y confiar en poder oírla, o de otro modo no podremos hacerlo. Si queremos incrementar nuestra facilidad para oír la voz, podremos hacerlo muy bien al aprender cómo orar sin cesar. Es mi experiencia que cuanto más oremos a lo largo del día, tanto más recibiremos las impresiones que nos indicarán lo que debemos hacer.

Ciertamente he visto ese don manifestarse muchas veces en mi esposa, quien ha tenido sentimientos o impresiones respecto a cosas que nuestros hijos necesitaban. Cuando hemos seguido esas impresiones, éstas nos han conducido a experiencias adicionales de fe, llegando a veces incluso a salvar a uno de nuestros hijos de una situación que amenazaba su vida. En otras ocasiones se ha tratado de experiencias más sencillas, donde nuestros hijos habrían salido victoriosos por sí solos, pero debido a que escuchamos al Espíritu, las cosas salieron mucho mejor de lo que habrían sido de otro modo.

Una vez aprendimos una gran lección durante un viaje de Utah a Arizona. Después de la oración familiar, salimos una mañana temprano en la furgoneta y manejamos durante una hora hacia el sur de Utah, cuando de repente nos dimos cuenta de que habíamos dejado atrás la maleta que tenía toda nuestra ropa. La única alternativa que teníamos era regresar por ella, lo cual hicimos. Luego emprendimos rumbo nuevamente hacia el sur con lo cual perdimos más de dos horas. Ninguno se sentía molesto, aunque sí un poco decepcionados pues habíamos perdido parte del tiempo que íbamos a disfrutar nadando en el lago Powell. Teníamos un poco de presión adicional, ya que mi esposa y

yo íbamos a tomar un avión a la mañana siguiente en
Phoenix para un vuelo internacional y debíamos que llegar
a tiempo.

Mi esposa conducía y, aparentemente, no se percató de
que el coche llevaba puesta la segunda marcha. Cuando me
llegó el turno de conducir, al cabo de pocos minutos me di
cuenta de que el motor estaba recalentado. De inmediato
nos hicimos a un lado del camino y afortunadamente (creo
que fue más que afortunadamente), nos detuvimos al lado
de un río. Podríamos haber estado en un buen número de
otros lugares donde el coche se habría quemado, pero estábamos precisamente allí. Tratamos de echar un poco de
agua en el conducto del radiador, pero éste se negaba a acep-
tarla. Sentí que no quedaba más opción que desmontar la
parte superior del radiador. (Más tarde aprendí que no es
posible echar agua en el radiador mientras está caliente.)

Y para que las cosas estuvieran un poco más tensas,
mientras intentaba retirar la parte superior del radiador, una
de mis hijas puso a funcionar el aire acondicionado, lo cual
me sobresaltó. Luego, otro hijo hizo sonar el claxon accidentalmente mientras yo estaba debajo del capó, lo cual me
asustó y al incorporarme me golpeé la cabeza. Tuve que dar
una vuelta para no enfadarme demasiado con él. Por
último, otro hijo mío lanzó una piedra a la cabeza de su hermano y le hizo llorar. Las cosas iban de mal en peor.

Finalmente logré quitar la tapa del radiador, con lo cual
perdí gran parte del líquido refrigerante. Eché agua del río
para llenar y enfriar el radiador, y cuando intenté hacer
arrancar el motor, éste parecía estar completamente
muerto. Ni siquiera se escuchaba el contacto del arranque.

Después de calmarnos, hicimos una oración para que el
Señor nos salvase y que el coche volviese a funcionar.
Intenté arrancar de nuevo, pero sin éxito alguno.

Justo entonces llegó un hombre con un camión, que se
encontraba "casualmente por la zona", admirando el río. Él
tenía unos cables para hacer una conexión, mas al ver que

las luces funcionaban, desechamos la idea de que se tratase de un problema con la batería.

Finalmente dijo que nos iba a remolcar hasta la ciudad más cercana, a unos treinta minutos de distancia. Enganchó una cadena a nuestro coche y comenzó a remolcarnos colina arriba. Era difícil, pero continuó remolcándonos. De repente dijo: "¿Sabe?, he oído que no se debe remolcar un coche de transmisión automática". Entonces recordé que hay que levantar las ruedas traseras para poder hacerlo.

Le dije: "Bueno, mi hija mayor y yo iremos con usted a la ciudad y volveremos con la grúa". Aún cuando pudiéramos encontrar una grúa, este hombre no creía que podríamos conseguir que un mecánico le echase un vistazo al coche siendo sábado por la tarde.

Estábamos muy hartos de toda esta situación y teníamos la impresión de que íbamos a arruinar nuestro viaje familiar. Nos imaginamos perdiendo todo un día o dos en ese pequeño pueblo del sur de Utah. Pensé en qué podríamos hacer si tuviésemos que dormir en un hotel y perder el avión del día siguiente.

Justo cuando estábamos entrando en la ciudad, el hombre preguntó en un momento de inspiración: "¿Podríamos intentar hacer el acoplamiento de todos modos ya que estamos aquí y tengo los cables?" (No creo que el Señor pudiera darme a *mí* ese pensamiento porque todavía estaba enfadado por la situación. Es difícil recibir inspiración cuando uno está enfadado.)

Le respondí: "Bueno, sí, hagámoslo ya que estamos aquí". Conectamos los cables y, para nuestro asombro, la furgoneta arrancó en el momento. Dimos las gracias al hombre del camión por su gran ayuda y reanudamos el viaje.

Uno de nuestros hijos dijo inmediatamente: "Tenemos que hacer una oración para dar gracias", y así lo hicimos. Entonces, en vez de pasar todo el día y el siguiente allí, continuamos nuestro camino. Gradualmente, el motor volvió a recalentarse durante la hora siguiente hasta pasar la última colina previa a la próxima ciudad. Continuó recalentándose durante varios minutos, mas decidimos continuar. De nuevo, "afortunadamente", encontramos un mecánico honrado que nos dijo: "Pondremos líquido refrigerante". Entonces descubrió que la correa del alternador estaba rota, por lo cual la batería no había estado recargándose. Cargó la batería, puso una correa nueva y añadió el líquido refrigerante; todo ello le llevó unos 45 minutos, y después volvimos a estar en camino.

Por seguro que nos sentimos bendecidos de que el problema fuera solucionado. Condujimos rumbo a Phoenix, donde llegamos bien entrada la noche, y nos sentimos muy agradecidos de que a la mañana siguiente pudiésemos tomar nuestro vuelo internacional.

Pregunta: Cuando nuestro coche se recalentó, ¿por qué estábamos tan cerca de un río? ¿El hombre del camión estaba allí por casualidad? ¿Tenía él los cables por mera coincidencia? ¿Fue casualidad también que el mecánico fuese honrado y tuviera la correa apropiada para nuestra furgoneta? Más importante aún, ¿por qué el primer hombre dijo: "Podríamos utilizar los cables antes de entrar en la ciudad"? De no haber hecho la pregunta, habríamos perdido un día entero o más. Esto ciertamente nos muestra que el Señor conduce a las personas de maneras muy diferentes para solucionar un problema. Él es muy amable con nosotros, incluso en los momentos en que podemos no merecerlo.

El Señor cuidó de nosotros y nos bendijo en esa experiencia; Él verdaderamente contesta las oraciones, aunque Su respuesta puede estar en un primer, un segundo o un tercer nivel de bendiciones, dependiendo de la atención que prestemos y de cómo ejerzamos la fe. Las cosas habrían sido muy diferentes si el Señor no hubiese contestado las oraciones de la familia y si el hombre del camión no hubiese hecho la pregunta. Podríamos habernos quedado toda la noche en aquel pueblo, y aún tendríamos que estar agradecidos por no haber tenido que pasarla al descampado. Podríamos haber estado en un nivel inferior, sin saber jamás que el problema podría haberse solucionado allí mismo tal como sucedió, si tan sólo hubiésemos ejercido un poco más de fe. Fue una experiencia interesante.

El prestar atención a la impresión de utilizar los cables para hacer la conexión salvó nuestro vuelo internacional, nos salvó de tener que regresar a la ciudad y nos ahorró una buena cantidad de dinero; todo ello por prestar atención a la voz dulce y apacible en cuestión de segundos.

Ciertamente, esa experiencia hizo que nuestra familia estuviera muy agradecida y dejó impresa en nosotros, una vez más, la importancia de escuchar y *esperar* que el Señor nos ayude. En verdad creo que en eso consiste la fe, pues el Señor dijo: "Y cualquier cosa que pidáis al Padre en mi nombre, si es justa, creyendo que recibiréis, he aquí, os será concedida "(3 Nefi 18:20).

## EL ORAR POR EL PROFETA

Permítame concluir este capítulo con una última experiencia en la cual aprendí una gran lección respecto a la importancia de que nuestros hijos oren por el profeta llamándolo por su nombre. Fue una experiencia muy graciosa, pero el presidente Spencer W. Kimball nos enseñó una gran lección sobre la oración familiar durante el proceso y, en concreto, sobre el orar por las Autoridades Generales.

Era la Navidad de 1973. Se respiraba el ambiente de la algarabía típica de esas fechas, particularmente en Salt Lake City, con el programa del Coro del Tabernáculo y otras actividades que tienden a incrementar ese espíritu.

Nuestra familia estaba especialmente complacida por haber sido invitada a una recepción navideña para los empleados de la Iglesia, celebrada en la sala de reuniones del Quórum de los Doce. Mi esposa, yo y nuestro hijo mayor habíamos entrado en el cuarto intentando no parecer demasiado nerviosos mientras veíamos a las Autoridades Generales dándose la mano e intercambiando saludos navideños. Tras estrechar la mano de algunos de ellos, cada uno de nosotros tomó un vaso de refresco y unas galletas, y nos fuimos a un rincón, para no interponernos en el camino y así permitir que otros empleados tuvieran la oportunidad de hablar con los líderes de la Iglesia.

Empezábamos a sentirnos cómodos cuando de repente se abrió una puerta en la esquina en la que estábamos, y entró el élder Spencer W. Kimball, por aquel entonces Presidente del Quórum de los Doce, quien nos saludó y tomó el rostro de nuestro hijo entre sus manos para preguntarle si iba a servir una misión. Nuestro hijo contestó que sí, y el presidente Kimball le dijo que iba a ser un buen misionero, lo cual nosotros consideramos como una declaración profética que se cumpliría mediante nuestra fe y la de nuestro pequeño.

Durante la conversación, le contamos al presidente Kimball una experiencia graciosa que había tenido lugar en nuestra familia la semana anterior. Nuestros hijos habían adquirido el hábito de orar por las Autoridades Generales llamándoles por su nombre. Nuestro segundo hijo dijo al orar: "Bendice al 'pesidente Lii', al 'pesidente Tane' y al 'pesidente Roni' ". Siguió con su oración y se olvidó de orar por el presidente Kimball.

El hermano mayor le susurró: "Te olvidaste al presidente Kimball", a lo que el pequeño respondió: "A él no le hace falta esta noche".

El presidente Kimball se rió con la historia, pero luego nos señaló con el dedo a mí y a mi hijo y dijo en un tono muy serio: "Dígale a su hijo que nunca vuelva a olvidarse de mí. Necesitamos las oraciones de todos los niños de la Iglesia para sostenernos. Nunca podría cumplir con todo lo que tengo que hacer de no ser por sus oraciones". Entonces volvió a decirme: "Asegúrese de que sus hijos oren por mí cada noche".

Quedamos enormemente complacidos por ese breve momento con el presidente Kimball, y aún más por la lección que nos enseñó sobre el poder de las oraciones de los niños. Sus palabras fueron literalmente las palabras del Señor, pues poco sabíamos nosotros que en cuestión de días el presidente Harold B. Lee iba a cruzar el velo en dirección al mundo de los espíritus, y que el presidente Kimball sería el nuevo presidente de la Iglesia, haciendo que las palabras que nos dirigió adquiriesen un mayor significado profético.

Tras ese acontecimiento intentamos asegurarnos de que nuestros hijos siempre oraran por las Autoridades Generales y reconocieran que lo que el presidente Kimball nos había dicho era verdad: los profetas, los apóstoles, los presidentes de estaca, los obispos y los cabezas de familia, verdaderamente precisan de las oraciones de los niños. La oración de un niño basta para obtener una respuesta del cielo. Oremos, por tanto, fielmente en favor de todas las Autoridades Generales de la Iglesia; por la Primera Presidencia y el Quórum de los Doce, y por todos los demás. Oremos por los presidentes de estaca y por nuestros respectivos obispos. Confío en que si lo hacemos, nuestros líderes del sacerdocio serán enormemente bendecidos, así como los integrantes de la familia que oren por los ungidos del Señor.

## CONCLUSIÓN

La oración es verdaderamente uno de los pilares fundamentales de la crianza de una familia celestial. Si oramos como familia, los niños aprenderán a orar por sí mismos y entonces será más probable que sirvan una misión, que obtengan el sacerdocio y que sean investidos y sellados en el templo.

No se ha dicho mucho en este capítulo sobre la oración individual, pues, debido a su naturaleza personal, no sería apropiado compartir experiencias respecto a la oración personal en un libro como éste. Aun así, es difícil compartir muchas de estas cosas de la familia, aunque todo lo dicho sobre la oración familiar se aplica también a la oración personal, la cual establece el ejemplo de la primera.

Tampoco se ha ilustrado el ayuno de manera amplia, como debiera ser el caso. Cuando haya tiempo, las familias deben ayunar para contribuir a su preparación espiritual, ya que hay una gran fortaleza y poder en el ayuno y la oración combinados.

Debemos enseñar a nuestros hijos cómo ayunar. A medida que intentan hacer frente a sus problemas en la vida, deben ver el ejemplo de sus padres, quienes ayunan con mayor frecuencia que tan sólo el mínimo de una vez al mes que requiere la Iglesia. Los miembros de la Iglesia tienen la libertad de ayunar con la frecuencia con que sientan que lo necesitan. Siempre hemos creído importante el enseñar este principio a nuestros hijos a temprana edad, para que supieran mejor cómo resolver sus problemas con la dirección del Señor. Hemos enseñado a nuestros hijos a abstenerse de una comida desde unos meses antes de cumplir los ocho años, y ya desde el bautismo hacen un ayuno de veinticuatro horas, absteniéndose de comida y de agua. Al principio resultó ser un poco difícil para algunos de ellos, pero han aprendido el principio rápidamente y pueden emplearlo con asiduidad a lo largo de la vida.

Permítame recordarle una vez más que Satanás hará todo lo que esté a su alcance para mantenerles a usted y a su familia alejados de la oración. Intentará traer contención a la familia, hará que se olviden de orar. Él sabe bien que si de alguna manera puede debilitar o destruir el enlace espiritual entre usted y su Padre Celestial, habrá logrado su mayor objetivo.

Para finalizar y para que no haya malas interpretaciones, nuestra familia ha tenido muchos problemas y desafíos. Las cosas no siempre han sido fáciles. Sin embargo, le testifico que cuando han surgido los problemas, la oración ha sido un ingrediente principal en la solución de los mismos. La oración regular, tanto de los hijos como de los padres, nos dará soluciones inspiradas a los problemas que enfrenta la familia.

Que el Señor nos bendiga a todos para que aprendamos mejor cómo emplear la oración para cambiar nuestro corazón y hacer humilde el corazón de nuestros hijos. La clave reside en hacer que los hijos se vuelvan al Señor, y al hacerlo usted los salvará a ellos y se salvará a sí mismo.

# CAPÍTULO 4

# ENSEÑE A SU FAMILIA MEDIANTE EL ESTUDIO DE LAS ESCRITURAS

Nunca olvidaré la vez que estaba leyendo unos relatos del Libro de Mormón a nuestro pequeño de cinco años. Le hablé de cuando Nefi tuvo que regresar a Jerusalén para obtener las planchas, con la intención de enseñarle sobre la importancia de hacer que sus héroes sean los siervos del Señor que aparecen en las Escrituras, hombres como Nefi.

Tras leerle el relato, pensé que debía comprobar su comprensión del mismo, así que le pregunté: "Hijo, ¿por qué crees que Nefi tuvo que volver a Jerusalén para conseguir las planchas?"

Se quedó pensando por un momento y dijo: "Bueno, papá, creo que porque tenían la ropa muy arrugada".

Me quedé boquiabierto. Ahí estaba yo hablando de las planchas de bronce, y las únicas planchas que este niño de cinco años conocía eran las de planchar. Este padre aprendió una gran lección ese día sobre el verificar la comprensión de las personas y ser cuidadoso en no enseñarles más allá de su nivel de entendimiento.

Pocos días después, cuando uno de mis hijos oyó el incidente, me dijo: "Papá, creo que sabes por qué los lamanitas siempre tenían dolor de cuello, ¿verdad?".

"¿Por qué?", le pregunté.

Su respuesta fue: "¡Porque eran gente de cerviz muy dura!".

Algunas familias parecen pensar que leer juntos las Escrituras debe ser algo tedioso y aburrido. Eso es una gran equivocación. Leer las Escrituras juntos puede ser algo divertido y edificante en muchas maneras.

## LOS BENEFICIOS DE LA LECTURA FAMILIAR DE LAS ESCRITURAS

Algunos de los grandes beneficios que emanan de la lectura familiar de las Escrituras son:

1. Hallar a Jesucristo y aprender sobre Su Expiación.
2. Aprender cómo obtener respuesta a nuestras oraciones.
3. Aprender cómo ser humildes.
4. Aprender cómo ejercer fe.
5. Aprender cómo arrepentirse.
6. Ayudar en el establecimiento de los valores familiares.
7. Aprender a resolver los problemas de la vida.
8. Mantener a toda la familia centrada en el Señor.

La lista podría continuar. Podemos aprender muchas cosas valiosas a través de la lectura de las Escrituras, pues verdaderamente son las instrucciones del cielo para nosotros, que vivimos en la tierra. Si las leemos con el espíritu apropiado, el Señor nos enseñará cómo regresar a nuestro hogar celestial.

## EL VALOR DE LAS PALABRAS DEL SEÑOR

¿Qué piensa el Señor sobre el valor de Sus propias palabras? La respuesta está en las Escrituras. Estos pasajes explican el propósito y el valor de Su santa palabra:

Las palabras de Cristo os dirán todas las cosas que debéis hacer (2 Nefi 32:3).

Desde la niñez has sabido las Sagradas Escrituras, las cuales te pueden hacer sabio para la salvación por la fe que es en Cristo Jesús. Toda la Escritura es inspirada por Dios, y útil para enseñar, para redargüir, para corregir, para instruir en justicia, a fin de que el hombre de Dios sea perfecto, enteramente preparado para toda buena obra (2 Timoteo 3:15–17).

[Las Escrituras] leerá... él todos los días de su vida, para que aprenda a temer a Jehová su Dios, para guardar todas las palabras de esta ley y estos estatutos, para ponerlos por obra (Deuteronomio 17:19).

Y se darán las Escrituras, tal como se hallan en mi propio seno, para la salvación de mis escogidos (D&C 35:20).

Y orarán siempre para que yo... aclare [las Escrituras] a su entendimiento (D&C 32:4).

Y cuando recibáis estas cosas, quisiera exhortaros a que preguntéis a Dios el Eterno Padre, en el nombre de Cristo, si no son verdaderas estas cosas; y si pedís con un corazón sincero, con verdadera intención, teniendo fe en Cristo, él os manifestará la verdad de ellas por el poder del Espíritu Santo; y por el poder del Espíritu Santo podréis conocer la verdad de todas las cosas (Moroni 10:4–5).

Porque es mi voz la que os las declara; porque os son dadas por mi Espíritu, y por mi poder las podéis leer los unos a los otros; y si no fuera por mi poder, no podríais tenerlas. Por tanto, podéis testificar que habéis oído mi voz y que conocéis mis palabras (D&C 18:35–36).

Y se decían el uno al otro: ¿No ardía nuestro corazón en nosotros, mientras nos hablaba en el camino, y cuando nos abría las Escrituras? (Lucas 24:32).

Así que la fe es por el oír, y el oír, por la palabra de Dios (Romanos 10:17).

Todo aquel que quiera, puede asirse a la palabra de Dios, que es viva y poderosa, que partirá por medio toda la astucia, los lazos y las artimañas del diablo, y guiará al hombre de Cristo por un camino estrecho y angosto, a través de ese eterno abismo de miseria que se ha dispuesto para hundir a los inicuos (Hclamán 3:29).

Cuantos de ellos... son conducidos a creer las Santas Escrituras... [son conducidos] a la fe en el Señor y al arrepentimiento, esa fe y arrepentimiento que efectúan un cambio de corazón en ellos; por lo tanto, cuantos han llegado a ese punto, sabéis por vosotros mismos que son firmes e inmutables en la fe, y en aquello con lo que se les ha hecho libres (Helamán 15:7–8).

## UN PROFETA MODERNO HABLA SOBRE EL VALOR DE LAS PALABRAS DEL SEÑOR

Un profeta moderno, el presidente Ezra Taft Benson, ha explicado con frecuencia el valor de las Escrituras. Lea cuidadosamente estas citas suyas, pues le darán una apreciación nueva y más profunda del valor de la palabra del Señor:

Nosotros, [los Santos de los Últimos Días], no hemos estado utilizando el Libro de Mormón como debiéramos. Nuestros hogares no serán fuertes a menos que lo empleemos para traer a nuestros hijos a Cristo. Nuestras familias pueden verse corrompidas por las modas y las enseñanzas del mundo a menos que sepamos cómo utilizar el libro para dar a conocer y combatir la falsedad (*Liahona*, julio de 1975).

Utilicemos [el Libro de Mormón] como medida para juzgar lo que leemos, la música que escuchamos, los programas que vemos y los pensamientos que tenemos (*Liahona*, julio de 1986).

Hijos, apoyen a sus padres en los esfuerzos de éstos por tener el estudio diario de las Escrituras. Oren por ellos del mismo modo que ellos oran por ustedes. El adversario no quiere que estudiemos las Escrituras en nuestra casa y, si puede, causará algunos problemas; pero nosotros debemos perseverar (ibídem).

Les bendigo con un mayor discernimiento para juzgar entre Cristo y el anticristo. Les bendigo con un mayor poder para hacer el bien y resistir el mal. Les bendigo con una mayor comprensión del Libro de Mormón. Les prometo que desde este momento en adelante, si ustedes se nutren de sus páginas y se ciñen a sus preceptos, Dios derramará sobre cada hijo de Sión y sobre la Iglesia una bendición hasta ahora desconocida, y empezaremos a suplicar al Señor que retire la condenación, el castigo y el juicio. De esto doy solemne testimonio (ibídem).

No tratemos a la ligera las grandes cosas que hemos recibido de manos del Señor. Su palabra es uno de los dones más valiosos que nos ha dado. Renueven su compromiso de estudiar las Escrituras, sumérjanse en las Escrituras cada día... Léanlas con sus familias y enseñen a sus hijos a amarlas y atesorarlas. Entonces, con denuedo y en unión, busquen toda manera posible de motivar a los miembros de la Iglesia a seguir el ejemplo de ustedes (*Liahona*, julio de 1986).

Hay tres grandes razones por las que los Santos de los Últimos Días deben hacer del estudio del Libro de Mormón un objetivo para toda la vida

     a. Es la clave de nuestra religión
- Es la clave de nuestro testimonio de Cristo.
- Es la clave de nuestra doctrina.

     b. El Libro de Mormón fue escrito para nuestra época. Nos da un modelo a seguir para prepararnos para la Segunda Venida. La mayor parte del libro se centra en unas pocas décadas previas a la venida de Cristo a América. Se nos dice porqué algunas personas fueron destruidas y otras estaban en el templo cuando Cristo vino.

     c. Nos ayuda a acercarnos más a Dios (véase *Liahona*, enero de 1987).

Si [los autores de Libro de Mormón] vieron nuestra época y escogieron aquellas cosas que serían de mayor valor para nosotros, ¿no es así como debiéramos estudiar el Libro de Mormón? Debemos preguntarnos constantemente: "¿Por qué el Señor inspiró a Mormón (o a Moroni o a Alma) a incluir esto en su registro? ¿Qué lección puedo aprender de esto que me ayude a vivir en esta época?" (ibídem).

En el Libro de Mormón encontramos un modelo a seguir para prepararnos para la Segunda Venida (ibídem).

No sólo el Libro de Mormón nos enseña la verdad, aunque de hecho lo hace. No sólo el Libro de Mormón testifica de Cristo, aunque también lo hace. Hay algo más. Hay un poder en el libro que comenzará a fluir en la vida de ustedes desde el momento en que empiecen a estudiarlo seriamente. Hallarán mayor poder para resistir la tentación y tendrán poder para evitar el engaño (ibídem).

Estos dos grandes libros de Escrituras de los últimos días [el Libro de Mormón y Doctrina y Convenios] son las revelaciones que el Dios de Israel ha dado con el propósito de recoger y preparar a Su pueblo para la Segunda Venida del Señor (Véase *Liahona*, enero de 1987).

En la página del título del Libro de Mormón se expone que el propósito del mismo consta de tres partes: Mostrar las grandes cosas que el Señor ha hecho, enseñarnos los convenios del Señor y convencer tanto al judío como al gentil de que Jesús es el Cristo.

Doctrina y Convenios es el único libro del mundo que tiene un prefacio escrito por el Señor mismo (ibídem).

Debemos honrar [el Libro de Mormón] leyéndolo, estudiándolo, viviendo sus preceptos y trans-

formando nuestra vida en la de verdaderos seguido-
res de Cristo (ibídem).

Ningún miembro de esta Iglesia puede ser
aceptado en la presencia de Dios si no ha leído
cuidadosa y seriamente el Libro de Mormón
(ibídem).

El Libro de Mormón es el instrumento que Dios
ha diseñado para inundar "la tierra como con un
diluvio, a fin de recoger a [Sus] escogidos" (Moisés
7:62). Este sagrado volumen de Escrituras tiene que
ser un elemento más central en nuestra predicación, nuestra enseñanza y nuestra obra misional
(Véase *Liahona*, enero de 1989).

Una de las cosas más importantes que se aprenden al
leer las Escrituras es cómo oír la voz del Señor comunicán-
dose *con nosotros*. La enseñanza no sólo se recibe al leer las
palabras; cuando meditamos fielmente en ellas, el Señor
puede hablarnos "entre líneas". En otras palabras, puede
hablarnos de nuestros problemas actuales mientras estamos
leyendo las Escrituras. De hecho, el acto mismo de leerlas
(sin importar qué parte leamos) parece abrir la puerta para
recibir dirección del Señor si tan sólo leemos con humildad.
Las Escrituras son una de las herramientas más grandes que
tenemos para comunicarnos con el Señor. El élder Bruce R.
McConkie me dijo una vez que había recibido más revelación mientras leía las Escrituras que en ninguna otra ocasión. Le testifico que lo mismo ha ocurrido conmigo.

¿Qué padres no querrían que sus hijos aprendiesen y
aplicasen los principios mencionados más arriba? Estoy
seguro de que todos deseamos eso para los miembros de
nuestra familia. Y, por supuesto, la mejor manera posible de
enseñar esas destrezas a nuestra familia es por medio del
ejemplo. Necesitamos trabajar y aprender cómo leer las
Escrituras por nosotros mismos; entonces nos hallaremos
en mejor posición para enseñar a nuestra familia. Sin
embargo, si no estamos seguros de cómo hacerlo, una de las
mejores formas de aprender es simplemente *haciéndolo*.

La mejor manera de asegurarnos que nuestros hijos aprenden esas destrezas es mediante padres fieles que les vayan dando forma en la lectura familiar de las Escrituras. Si día tras día los hijos aprenden por experiencia personal a leer los pasajes, a entenderlos, a correlacionarlos, a aprender del Señor, a creer en las normas que se enseñan y a aplicarlas en el diario vivir, cuando vivan su propia vida sabrán casi de manera automática cómo hacerlo. El Señor dijo en Doctrina y Convenios 98:16: "Procurad diligentemente hacer volver el corazón de los hijos a sus padres, y el corazón de los padres a sus hijos". Si los padres quieren que el corazón de sus hijos se vuelva a ellos, y si quieren tener su corazón vuelto a sus hijos, no conozco una manera mejor de conseguirlo que por medio de la lectura familiar de las Escrituras. En ese proceso, ambas generaciones —padres e hijos— asimilan los valores del cielo y, por tanto, sus corazones se unen. Las promesas hechas a los padres y a los hijos antes de venir a este mundo comienzan a dar fruto en esta vida.

Los testimonios fundidos en uno por medio del amor, con el Espíritu confirmando a los padres y a los hijos el mensaje puro de los cielos, verdaderamente volverán el corazón de los padres a sus hijos y el corazón de los hijos a sus padres. Cuando los padres estudien con sus hijos, su comprensión del Evangelio, su amor y su unidad crecerán geométricamente.

El Señor es muy claro y directo respecto a nuestro estudio de Sus palabras. El hacerlo puede ser una de las tareas más importantes para aprender sobre el Señor y sobre cómo regresar a Él.

## EXCUSAS PARA NO LEER LAS ESCRITURAS

A pesar del consejo inspirado, muchas familias de la Iglesia todavía no leen juntas las Escrituras de manera regular. Al viajar a través de la Iglesia, he podido apreciar que quizás sólo entre un 10 y un 15% de los miembros leen las

Escrituras en familia. ¿Por qué ocurre esto? Al hablar con cierto número de familias, he oído cosas como:

- Somos una familia muy ocupada.

- Cada uno va por su lado y nunca logramos estar juntos.

- Lo hemos intentado muchas veces y ha funcionado por algunas semanas, mas luego lo dejamos.

- No estamos seguros de dónde empezar ni cómo hacerlo.

- No tengo la confianza suficiente para leer las Escrituras sabiendo que tendré que explicárselas a mis hijos. Podría resultar algo embarazoso.

- Nunca nos hemos esforzado por dar a nuestros hijos sus propios libros de Escrituras.

- Creo que realmente nunca decidimos que queríamos hacerlo.

- Cuando hemos intentado leer las Escrituras juntos ha sido causa de contención.

- Nuestros hijos se han rebelado contra ello. No les gusta leer las Escrituras.

- Nuestros hijos se quejan de que no pueden entender lo que se dice en las Escrituras.

Al hablar en una ocasión a los jóvenes y a los niños de la Iglesia, el presidente Ezra Taft Benson dio un gran consejo sobre el estudio familiar de las Escrituras: "Hijos, apoyen a sus padres en los esfuerzos de ellos por estudiar por extudiar las Escrituras a *diario* . Oren por ellos del mismo modo que ellos oran por ustedes. El adversario no quiere que estudiemos las Escrituras en el hogar y, si puede, causará algunos problemas; pero nosotros debemos perseverar".

La lista de excusas parece ser infinita. Creo que pasaríamos un mal momento al dar cualquiera de ellas al Señor. ¿Realmente pensamos que Él diría: "Bueno, creo que lo entiendo. Está bien que no hayas leído las Escrituras?"

Algunas personas parecen tener un problema con el orgullo o con la falta de humildad. A veces tienen miedo de admitir que no entienden las Escrituras y hacen de éso la base de su decisión para no leerlas: no quieren que los demás sepan de su falta de conocimiento. Pero entonces ocurre que su progreso se detiene. Las personas deben humillarse antes de leer las palabras del Señor o no las entenderán, ni disfrutarán de ellas, ni progresarán con esa experiencia.

Creo que una de las razones principales para que las familias no tengan una lectura regular de las Escrituras es que no han decidido en el corazón que hacerlo es muy importante. No han tomado la decisión de averiguar cómo hacerlo, cueste lo que cueste. Si entendieran la importancia de esta actividad familiar, ciertamente harían todo lo que estuviese a su alcance —tanto el esposo y la esposa, como los padres sin cónyuge— para asegurarse de que esta práctica llegase a ser un firme cimiento de sus tradiciones familiares. Esta actividad puede hacer tanto o más por la exaltación de la familia como cualquier otra cosa.

## EL APRENDER LOS UNOS DE LOS OTROS EN LA LECTURA DE LAS ESCRITURAS

Nunca olvidaré la ocasión en que estábamos leyendo en el Libro de Mormón sobre la importancia de tener un testimonio. Nos detuvimos e hicimos la pregunta: "¿Hay diferentes tipos de testimonio?" Y hablamos sobre ello por un rato.

Entonces le pedí a la familia que se turnase para hablar de cómo sabía cada uno que el Evangelio era verdadero. Les pregunté: "¿Cómo están tan seguros de ello?" Cerramos los ojos y meditamos intensamente sobre la respuesta a la pregunta. Las respuestas de la familia me sorprendieron a causa de su gran variedad.

Una hija, de doce años, dijo: "Sé que el Evangelio es verdadero porque he visto al Señor dar respuesta a las oraciones. Él ha contestado las oraciones de nuestra familia, y las mías. Verdaderamente, el Señor nos contesta cuando le preguntamos y nos ayudará con nuestros problemas. Es por saber eso que tengo un testimonio".

Un hijo de diecisiete años dijo: "Creo que mi mayor testimonio es que el Señor curará a la gente por medio de las bendiciones del sacerdocio y que la fe realmente da buenos resultados". Entonces pasó a compartir un par de ejemplos que habían fortalecido su testimonio sobre estas cosas, y concluyó diciendo: "Nunca podrían convencerme de que la Iglesia no es verdadera. He visto el poder del sacerdocio en acción y sé que la fe es un poder real y eficaz".

Otro hijo, que poco tiempo atrás había vuelto de su misión, dijo: "Sé que la Iglesia es verdadera gracias al Libro de Mormón. He llegado a saber, como dijo José Smith, que 'el Libro de Mormón [es] el más correcto de todos los libros sobre la tierra, y la clave de nuestra religión; y que un hombre se acercaría más a Dios al seguir sus preceptos que los de cualquier otro libro' ". Entonces habló de cómo había obtenido su testimonio mediante una revelación personal, mientras leía sobre la visita del Salvador a los nefitas.

Una hija de quince años dijo: "Sé que la Iglesia es verdadera gracias a Jesucristo. Por sobre todo, sé que Él es el Salvador del mundo, sé que me ama, que tiene el poder de ayudarme si oro al Padre en Su nombre. He recibido un testimonio personal de Jesucristo y, por tanto, sé que Su Evangelio y la Iglesia son verdaderos".

Entonces mi buena esposa añadió: "Supongo que todo lo que he oído esta mañana me enseña que la Iglesia es verdadera. Yo añadiría una cosa más: el prestar servicio a los demás. En la medida en que he vivido el Evangelio a través del servicio, he recibido testimonio tras testimonio de que estas cosas son verdaderas. Mi primer testimonio lo recibí al dirigir la música en la Escuela Dominical, cuando era pequeña. Al memorizar las palabras de los himnos y cantarlos con toda la congregación, sentía cómo el Espíritu del Señor entraba en mi corazón".

Mientras ella hablaba, yo no podía evitar pensar en la enseñanza de Jesucristo: "Mi doctrina no es mía, sino de aquel que me envió. El que quiera hacer la voluntad de

Dios, conocerá si la doctrina es de Dios, o si yo hablo por mi propia cuenta" (Juan 7:16–17).

Esa mañana aprendí una gran lección al escuchar a los miembros de mi familia compartir cómo sabían que el Evangelio era verdadero. Me mostró que los testimonios pueden venir de maneras muy variadas, que el Espíritu trabaja con las personas de maneras diferentes, pero que el resultado es el mismo: llegamos a saber que el Evangelio es verdadero. Todo esto me hizo pensar en el pasaje de Juan 3:8: "El viento sopla de donde quiere, y oyes su sonido; mas ni sabes de dónde viene, ni a dónde va; así es todo aquel que es nacido del Espíritu".

¡Qué experiencia tan selecta hubría perdido la familia Cook si esa mañana no hubiésemos estado leyendo juntos en las Escrituras sobre la importancia de los testimonios!

## ¿POR QUÉ DEBEMOS LEER LAS ESCRITURAS EN FAMILIA?

El Señor da muchas razones para que leamos las Escrituras y creo que éstas son válidas tanto para la persona como para las familias. Algunas de las bendiciones que he visto proceder de la lectura familiar de las Escrituras incluyen:

• El leer juntos las Escrituras crea un momento de adoración familiar, una manera eficaz de adorar juntos a Dios.

• La lectura de las Escrituras proporcionará un "nuevo corazón" a nuestros hijos, una de las bendiciones más importantes.

• La lectura de las Escrituras edifica la fe entre los miembros de la familia.

• La lectura de las Escrituras hace posible que los siervos del Señor que se mencionan en ellas lleguen a ser los héroes de nuestros jóvenes.

• La lectura de las Escrituras une a las familias. Ésta es una bendición maravillosa en un mundo tan atareado como el actual.

• La lectura de las Escrituras motiva la humildad y el amor en la familia.

• La lectura de las Escrituras ayuda a la familia a levantarse por la mañana y comenzar el día o, en caso de que lean de noche, les ayuda a concluir el día con una nota espiritual.

• La lectura de las Escrituras proporciona un enfoque diario en Dios, en los demás y en uno mismo, ocasionando así el arrepentimiento y un deseo de cambiar.

• La lectura de las Escrituras nos permite tener un tiempo para amar, compartir, entender y escuchar.

• La lectura de las Escrituras da a los niños una oportunidad de hacer surgir algunas de las preocupaciones que tienen en la escuela o con sus compañeros, y hacer que se traten en familia y se relacionen con las palabras del Señor.

• La lectura de las Escrituras promueve el intercambio de valores entre generaciones.

• La lectura de las Escrituras proporciona la oportunidad de obtener y compartir el testimonio.

La lista de beneficios podría continuar. ¿Por qué, entonces, tantas familias tienen dificultad para leer las Escrituras? Seguramente Satanás está trabajando fuerte para evitar que lo hagan.

El presidente Benson hizo un comentario poderoso sobre el impacto que la lectura de las Escrituras puede tener en nuestra vida:

> Les bendigo con un mayor deseo de inundar la tierra con el Libro de Mormón, de recoger a los escogidos de Dios de entre el mundo, aquéllos que tienen hambre de la verdad pero no saben dónde encontrarla (*Liahona*, julio de 1987).

El élder Marion G. Romney dijo:

> Tengo muy claro que si los padres leen el Libro de Mormón fielmente y con gran regularidad en el hogar, tanto para ellos mismos como con sus hijos, el Espíritu de este gran libro llegará a impregnar nuestros hogares y a todos los que moren en ellos.

Aumentará el espíritu de reverencia, de respeto mutuo y de consideración los unos por los otros, se alejará el espíritu de contención, los padres aconsejarán a sus hijos con mayor amor y sabiduría, y los hijos serán más dados a escuchar y más sumisos a dicho consejo; aumentará la rectitud, la fe, la esperanza y la caridad, y el amor puro de Cristo abundará en nuestros hogares y en nuestra vida, trayendo consigo paz, dicha y felicidad (*Conference Report*, abril, 1960, págs. 112–113).

No debiera sorprendernos que los siervos del Señor testifiquen así del poder de las Escrituras. En su gran oración intercesora, el Señor dijo: "Santifícalos [a Sus discípulos] en tu verdad; tu palabra es verdad" (Juan 17:17).

Testifico que la lectura familiar de las Escrituras es de gran importancia.

Nuestra familia tuvo dificultades durante muchos años para leer juntos las Escrituras. Éramos firmes por unos pocos días o algunas semanas para luego volver a nuestra antigua rutina. Y lo intentábamos otra vez. Casi nunca podíamos decidir cuándo íbamos a leer juntos y no teníamos la entereza para hacerlo. Finalmente, mi esposa y yo ayunamos y oramos al respecto, tomamos la firme determinación y decidimos que la lectura de las Escrituras iba a dar comienzo a una nueva tradición de la familia Cook, que haríamos todo lo que hiciese falta y pagaríamos cualquiera que fuese el precio. Tuvimos una reunión de consejo familiar y tratamos el asunto con nuestros hijos. Dimos testimonio de su importancia y sus corazones fueron tocados lo suficiente como para estar todos de acuerdo en que realmente teníamos que hacerlo. Hablamos de cómo podríamos ponerlo en práctica y diseñamos un plan para comenzar por las mañanas.

No fue fácil. Tuvimos algunos momentos difíciles con algunos hijos que no querían levantarse o que llegaban tarde. A veces nos preguntábamos si seríamos capaces de continuar, mas lo hicimos, y nuestra familia comenzó a ver los resultados. Tras los meses iniciales de dificultad, finalmente logramos establecerlo como una tradición familiar de los Cook.

Al escribir este libro ya han pasado diecisiete años desde que tomamos aquella decisión, y le testifico que sé que ninguna otra cosa ha tenido un mayor impacto en nuestra familia que el estar en pie casi cada mañana, orando juntos, leyendo las Escrituras, amándonos unos a otros e intentando asimilar las doctrinas de Jesucristo. Todo ello ha sido de gran beneficio para ayudarnos a criar una familia celestial.

## CUÁNDO LEER LAS ESCRITURAS COMO FAMILIA

¿Cuándo debemos leer juntos las Escrituras? Para algunas familias la mejor manera es por la mañana temprano. De ese modo pueden hacer que sus hijos comiencen el día con un tono espiritual y prepararles para los desafíos que enfrentarán durante el día. Si se hace lo suficientemente temprano, generalmente todos podrán estar juntos. Para otras familias el mejor momento es por la noche, alrededor de la mesa o justo antes de ir a dormir. Supongo que no importa mucho cuándo se leen las Escrituras siempre y cuando sea en un lugar habitual y a una hora determinada, para que se pueda hacer diariamente.

Algunas familias han acomodado su lectura de las Escrituras antes de la hora del seminario vespertino. El seminario, siendo tan importante como es, nunca debe tomar el tiempo dedicado a la lectura de las Escrituras por parte de la familia. Algunas familias tienen el concepto de que sus hijos ya están aprendiendo bastante de las Escrituras en la Iglesia y en seminario; pero no es así. La lectura familiar de las Escrituras tiene la prioridad. Algunas familias se han visto obligadas a tener dos estudios breves de las Escrituras (y dos oraciones familiares) para adaptarse al horario de todos sus hijos.

Para nuestra familia lo mejor es leer las Escrituras por la mañana, generalmente entre las 6:00 y las 6:30, dependiendo de cuándo tengan que ir a la escuela nuestros hijos, y nos ocupa normalmente entre veinte y treinta minutos. El levantarse tan temprano ha sido siempre una gran bendición para nuestros hijos. De hecho, uno de ellos dijo, cuando salió a servir su misión, que obedecía las reglas pero que todavía tenía que "quedarse en la cama" media hora más de lo habitual para él.

Algunas familias tienen dificultades con hijos que no quieren levantarse temprano. Cuando nuestros hijos eran jóvenes, intentamos cantarles, hacerles cosquillas, darles premios o castigarles. Hasta intentamos sacarlos de la cama. Cuando a veces uno de nuestros hijos no acudía a la lectura de las Escrituras, me encargaba de que el resto de la familia hablase durante el desayuno de lo maravilloso que había sido nuestro estudio, con la intención de que esa persona en concreto se sintiese mal por no haber asistido. Aunque hacíamos esto en broma, tampoco llegó a resultar, pues los hijos veían en ello una forma sutil de manipulación, como supongo que así era.

Una vez, una de nuestras hijas pequeñas inventó un castigo consistente en que si no podíamos levantarnos por la mañana temprano para la lectura de las Escrituras, entonces era porque estábamos demasiado cansados, así que teníamos que irnos a la cama una hora antes. Este método pareció resultar por unas pocas semanas, pero antes o después papá y mamá se convirtieron en los "vigilantes" que intentaban conseguir que todos se fuesen temprano a la cama, lo cual siempre era difícil y causaba algún que otro enfado.

Pronto descubrimos que tales tácticas sólo ocasionan resentimiento y merman el espíritu de la lectura de las Escrituras en cada uno de los presentes.

Cuando los niños son pequeños, quizás se les tenga que despertar, pero nos dimos cuenta de que, a fin de tener el espíritu apropiado durante la lectura de las Escrituras, cada persona tenía que desear estar allí y no obedecer los anhelos de mamá y papá. Así que, finalmente, compramos un despertador para cada hijo y les dimos la responsabilidad de que se levantaran y asistieran por sí mismos a la lectura de las Escrituras. Algunos de ellos nos probaron, pensando que nosotros íbamos a despertarlos de todos modos, pero no lo hicimos, y se quedaron dormidos durante la lectura de las Escrituras. Esto ocurrió así durante cierto número de días, hasta que descubrieron realmente que íbamos en serio. Si no se levantaban por ellos mismos, nosotros íbamos a seguir adelante sin ellos; así que empezaron a poner los despertadores y a levantarse.

Éste ha sido el gran aspecto positivo de nuestra lectura de las Escrituras. Nuestros hijos han aprendido a levantarse temprano por la mañana. Algunos jóvenes no lo aprenden hasta que salen a la misión. El despertar a los niños cada mañana les hace ser más dependientes de sus padres; pero los jóvenes necesitan aprender a ser independientes y a confiar en sí mismos, así como a ser lo suficientemente disciplinados para levantarse.

La clave para hacer que los hijos vayan a la lectura de las Escrituras es convertir ésta en una experiencia muy buena, lo suficientemente llena del Espíritu y lo bastante divertida como para que deseen estar allí y se sientan mal si no vienen. Las primeras veces que empezamos a leer juntos las Escrituras, si alguien no acudía tendría que dar explicaciones a toda la familia. Pero más adelante, cuando ya éramos un poco más sabios, íbamos en privado y le preguntábamos a dicha persona si estaba enferma o si tenía cualquier otro problema. Generalmente el niño no había oído el despertador o se había olvidado de ajustar la alarma. Si el problema continuaba, mi esposa o yo solíamos hablar con un nuestro hijo en privado, le dábamos ánimo, hablábamos con él y hacíamos algo que tocase su corazón. Nuestros hijos desarrollaron pronto el verdadero deseo de estar con su familia cada mañana.

En años recientes, gracias a que la tradición ha estado firmemente asentada, la lectura de las Escrituras se ha convertido en algo verdaderamente divertido, y todos quieren estar allí. Gracias a ello todos hemos aprendido mucho como familia.

## DÓNDE LEER LAS ESCRITURAS

Cada familia tiene que decidir dónde va a leer las Escrituras. Algunas han intentado hacerlo alrededor de la cama de los padres; sin embargo, la tentación de quedarse dormido es demasiado grande si se hace muy temprano por la mañana. Otras lo han hecho alrededor de la mesa del desayuno o de la cena, aunque esto hace un poco difícil el sostener las Escrituras y marcarlas. Otras familias han intentado leer sentadas en el suelo o ante una mesa vacía. Otras se han sentado en el sofá de la sala. Supongo que realmente no importa dónde se haga con tal de que el ambiente sea cómodo, propicio e invite a aprender.

Durante nuestro estudio de las Escrituras hemos intentado enseñar a nuestros hijos a tener un lápiz rojo con el cual marcar los pasajes importantes, para correlacionar cosas, etc. Hemos intentado sentarnos alrededor de la mesa de la cocina por las mañanas, aunque para nosotros esto es un poco formal. A nuestros hijos les ha gustado más sentarse en el sofá con las batas puestas o arropados bajo una manta.

## CÓMO REALIZAR LA LECTURA DE LAS ESCRITURAS

Una de las cosas que la familia tiene que decidir es qué van a leer. Cuando nuestra familia era más joven, descubrimos que el Libro de Mormón es el libro de Escrituras más fácil de entender, mientras que el Antiguo Testamento parece ser el más difícil. Durante cierto número de años leímos el Libro de Mormón tres o cuatro veces hasta que nuestra familia fue creciendo en edad. Entonces comenzamos a leer el Nuevo Testamento y la Perla de Gran Precio, y también leímos algunos de los relatos del Antiguo Testamento.

Las familias tendrán que decidir si van a estudiar el Libro de Mormón desde el principio hasta el final o si lo van a estudiar por temas. Ambas maneras han resultado ser para nosotros útiles para aprender. Tenemos por costumbre leer desde el principio hasta el final, pero nos detenemos en cualquier lugar donde haya un concepto concreto que nos interese. Entonces puede que estudiemos ese tema por algunas mañanas, utilizando la Guía Estudio de las Escrituras hasta que lo entendamos.

Tanto si nos llevara una mañana, como cinco o seis, haremos todo lo necesario para entender aquello que estemos leyendo, sin sentirnos presionados por la necesidad de correr o de continuar a un ritmo determinado. Alguien dijo muy bien: "No debemos leer para acumular páginas". De este modo, leemos tanto por temas como siguiendo la secuencia del libro.

Hemos aprendido que es importante que cada miembro de la familia tenga sus propios libros, canónicos. A los más pequeños, especialmente, les encanta tener sus propios libros con sus nombres grabados en ellos, así como sus propios marcadores, etc. Todo esto parece sumarse a la importancia de las Escrituras y de su lectura. Cuando esto ocurre, los más pequeños están más dispuestos a decir "espera, me toca a mí", o "¿puedo leer otro versículo?"

Cuando leemos las Escrituras, siempre empezamos con una oración. Le pedimos al Señor que nos bendiga para que nuestro entendimiento pueda ser aumentado al leerlas. Hemos aprendido, y estoy seguro de que usted también, que no podemos leerlas como leemos cualquier otro libro. Debemos orar acerca de las Escrituras, y tenemos que humillarnos si realmente queremos entender lo que el Señor nos está diciendo. Este principio se enseña con mucha claridad en D&C 32:4, donde dice: "Y observarán lo que está escrito [en las Escrituras] y no dirán que han recibido ninguna otra revelación; y orarán siempre para que yo [. . .] aclare a su entendimiento [el significado de las Escrituras]".

Con el paso de los años hemos aprendido que el hacer una oración no es algo tradicional que *debamos* hacer. En verdad, al grado en que nos humillemos en oración y pidamos entendimiento, el Señor enriquecerá nuestra lectura de las Escrituras.

He aprendido que para llevar a cabo mi lectura personal de las Escrituras tengo que levantarme antes que mi familia; si he tenido una experiencia espiritual con las Escrituras antes de reunirme con mi familia, será mucho más fácil dirigir la lectura de las mismas con el Espíritu para que cada persona pueda tener su propia experiencia espiritual.

Después de orar, generalmente pedimos a alguien que comience a leer uno o dos versículos desde el lugar en que nos detuvimos la última vez. Entonces esa persona le pide a otra, sin previo aviso, que explique lo que acaba de leer, lo cual hace que todos estemos despiertos y alerta; esto ha demostrado ser muy eficaz a la hora de prestar un poco más de atención.

Después de que la persona ha explicado el contenido de los versículos, el lector intenta hacer al menos una pregunta sobre el texto para que toda la familia pueda contestar. El motivo de que nuestros hijos hagan una pregunta es para enseñarles cómo leer las Escrituras, para que se hagan preguntas sobre lo que leen. Estoy convencido de que las Escrituras son principalmente libros de respuestas. El problema es que nosotros no conocemos las preguntas originales, mas si entramos en el hábito de hacer preguntas versículo tras versículo, entenderemos mucho más. He descubierto que hasta los niños pequeños son capaces de hacer buenas preguntas. De hecho, a veces hacen preguntas que realmente me sorprenden. Los padres deben ayudar a sus hijos, y ayudarse mutuamente a centrar sus preguntas en lo que la familia necesita aprender ese día. Siempre deberíamos estar pensando: "¿Qué significado tiene esto para mí?"

Al principio los niños tienden a hacer este tipo de preguntas: "¿Cómo se llamaba el hermano de Nefi?", preguntas de conocimiento; para luego hacer otras más enfocadas en los "sentimientos", como por ejemplo: "¿Cómo es que Nefi tuvo la fe para hacer eso?", o "¿Por qué Alma creyó las palabras de Abinadí? ¿Cómo pudo tener tanta fe cuando lo único que oyó fueron las palabras de Abinadí?". Y con el tiempo comienzan a hacer preguntas más importantes: "¿Cómo podemos tener una fe semejante a la de Samuel el lamanita?". Hacerse preguntas es muy importante.

Los padres también pueden hacer una o dos preguntas para dirigir la atención de los hijos hacia las partes más importantes de lo que acaban de leer. Nosotros no hemos tenido deseo alguno de leer con prisa ningún versículo en concreto. Muchas veces nos hemos parado en un versículo y lo hemos relacionado con un ejemplo de nuestra vida, o hemos compartido nuestro testimonio sobre dicho versículo. En otras ocasiones hacemos preguntas como: "¿Quién puede explicar este versículo de tal modo que se aplique a lo que vamos a hacer hoy?", o "¿Cómo te afecta a ti este versículo?".

Otras veces buscamos referencias en la Guía para el Estudio de las Escrituras, nos referimos a las notas a pie de página o empleamos un diccionario bíblico para obtener una mayor comprensión. Si sabemos que un versículo en concreto es importante, generalmente ayudamos a los niños a correlacionarlo con otro que pueda ayudarles más adelante, cuando lean por su propia cuenta. Muchas de las referencias que mis hijos mayores subrayaron cuando eran jóvenes han sido de gran valor para ellos con el transcurso de los años. En más de una ocasión se han preguntado cómo llegaron estas referencias a sus libros, pues habían olvidado que sucedió durante la lectura familiar de las Escrituras.

Cuando estamos terminando una de nuestras lecturas, a veces preguntamos qué ha sido lo más importante que han aprendido esa mañana. De hecho, una pregunta mejor sería: "¿Cuál es la cosa más importante que han *sentido* esta mañana?". Entonces les damos la oportunidad de responder, si lo desean, y generalmente uno o dos de ellos lo hacen. A veces intentamos sacar la idea más importante y aplicarla a ese día, como el orar con más frecuencia, el ser un poco más humildes, el extender nuestra mano un poco más a los demás, etc.

Después de la lectura de las Escrituras cantamos una estrofa de un himno (muchas veces una canción de la Primaria), o pedimos a alguien que comparta un pasaje que haya memorizado. Con el curso de los años, estas actividades han ido teniendo un gran impacto en la familia. El canto ayuda, especialmente, a tranquilizar a los más pequeños y a que tengan un buen espíritu para orar. Cada una o dos semanas, de forma voluntaria y por decisión propia, aprendemos un nuevo pasaje de las Escrituras para compartir con la familia, lo cual crea un buen ambiente y permite a los padres enseñar conceptos que quizás no se hayan tocado durante la lectura de las Escrituras. Nuestros hijos han aprendido de esta manera los Artículos de Fe desde pequeños.

Después de la canción o del pasaje de las Escrituras, invitamos a alguien a ofrecer la oración familiar, tras lo cual mi esposa y yo abrazamos a cada uno de nuestros hijos y les decimos: "Te quiero. Que tengas un buen día". Ésta es una forma magnífica de dar comienzo a una mañana. En muchas ocasiones nuestro estudio de las Escrituras se extiende durante el desayuno y nos ayuda individualmente a centrarnos una vez más en el Señor al comenzar el día.

Nunca nos hemos sentido obligados a leer de acuerdo con un programa establecido, como el tener que leer un capítulo cada mañana. Siempre hemos leído unos pocos versículos, procurando la comprensión, el sentimiento y la aplicación práctica. A mi parecer, el que mis hijos amen a Alma, por ejemplo, es mucho más importante que saberse de memoria los nombres de sus hijos.

El presidente Marion G. Romney ilustró esta idea con mayor claridad. Toda vez que no tenía una asignación de la Iglesia, dormía en el jardín con su hijo, George, en una tienda de campaña en las cálidas noches de verano. Parte de esa experiencia solía incluir la lectura y el comentario de un capítulo del Libro de Mormón. Una vez, cuando George estaba enfermo y tenía que guardar cama en la litera superior, el presidente Romney entró con cuidado, se acostó en la litera de abajo y se ofreció a continuar con la práctica que tanto significado tenía para ambos. George comenzó a leer en voz alta, y mientras leía, vaciló un poco. Entonces preguntó: "Papá, ¿alguna vez lloras cuando lees las Escrituras?".

Al presidente Romney le impresionó la pregunta y contestó que de hecho las lágrimas acudían a sus ojos cuando el Espíritu le daba testimonio de la veracidad de lo que estaba leyendo. Y George dijo: "También yo he derramado algunas lágrimas esta noche" (véase F. Burton Howard, *Marion G. Romney: His Life and Faith* [Salt Lake City: Bookcraft, 1988], pág. 154).

El hermano Romney entendía la verdadera importancia de leer juntos las Escrituras.

## OTRAS ACTIVIDADES PARA LA LECTURA DE LAS ESCRITURAS

A veces es necesario tener algo de variedad durante la lectura de las Escrituras, particularmente si la familia está un poco dormida o lenta para reaccionar. En tales casos podría invitar a uno de sus hijos a dar un breve discurso sobre un tema en concreto. Conceda al niño un minuto o dos para buscar algunos pasajes, y eso puede constituir la lectura de las Escrituras. A veces podrían tener concursos de búsqueda de pasajes de las Escrituras para aprender dónde se encuentran, en vez de leerlas. En ocasiones hemos trabajado para aprender dónde se encuentran los libros dentro de cada canon de las Escrituras. Todas estas cosas nos ayudan a tener algo de variedad.

Nuestros ocho hijos han aprendido a leer el Libro de Mormón por completo durante la lectura familiar de las Escrituras, un recuerdo que permanecerá con ellos a lo largo de su vida, influyendo para bien.

En otras ocasiones hemos visto que era importante no leer las Escrituras cada mañana. A veces leíamos de lunes a viernes, y los sábados los niños dormían y le pedíamos a uno de ellos que compartiera un pensamiento espiritual o un versículo durante el desayuno. Los domingos, tras la oración familiar, normalmente teníamos nuestra reunión espiritual y eso ocupaba el lugar de nuestra lectura de las Escrituras.

Otras veces, en vez del leer las Escrituras, mi esposa o yo compartíamos una experiencia. Quizás uno de nuestros hijos había tenido una experiencia especial la noche anterior y le pedíamos que la compartiese.

Después de la conferencia general y durante una o dos semanas, leíamos los discursos de las Autoridades Generales. A veces asignábamos discursos específicos a los niños para que los comentasen durante la lectura de las Escrituras, lo cual daba a cada hijo la oportunidad de aprender más sobre un tema que necesitaban.

La lectura de los discursos de la conferencia ha sido altamente eficaz a la hora de enseñar la importancia de confiar en las palabras de los profetas vivientes. Generalmente no leemos todos los discursos a la familia, sino aquéllos que mejor se aplican a nuestros hijos. Esto nos ha ayudado a fortalecer a la familia de acuerdo con nuestras necesidades, así como a enseñarles más sobre la doctrina del reino.

Otro beneficio de leer las palabras de los profetas vivientes ha sido el proporcionar a nuestros hijos algunos héroes actuales. El contarles relatos sobre algunos de nuestros profetas modernos ayuda a los niños a querer ser como ellos, una práctica que actúa en contra de la tendencia natural de algunos jóvenes de buscar héroes en el mundo, a quienes pueden desear seguir.

Algunas mañanas hemos empleado el tiempo para planear las vacaciones o programar el horario de un día o de una semana particularmente difícil. Cuando nuestros hijos eran más jóvenes, solíamos desfilar por la casa al son de una buena música. De vez en cuando compartíamos novedades y otras veces escuchábamos buena música o incluso hacíamos unos quince minutos de ejercicios. También leíamos los artículos de la *Sección para los jóvenes* o de *Amigos*, la sección de la revista *Liahona* para los más pequeños; las

revistas de la Iglesia proporcionan muchas oportunidades para enseñar los principios del Evangelio, a la par que tenemos una lectura más ligera para los niños. A nuestros hijos siempre les ha encantado leer las revistas, especialmente la sección para los niños. Los padres pueden relacionar algunos de estos artículos con pasajes de las Escrituras.

Lo más importante de la lectura de las Escrituras es que une a la familia a la hora de aprender, amar y compartir. Si podemos centrarnos en el Señor, lograremos que todos nuestros días sean más eficaces. Siempre he considerado que una responsabilidad como padre es el dejar a mi familia feliz cada vez que salgo a trabajar por la mañana, haciendo de este modo que, tanto para mi esposa como para mis hijos, sea más fácil hacer frente al nuevo día.

## ALGUNAS COSAS QUE HEMOS APRENDIDO EN EL ESTUDIO FAMILIAR DE LAS ESCRITURAS

Ciertamente he llegado a creer lo que dijo Mosíah: "No habría sido posible que nuestro padre Lehi hubiese recordado todas estas cosas para haberlas enseñado a sus hijos, de no haber sido por la ayuda de estas planchas; porque habiendo sido instruido en el idioma de los egipcios, él pudo leer estos grabados y enseñarlos a sus hijos, para que así éstos los enseñaran a sus hijos, y de este modo cumplieran los mandamientos de Dios, aun hasta el tiempo actual" (Mosíah 1:4).

¿Acaso un padre no se siente de esta manera? De no ser por las planchas, por las Escrituras mismas, nunca seríamos capaces de recordar todas las cosas que debemos enseñar a nuestros hijos. Sin embargo, cuando leemos las Escrituras de manera sistemática, todas las doctrinas se abordan en un acercamiento equilibrado; aquellas que tienen mayor importancia reciben mayor atención, siendo el Señor mismo el que ha organizado las prioridades del contenido. Cuán agradecido estoy por estas Escrituras; ciertamente Mosíah dijo la verdad.

Las Santas Escrituras representan el recuerdo espiritual de la humanidad. Cuando interrumpimos nuestra relación con las Escrituras, nos negamos de manera trágica el ser conscientes de la historia espiritual que ha llegado hasta nosotros desde el principio mismo, aun desde la vida premortal. Verdaderamente, las Escrituras preservan las grandes doctrinas del reino.

## CÓMO SON CONTESTADAS LAS ORACIONES

Nunca olvidaré una experiencia que tuvimos al leer sobre el período de las guerras en Alma. Uno de mis hijos comentó: "Hemos leído muchos capítulos y no estamos aprendiendo nada de las guerras. Me pregunto por qué están ahí". Esa mañana hablamos un poco del porqué el Señor puso ahí esos capítulos y de que vendría el día en que realmente tendríamos que conocer algunos detalles sobre las guerras. También dijimos que había muchas joyas enterradas en esos capítulos. Esa misma mañana comenzamos a leer el capítulo cincuenta y ocho de Alma, y por primera vez nos percatamos de estos versículos tan poderosos:

*Derramamos nuestras almas* a Dios en oración, pidiéndole que *nos fortaleciera* y *nos librara* de las manos de nuestros enemigos, sí, y que también nos diera la fuerza para retener nuestras ciudades, nuestras tierras y nuestras posesiones para el sostén de nuestro pueblo.

Sí, y sucedió que el Señor nuestro Dios *nos consoló* con la *seguridad* de que nos libraría; sí, de tal modo que habló *paz* a nuestras almas, y nos concedió una *gran fe*, e hizo que en él pusiéramos la *esperanza* de nuestra liberación.

Y *cobramos ánimo* con nuestro pequeño refuerzo que habíamos recibido, y se hizo *fija* en nosotros *la determinación de vencer* a nuestros enemigos, y preservar nuestras tierras y posesiones, nuestras esposas y nuestros hijos, y la causa de nuestra libertad (Alma 58:10–12; cursiva agregada).

Del mismo modo que Satanás intenta inducirnos a hacer el mal, el Espíritu del Señor influye en nosotros para que escojamos lo correcto. Estudiemos por un momento la manera en que el Señor influye en aquellos que se humillan y oran. Él es capaz de poner sentimientos y pensamientos en sus mentes para ayudarles.

El versículo diez describe lo que deseamos cuando estamos padeciendo un problema: que el Señor nos fortalezca y nos libre del mal. Y, ¿cómo logramos eso? Derramando el alma a Dios en oración. Probablemente el versículo once proporciona una de las mejores descripciones de cómo el Señor nos responde, una vez más, por medio de pensamientos o sentimientos. Parece que Él hace estas cuatro cosas:

1. Nos da la *seguridad* de que nos librará.

2. Habla *paz* a nuestra alma.

3. Nos concede una gran *fe*.

4. Hace que depositemos en Él la *esperanza* de nuestra liberación.

¡Qué forma tan magnífica tiene el Señor de bendecirnos! No se limita a solucionar nuestros problemas sino que nos da seguridad, paz, fe y esperanza de que avanzaremos para solvcionar nuestros propios problemas bajo Su dirección, haciéndonos de ese modo más fuertes.

Él nos ayuda a crecer y, si continuamos con este proceso

a lo largo de los años, al fin llegaremos a ser como Dios es. Los efectos de la influencia del Espíritu se describen bien en el versículo doce. Después de haber sido llenos de seguridad, paz, fe y esperanza, entonces *cobramos ánimo* y se hace *fija en nosotros la determinación* de vencer a nuestros enemigos, nuestros problemas y nuestros pecados. ¿De dónde vienen el ánimo y la determinación? Del Espíritu del Señor. El Señor realmente nos concede poder y fuerza adicionales porque nos hemos humillado y hemos buscado a Dios.

Cada vez que leo esos versículos o los enseño a otras personas, pienso en el momento en que los aprendí: durante la lectura familiar de las Escrituras.

Dos o tres años después de esa experiencia, uno de mis hijos estaba teniendo cierta dificultad para entender la respuesta a una oración y me hacía preguntas al respecto. Yo abrí las Escrituras en Alma 58, leí esos versículos y se los expliqué. Fue como si se hubiese encendido la luz en su mente. Estaba muy animado de que esos versículos describiesen de manera tan perfecta sus sentimientos y le dijeran tan claramente cómo el Señor contestaba las oraciones. Entonces compartimos nuestros testimonios el uno con el otro y me dijo: "Papá, estoy sorprendido. ¿Por qué nunca has compartido este pasaje conmigo?".

Sonreí y le dije que lo había aprendido *con él* hacía tres años. Parecía que al menos uno de los dos lo había aprendido y nos reímos durante un buen rato. Puede que un pasaje en concreto no nos diga mucho a menos que tengamos un problema o necesidad específicos y estemos buscando la respuesta. Eso fue lo que le pasó a él, porque *había leído la respuesta con la familia, pero en realidad no entendió la pregunta*, ya que no tenía una necesidad personal de conocer la respuesta.

Es difícil estar en armonía con el Espíritu día tras día. No todos nuestros momentos de lectura de las Escrituras están llenos del Espíritu, ni tenemos grandes experiencias cada mañana. Algunas mañanas son bastante rutinarias, pero al menos nuestra lectura de las Escrituras es *frecuente* y pasamos un buen rato juntos. Cuando tenemos problemas y carecemos del Espíritu, sugerimos a nuestra familia que cuenten las misericordias y las bendiciones que el Señor nos ha dado y, al hacerlo, muchas veces recuperamos el Espíritu. El efecto que perseguimos es reconocer la mano del Señor.

No debemos olvidar los siete principios mencionados en el capítulo dos sobre cómo invitar al Espíritu del Señor. Si las cosas van algo lentas durante la lectura de las Escrituras, considere opciones como cantar, orar juntos, compartir sus testimonios, expresarse amor unos por otros o compartir una experiencia espiritual. Todas estas cosas traerán el Espíritu del Señor de regreso a ese momento, para que la lectura de las Escrituras no se convierta en una rutina.

## LA INFLUENCIA EN LOS DEMÁS POR MEDIO DE LAS ESCRITURAS

En ciertas ocasiones, cuando alguien de nuestra familia ha estado seriamente enfermo, hemos hallado gran fortaleza en leer Escrituras sobre temas como la fe, curaciones, bendiciones del sacerdocio, etc. No conozco nada que nos haya ayudado más a ser curados y bendecidos que el leer las palabras del Señor.

Siempre que dudábamos de si podríamos recibir tal o cual bendición, leíamos y releíamos los registros de las curaciones en las Escrituras modernas, así como en el Nuevo Testamento. Las palabras del Señor nos fortalecían para creer que cualquier cosa es posible para el "que cree". Las Escrituras han tenido un gran impacto en nuestra familia al inculcarnos fe y confianza en el Señor más que ninguna otra cosa.

La familia de José Smith parecía entender bien este principio. La *Historia de la Iglesia* registra:

> A pesar de las corrupciones y abominaciones de los tiempos, y del *Espíritu del mal manifestado hacia nosotros en muchos lugares y entre* diferen-

tes personas respecto a nuestra creencia en el Libro de Mormón, aún así el Señor continuó con Su atento cuidado y cariñoso amor por nosotros día tras día; y convertimos en una regla que allí donde tuviésemos una oportunidad, leyésemos un capítulo de la Biblia y orásemos; y estos momentos de adoración fueron fuente de una gran consolación (*History of the Church* 1:188–189).

Resulta evidente que José Smith no leyó Santiago 1:5 por casualidad. Su familia le había enseñado a leer las Escrituras fielmente y a obtener respuestas de ellas. Si su familia no le hubiera enseñado la importancia de las palabras de Dios en la Biblia, quizás nunca las hubiese leído, no habría creído en ellas, ni hubiese tenido la experiencia de la Primera Visión. ¡Qué gran lección aprendemos de los padres del profeta José Smith, quienes le enseñaron a tener fe en las palabras del Señor! Gracias a ello, tuvo una de las más grandes visiones jamás recibidas, y con el tiempo sacó a luz *más Escrituras* que ningún otro profeta que haya vivido jamás.

A veces, cuando llegada la noche estábamos enfadados con alguno de nuestros hijos, éstos no querían venir a leer las Escrituras a la mañana siguiente. Recuerdo una ocasión en la que uno de ellos no se levantó para la lectura de las Escrituras. Me sentí tentado a regañarle por no haber venido, pero afortunadamente pensé que esto le haría tener malos sentimientos hacia mí y hacia la lectura de las Escrituras. Creo que se sentía triste por una experiencia negativa que había tenido con sus padres la noche anterior, cuando debió quedarse sentado en su cuarto durante media hora por haber hablado irrespetuosamente.

Sabía que se encontraba desanimado, así que antes de ir al trabajo le dije en su habitación: "Hijo, ¿qué te parece si oramos juntos? ¿Recuerdas cuando tuve un día difícil y tú oraste por mí cinco veces?".

Dijo que sí.

"Bien", le dije. "Hoy voy a hacer lo mismo por ti. Voy a orar con todo mi corazón para que tengas un día fantástico.

¿Por qué no haces tú la primera oración y luego oro yo?".
Esta manera de hablar ablandó por completo su corazón y
cambió sus sentimientos por el resto del día. El hecho de
que supiese que yo iba a orar por él significó mucho para él.

Oré por él seis o siete veces a lo largo de ese día, y
cuando volví a casa, la primera cosa que le pregunté fue:
"Hijo, ¿cómo te fue hoy?".

Él contestó: "Fenomenal. Ha sido uno de los mejores
días que he tenido".

No sólo le había ido muy bien en la escuela, sino que
cuando volvió a casa quería limpiar y ayudar a su madre.
Todo estaba ordenado. Eso me dio una oportunidad de volver a enseñar la idea de que realmente el Señor nos ayudará
si nosotros le oramos. No me sorprendió que, cuando se levantó a la mañana siguiente, se preparase para venir a la lectura de las Escrituras sin decirle nada.

Sea cuidadoso cuando sus hijos muestren resistencia
hacia las cosas espirituales, como el acudir a la lectura de
las Escrituras u orar, para no meter la Iglesia ni el Evangelio
de por medio. Si los padres dicen algo como "vas a ofender
al Señor", o "la Iglesia nos enseña tal o cual cosa", pueden
hacer que sus hijos lleguen a rechazar la Iglesia o el
Evangelio por el mero hecho de salir victoriosos de la discusión. Ellos no tienen verdadera intención de hacerlo, pero
los padres actúan de manera tal que no les dan otra alternativa, por lo que acaban tomándola.

A veces uno de nuestros hijos decía: "No voy a la
Iglesia", o "no sé si creo en esto o en aquello". En vez de
intentar discutir o defender la Iglesia, solíamos decir:
"Bueno, tienes que buscar el Espíritu del Señor para decidir
lo correcto. No voy a discutir contigo sobre la Iglesia o el ir
a las reuniones, pues no tienen nada que ver con el asunto.
Esto es algo entre tú y el Señor. Estamos hablando de cosas
que son buenas, y si quieres volver tu corazón al Señor y
hablar con Él, sabrás por ti mismo". En otras palabras, no
permita que el tema de la Iglesia surja en una discusión

entre usted y sus hijos. Si lo hace, usted y ellos pueden salir perdiendo y, ciertamente, la Iglesia perderá de toda forma.

Algunos padres se preguntan si es más importante ir a la escuela y a otras actividades con los hijos que leer juntos las Escrituras. Obviamente, ambas cosas son importantes, pero no hay duda alguna respecto a las prioridades. Puede que algunos padres sean muy buenos para ir a acampar y a pescar, pero por otro lado tal vez no hagan nada con las Escrituras. Yo pienso que muchos de los problemas que tenemos al criar nuestras familias se pueden eliminar si se da participación a los hijos en las Escrituras. Si tiene que escoger entre leer el Libro de Mormón con su familia o dedicarse a otras actividades, recuerde que todas las acampadas, excursiones de pesca o actividades deportivas jamás podrán reemplazar lo que se puede obtener de las Escrituras. Aunque se puede aprender mucho de las diferentes actividades, el estudio de la palabra del Señor tiene consecuencias eternas.

## LAS ESCRITURAS NOS DAN PAZ Y ALEJAN EL MAL

Las Escrituras pueden consolarnos, darnos paz e incluso alejar el mal de nosotros, si las leemos con humildad. Un amigo mío me contó una experiencia que tuvo tras un duro día de trabajo durante un viaje de negocios. Encendió la televisión de la habitación del hotel y ésta es la historia que me contó:

> Dediqué unos minutos a ver un programa sobre un gran humorista, tras lo cual empezó una película interesante. Por desgracia, en la película había una escena mala. Probablemente debí haber apagado el televisor, mas sintiendo que realmente tenía que distraerme, continué viéndola. Entonces se sucedieron una serie de malas escenas. La película tenía un argumento excelente, pero también tenía estas partes malas.
>
> Después de apagar el televisor, hice mi oración e intenté dormir, pero no podía siquiera cerrar los ojos. Cada vez que los cerraba venían a mi mente

los pensamientos malos de la película. El poder de
Satanás se hizo muy real y no podía dormirme.
Volví a cerrar los ojos e intenté dormir, orando para
que el mal espíritu se alejase, pero todo lo que
venía a mi mente eran las escenas de la película.
Me arrepentí por no haber apagado el televisor
antes. Se hizo evidente que el espíritu del diablo
había entrado en mi corazón en el momento en que
cedí a la tentación de ver la película. Luché por
cerca de una hora, orando una y otra vez, intentando recuperar el Espíritu, pero no podía lograrlo.
De hecho, parecía que el mal sentimiento iba en
aumento.

Finalmente, mientras oraba, tuve la impresión
de que debía leer las Escrituras. Antes de abrir el
Libro de Mormón, oré para poder encontrar un
pasaje que me enseñase y me diese alivio. Abrí el
libro en Alma 40:13: "Los Espíritus de los malvados, sí, los que son malos —pues que aquí, no tienen parte ni porción del Espíritu del Señor, porque
escogieron las malas obras en lugar de las buenas;
por lo que el Espíritu del diablo entró en ellos y se
posesionó de su casa —éstos serán echados a las
tinieblas de afuera; habrá llantos y lamentos y el
crujir de dientes, y esto a causa de su propia iniquidad, pues fueron llevados cautivos por la voluntad
del diablo".

Me quedé muy impresionado con ese versículo,
pues describía lo que me había pasado. Comencé a
sentirme mejor, y al continuar leyendo el resto del
capítulo y parte del siguiente, el Espíritu del Señor
volvió a mí. Sentí cómo se iba el espíritu malo.
Cerré los ojos y me quedé dormido.

Cuán agradecido estoy al Señor por Su gran
poder que es capaz de vencer al de Satanás. Cuán
ciertas son las palabras que el Señor enseñó:
"Aconteció, pues, que el diablo tentó a Adán, y
éste comió del fruto prohibido y transgredió el
mandamiento, por lo que vino a quedar *sujeto a la
voluntad del diablo, por haber cedido a la tentación*" (D&C 29:40; cursiva agregada).

Aquella noche mi amigo aprendió una gran lección  sobre

el poder que las Escrituras tienen sobre el diablo. (Fue una experiencia similar a la de Cristo, cuando citó las Escrituras en las tres grandes tentaciones que tuvo al comienzo de Su ministerio). También aprendió que quedó sujeto a la voluntad del diablo tan sólo por ceder a la tentación.

## LAS ESCRITURAS Y LA BUENA SALUD

Cuando uno de mis hijos tenía trece años, yo me había fracturado tres costillas y tenía mucho dolor. Una mañana leímos un pasaje que hablaba del efecto de orar los unos por los otros:

> ¿Está alguno enfermo entre vosotros? Llame a los ancianos de la iglesia, y oren por él, ungiéndole con aceite en el nombre del Señor. Y la oración de fe salvará al enfermo, y el Señor lo levantará; y si hubiere cometido pecados, le serán perdonados. Confesaos vuestras ofensas unos a otros, y orad unos por otros, para que seáis sanados. La oración eficaz del justo puede mucho (Santiago 5:14–16).

Hablamos de cómo la oración puede cruzar el tiempo y la distancia. Cuando volví a casa esa tarde, mi hijo me comentó: "Papá, oré por ti unas cinco veces cuando estaba en la escuela y durante el almuerzo para que pasaras un día mejor. Últimamente has tenido unos días algo difíciles, así que oré intensamente para que pudieras hacer tu trabajo y que las cosas te fuesen bien. También oré para que te sintieras mejor de las costillas". Yo estaba muy emocionado pues realmente había sido uno de los mejores días que había tenido en mucho tiempo, y las costillas estaban mucho mejor.

Creo que la fe de un niño, de un joven o de una mujer tienen gran poder. Este hijo en particular parece tener mucha fe; tiene una buena disposición para creer y hacer que las cosas ocurran.

Como resultado de la lectura de las Escrituras, mi hijo recordó la importancia de la oración y vio cómo funcionó con su padre. Así es cómo los hijos aprenden la verdad del

Evangelio. Poco a poco sus lámparas se van llenando de fe mediante el ayuno, el arrepentimiento y la oración; y en el proceso sus testimonios se hacen inamovibles.

En otra ocasión estábamos leyendo en Alma sobre cómo el Señor proporcionó plantas y raíces medicinales: "Y hubo algunos que murieron de fiebres, que en ciertas épocas del año eran muy frecuentes en el país —pero no murieron tantos de las fiebres, por razón de las excelentes cualidades de las muchas plantas y raíces que Dios había preparado para destruir la causa de aquellas enfermedades, a las cuales la gente estaba sujeta por la naturaleza del clima" (Alma 46:40).

Las Escrituras nos condujeron a la Palabra de Sabiduría y hablamos de la importancia de hacer que nuestro cuerpo funcione bien físicamente como consecuencia de lo que comemos.

Durante algunas mañanas hablamos sobre diferentes maneras de reestructurar nuestros hábitos de alimentación y de centrarnos más plenamente en las plantas, los granos y las frutas, e incluir la carne más esporádicamente, sólo en las épocas frías del invierno. Con el paso de los años hemos contado verdaderamente nuestras bendiciones como resultado de nuestra buena salud por haber vivido estos principios que las Escrituras nos enseñan .

Una vez más, esta gran bendición no sólo vino por leer las Escrituras sino por la confirmación del Espíritu del Señor de que era lo que teníamos que hacer. Tras vivir por cierto tiempo de esta manera, y después de haber reajustado nuestros hábitos de nutrición, la evidencia real de la veracidad de las palabras del Señor se puso de manifiesto en la excelente salud que nuestra familia ha disfrutado desde entonces. Damos gracias al Señor por las revelaciones que nos ha dado; son verdaderas; harán que seamos más felices y que nos acerquemos más al Señor.

## LAS ESCRITURAS Y LOS CABLES PERDIDOS

Tras haber finalizado una asignación de la Iglesia en la Ciudad de México, hicimos amplios preparativos con el fin de transportar de manera segura las dos computadoras personales que traíamos con nosotros, junto con las unidades de disco, las impresoras, etc. Decidimos llevar con nosotros la mayor parte del equipo delicado y pusimos unos cuantos cables en las maletas grandes, si bien la mayoría del equipo iba en nuestro equipaje de mano.

De vuelta ya en los Estados Unidos, cuando intentamos montar nuevamente las computadoras para poder imprimir nuestros diarios, nos dimos cuenta de que nos faltaban tres de los cables, por lo que no pudimos imprimir nada. Durante varios días buscamos y oramos para poder encontrar dichos cables. Sabíamos que podíamos comprar otros, pero no queríamos gastar el dinero porque teníamos la certeza de que estaban en algún lugar de la casa.

Meditamos sobre la posibilidad de que alguno de los niños hubiera puesto los cables en un lugar poco común y teníamos la esperanza de que no estuvieran en una de las cajas vacías que habíamos tirado a la basura. A medida que pasaban los días, fuimos vaciando todas las cajas, pero no encontramos los cables. Buscamos una y otra vez, y finalmente tuvimos que pedir otros prestados para poder imprimir las cosas que necesitábamos.

Casi dos semanas después, mientras leía el Libro de Mormón, tuve la impresión de decirle a la familia que deberíamos volver a buscar para estar seguros de que habíamos hecho todo lo posible. Debíamos hacer una oración familiar y luego registrar cada rincón de la casa, pues tenía la confianza de que encontraríamos los cables. Mientras leía las Escrituras, recibí nuevamente la impresión de buscar. *Leer las Escrituras es una de las mejores maneras de escuchar la voz y las indicaciones del Señor.* Ese día salí temprano a trabajar, así que mi esposa y los niños oraron juntos. La mayoría oró durante el día mientras buscaban, pero no encontraron los cables. Buscaron en cada armario, detrás de cada cortina y en cada cajón, en las habitaciones, en la cocina, en la sala de estar y en el garaje. Una vez que terminaron de buscar, todavía no tenían los cables.

Cuando esa noche regresé del trabajo, me sentía algo decepcionado, pues verdaderamente había tenido la certeza de que los encontraría. La familia también estaba decepcionada.

A la mañana siguiente tenía la mente llena de dudas: "La familia buscó por toda la casa. Los cables quedaron en el hotel y nunca los vas a recuperar". "Los dejaste en México. Probablemente nunca vuelvas a verlos. Has buscado en cada mueble, en cada armario, en cada habitación y no los has encontrado".

Este tipo de situaciones donde aquello que necesito parece ser algo imposible, son para mi una gran señal de que *sí* son posibles. Parece que el Señor trabaja mejor con aquellas cosas que nos resultan imposibles.

No obstante, el pensamiento predominante de aquella mañana era: "Tu familia ha orado, ha creído que podría encontrar los cables y no lo consiguió. Por tal razón, ¿no perderán algo de fe?". Esto me preocupaba, pues el desarrollar la fe en mi familia ha sido siempre uno de mis mayores deseos.

Entonces tuve un pensamiento muy claro: "¿Por qué quieres encontrar los cables? ¿Estás buscando una señal para decir a tu familia: 'Miren, aquí están los cables perdidos; el Señor lo ha logrado otra vez'?". Parece haber una línea muy fina entre el recibir respuestas a oraciones como ésta y el pedir una señal.

Al darme cuenta de ello, intenté ser más humilde y oré con mayor intención para que el Señor nos ayudara a encontrar los cables. Seguía creyendo que los podríamos hallar, a pesar del hecho de que esto parecía ser algo imposible ya que mi familia los había buscado por todo lugar imaginable. Incluso la noche anterior también yo me puse a buscar, preguntando: "¿Buscaron aquí? ¿Buscaron allí?". Realmente habían buscado por todas partes.

Después de orar con verdadera intención y antes de continuar con mi lista de tareas para ese día, un sentimiento de paz descendió sobre mí, un sentimiento de confianza en que

podríamos encontrar los cables. Cuando recibí ese sentimiento, oré para que el Señor mostrase a mi mente dónde
estaban los cables a fin de poder ir y encontrarlos. Sentí que
podrían estar en el garaje o en cierto lugar de la casa, pero
el Señor no respondió a mi oración de esa manera.

Cuando ese día regresé del trabajo, bajé hasta el cuarto
de los niños para buscar el periódico y mientras estaba allí
me fijé en una maleta que había sobre la cama, lista para
llevar al desván, donde ya habíamos puesto otras trece
maletas.

La abrí y, aunque parecía un poco más pesada de lo normal, estaba vacía. Entonces me di cuenta de que había una
cremallera en un costado; la abrí y allí estaban los tres
cables. Me sentí lleno de gozo y fui inmediatamente a decírselo a mi esposa.

Toda la familia había buscado en la maleta pero, aparentemente nadie había pensado en abrir la cremallera porque
ese costado parecía liso y resultaba difícil apreciar que
hubiese algo en el interior del bolsillo. Si alguien hubiese
llevado la maleta hasta el desván, los cables no habrían apa-
recido, al menos por muchos meses.

¿Por qué no aparecieron los cables cuando la familia los
buscó con tanto afán? Puede que el Señor, a causa de Su
amor, nos pruebe una y otra vez. Muchas veces las respuestas a nuestras oraciones se retrasan o las recibimos con poca
frecuencia para ver si todavía creeremos en ellas. Tras no
encontrar los cables, la verdadera prueba fue: "¿Todavía
crees?". Si pudiéramos pasar esa prueba, entonces recibiríamos la respuesta del Señor.

Creo que el punto a destacar de esta experiencia fue el
momento en que tomé la determinación de seguir creyendo
a pesar de lo que parecía ser la imposibilidad de encontrar
los cables.

Algunas personas han preguntado: "¿Quiere decir que
realmente el Señor nos prueba de esa manera?". Mi respuesta es: "Sí, lo hace. ¿No sabía Él que nunca iba a requerir el sacrificio de Isaac a manos de Abraham? Aún así

probó a Abraham durante todo el camino, *hasta el último momento*, para ver si él seguiría creyendo. Antes de que el Señor contestara la oración de Abraham y de Sara en favor de tener un hijo, pasaron varios años. Es como si el Señor estuviese diciendo: "Abraham y Sara, ¿todavía creéis en la promesa de que tendréis un hijo?". Las pruebas en la vida son reales. El Señor nos probará una y otra vez hasta el grado máximo, para asegurarse de que toda nuestra incredulidad resulte eliminada.

¿Por qué encontramos los cables? Puede que haya varias razones:

1. La familia se unió en oración. Teníamos el deseo, la esperanza y la fe de que podríamos encontrarlos.

2. La familia hizo todo lo que pudo por encontrar los cables perdidos.

3. En última instancia, yo tuve que humillarme todavía más, *sometiéndome a la voluntad del Señor* tanto si los cables aparecían como si no, y eliminar cualquier sentimiento de anhelar una señal para mis hijos. Tenía que creer, contra toda esperanza, que se podríau encontrar.

Mediante estas experiencias, las palabras de Isaías cobran un mayor significado: "Porque mis pensamientos no son vuestros pensamientos, ni mis caminos vuestros caminos, dijo Jehová" (Isaías 55:8).

Ciertamente el Señor decidirá cómo va a responder a cada oración. Nuestro desafío reside en averiguar cómo presentar una ofrenda adecuada de fe, humildad y oración para que el Señor pueda responder.

Me resulta interesante considerar que fuese la lectura de las Escrituras lo que realmente ocasionó esta gran experiencia. Fue la "causa" que acabó produciendo el resultado, una experiencia de la cual todos aprendimos mucho.

## EL IMPACTO DE LA LECTURA
## DE LAS ESCRITURAS EN LA FAMILIA

Una familia amiga luchó durante muchos años para comenzar a leer las Escrituras. De hecho, algunos de sus hijos ya estaban criados cuando finalmente decidieron que intentarían leer las Escrituras con las dos hijas más pequeñas. El que sigue es su propio relato:

*Madre*: "Al llegar a casa, después de la conferencia general, mi esposo y yo hablamos sobre cómo podríamos empezar, una vez más, a tener la lectura familiar de las Escrituras con regularidad.

"Tras aconsejarnos y recibir palabras de ánimo de nuestro hijo en edad universitaria y de otros familiares, teníamos la conciencia atormentada, sabíamos que teníamos que arrepentirnos, lo cual fue muy importante para mí y sentí una gran necesidad de hacerlo.

"Decidimos presentar esta idea a nuestras dos hijas, una en edad de Primaria y la otra adolescente, durante nuestra próxima noche de hogar. Yo estaba preocupada pensando en cómo las niñas iban a aceptar nuestra idea. A una de ellas no le animaba demasiado la lectura de las Escrituras y ambas odiaban tener que levantarse temprano. Ayunamos y oramos, intentamos invitar al Espíritu para que diese testimonio de que lo que íbamos a decir era verdad. También empleamos las Escrituras y las citas del discurso que el presidente Benson pronunció en la conferencia.

"Bueno, fue maravilloso. Expresamos nuestro amor hacia las niñas, hacia nuestro Padre Celestial y hacia el Salvador. Dijimos que debíamos arrepentirnos por no haber tenido más espiritualidad ni haber estudiado las Escrituras en nuestro hogar. El Espíritu estaba presente y tocó tanto sus corazones como los nuestros cuando dimos testimonio de la veracidad de lo que habíamos dicho. Las niñas estuvieron de acuerdo y ahora tenemos nuestro estudio de las Escrituras cada día por la mañana temprano. También quiero decirle que ahora tenemos un hermoso Espíritu de amor y de paz en nuestro hogar del que carecíamos antes.

Puedo ver cómo soluciona muchos de nuestros problemas sin necesidad de abordarlos individualmente. Nuestras hijas son más pacientes y amorosas, y yo misma encuentro que soy más considerada. Lo más importante es que nuestros testimonios están creciendo y que hay un mayor esfuerzo de nuestra parte por vivir el Evangelio.

"Leemos despacio y hablamos de cada versículo sobre cómo podemos aplicarlo a nuestra vida. Ésta es una clave importante. Nos estamos esforzando de verdad por tener el Espíritu con nosotros, pues nos damos cuenta de que sin Su testimonio no hay un verdadero aprendizaje ni una puesta en práctica".

*Hija, doce años*: "La noche en que mamá y papá nos dieron aquella lección sobre sus fuertes sentimientos respecto a que debíamos comenzar el estudio familiar de las Escrituras, supe de inmediato que tenían razón. Se me llenaron los ojos de lágrimas y sentía algo cálido en mi interior. El Espíritu descendió sobre mí aquella noche con tanta fuerza que temía que si oía una palabra más al respecto iba a romper a llorar en un mar de lágrimas. No sé por qué, excepto que las palabras de mi madre realmente tocaron mi corazón. Todo fue muy tranquilo la primera mañana. Decidimos levantarnos a las seis. Me cuesta mucho levantarme tan temprano, pero me gusta leer las Escrituras. Aunque no es fácil, lo hago con la mejor actitud posible porque sé que ello protegerá a nuestra familia contra el mundo exterior, y entiendo que es lo correcto".

*Hija, quince años*: "Mamá y papá ayunaron y oraron por el Espíritu para aquella noche de hogar. Nos dijeron que querían arrepentirse por la falta de espiritualidad en nuestro hogar y en nuestra familia. Dijeron que querían comenzar a tener el estudio de las Escrituras y planeamos empezar al día siguiente. Fue difícil levantarse tan temprano, pero acabé acostumbrándome. Leímos un poco y lo comentamos. Me sentí bien todo el resto del día. Todo salió muy bien. Pensaba que el estudio de las Escrituras no me daría tiempo para prepararme para la escuela, pero siempre he llegado a tiempo, incluso un poco más temprano que antes. Estuve feliz todo el día. Volví a casa sintiéndome realmente bien por este buen proyecto que habíamos emprendido, y ahora me siento realmente agradecida por ello, pues hace que cada día sea mejor".

*Padre*: "Estoy completamente de acuerdo con lo que han escrito mi esposa y mis hijas. Ya han pasado varias semanas y no ha sido un hecho aislado ni casual, pues hemos continuado teniendo éxito. Nunca hemos pasado un día sin leer las Escrituras. Una de nuestras hijas se perdió dos días, y la otra uno, pero sus padres son fieles lectores.

"No obligamos a nadie a estar presente, aunque siempre proporcionamos una fuerte motivación, tal como encender las luces y dar unos cariñosos 'Buenos días'. Después cantamos un himno a las seis en punto. Algunos quedan rezagados durante el himno pero siempre estamos todos para hacer una breve oración para empezar.

"Una parte importante de nuestro éxito es que estamos estudiando y experimentando juntos las Escrituras, y no nos limitamos simplemente a leer el Libro de Mormón. No estamos intentando llegar a final del libro, más bien estamos intentando tener una mayor unión familiar. Queremos relacionar a nuestra familia con la de Nefi: el orgullo, las murmuraciones, la contención familiar, la importancia de llevar registros (diarios y genealogías), el tener una familia buena, etc., han sido interesantes temas de debate. También hemos dibujado láminas de la visión de Lehi del árbol de la vida y hemos hablado de sus varios componentes, y analizamos la revelación de Nefi sobre la historia americana.

"Tratamos de hacer más que simplemente entender lo que significan los versículos, cómo debieran ser interpretados o cómo utilizar las notas al pie de página para correlacionar las Escrituras. Más importante aún, intentamos entender cómo todo ello *se relaciona con nosotros*. ¿Hemos tenido experiencias semejantes a las de los personajes de las Escrituras? ¿Hemos pensado igual que ellos? ¿Hemos reconocido la mano del Señor en nuestra vida? ¿Estamos aferrados a la barra de hierro? ¿Qué observamos en la escuela y en el trabajo, en la vida de las demás personas así como en la nuestra, que se relacione con lo que estamos leyendo? ¿Estamos intentando seguir el camino de los hijos mayores de Lehi, o el de los menores? ¿Realmente estamos orando y viviendo como nos instruyen las Escrituras? Creo que éstas son las cosas que nos mantienen en pie y avanzando.

"Siempre terminamos con una oración familiar, un abrazo y un beso. Nunca tomamos más de 20 minutos, no importa si leemos un versículo o un capítulo. Nos sentamos alrededor de la mesa y utilizamos marcadores y un papel para los que quieran tomar notas. Lo más importante es pasar ese momento juntos, compartiendo y teniendo a nuestro Padre Celestial y Sus palabras con nosotros.

"Hasta ahora nos sentimos exitosos y optimistas. Sabemos que cada día y cada semana traerá consigo más desafíos, pero sentimos también que podremos hacerles frente porque estamos unidos y en armonía con las buenas cosas que están ocurriendo en nuestra vida y en nuestra relación familiar. A medida que nuestros hijos vuelvan de sus misiones y de sus estudios universitarios, sabemos que se adaptarán y contribuirán con más porque siempre han estado desafiándonos a tener nuestra lectura diaria de las Escrituras y están tremendamente felices porque lo estamos haciendo. Nuestro hijo casado y su familia tienen grandes deseos de escuchar nuestras experiencias. ¡Qué influencia tan grande están teniendo las Escrituras en nosotros!"

Después de cuatro años, esa familia está avanzando fielmente con la lectura diaria de las Escrituras. No importa su experiencia ni su situación, nunca es demasiado tarde para comenzar a leer las Escrituras con su familia.

## EL IMPACTO DE LA LECTURA DE LAS ESCRITURAS EN UN NIÑO

Permítame concluir este capítulo con un relato que refleja la influencia de la lectura de las Escrituras durante un período de años.

A nuestro hijo de nueve años se le pidió que diese un discurso en la Primaria. Su madre le había ayudado a prepararlo y él lo practicó conmigo en dos o tres ocasiones. En vez de que su madre escogiera el tema, ella le pidió que lo hiciese él, que meditase y pensase en un relato propio o de las Escrituras que a él le gustase mucho, o en algo más que quisiera decir. Finalmente se decidió por la historia de David y Goliat.

En su discurso habló de la fe de David y de cómo fue a enfrentarse con Goliat. Estaba muy conmovido por el Espíritu cuando leyó en 1 Samuel 17:46–47:

> Jehová te entregará hoy en mi mano, y yo te venceré, y te cortaré la cabeza, y daré hoy los cuerpos de los filisteos a las aves del cielo y a las bestias de la tierra; y toda la tierra sabrá que hay Dios en Israel. Y sabrá toda esta congregación que Jehová no salva con espada y con lanza; porque de Jehová es la batalla, y él os entregará en nuestras manos.

Dio su testimonio de estos versículos y entonces compartió una experiencia de la fe que tuvo que ejercer para ayunar y estudiar para un examen en el que obtuvo la mejor nota. El discurso duró unos cuatro minutos y puedo decir que cuando lo practicó conmigo había un gran espíritu en él y le salía del corazón. Estaba muy emocionado porque verdaderamente *era su propio discurso.*

El día después de haber dado el discurso en la Iglesia, mi esposa recibió una llamada telefónica de una hermana de nuestro barrio quien, bastante emocionada, le dijo que el discurso de nuestro hijo le había llegado al corazón. Había llorado durante todas sus palabras. De hecho, mi hija, que oyó parte de la conversación telefónica, dijo más tarde: "Sé quién es la persona que lloró durante el discurso porque yo la vi". Éste era un indicativo de que dicha hermana había sido absorbida por completo por la manera en que mi hijo dio su discurso. No fue tanto el contenido sino el espíritu con que habló. De algún modo, él había realmente invitado al Espíritu del Señor a la reunión.

"Podía verse claramente que tenía un testimonio de las Escrituras por la manera en que leyó aquellos versículos", dijo aquella hermana. "Leyó los pasajes con el Espíritu del Señor. Cuando vi que su hijo tenía un sentimiento tan tierno y un testimonio de las Escrituras, vino sobre mí un gran deseo de que eso era lo que yo quería para mis hijos. Hablé de todos estos sentimientos con mi esposo y le describí el espíritu que había sentido. Queremos que sepa, hermana, que esta mañana hemos tenido nuestra primera lectura familiar de las Escrituras".

Y prosiguió diciendo: "Quiero que sepa que su hijo ha tenido un efecto tremendo en nuestra familia gracias a su espíritu tan especial. Es un muchacho muy espiritual y gracias a que está tan en armonía con el Espíritu, éste también nos tocó a nosotros y ha acabado bendiciendo a toda la familia. Queremos darles las gracias por tener un hijo tan bueno".

Sí, hasta un niño de nueve años puede hablar con el Espíritu del Señor. Qué gran tributo para este joven, quien, a través del Espíritu, pudo influir en toda una familia para que tuviese su lectura de las Escrituras. No hay duda alguna de que el poder del ejemplo, tal como él mostró al leer las Escrituras, es lo que verdaderamente transmite el Espíritu a las demás personas. Ciertamente seremos conocidos por el testimonio verdadero, por nuestro espíritu y por nuestros hechos como Santos de los Últimos Días.

Sin duda alguna, Jesús prestó un gran servicio mediante Su ejemplo. Enseñó y causó una impresión indeleble en la mente de aquellos que estaban a Su alrededor. Nosotros podemos hacer lo mismo; hasta un niño puede hacerlo.

La lectura de las Escrituras tiene un gran impacto. Si no hemos sido fieles en este mandamiento como debemos ser, éste es un buen momento para cambiar nuestros hábitos y comenzar a hacerlo como una tradición familiar. El Señor ha dicho:

> Yo os he mandado criar a vuestros hijos en la luz y la verdad...
>
> No has enseñado a tus hijos e hijas la luz y la verdad, conforme a los mandamientos; y aquel inicuo todavía tiene poder sobre ti, y ésta es la causa de tu aflicción.
>
> Y ahora te doy un mandamiento: Si quieres verte libre, has de poner tu propia casa en orden, porque hay en tu casa muchas cosas que no son rectas (D&C 93: 40,42–43).

Es evidente que el Señor espera que nosotros criemos a nuestros hijos en la luz y la verdad. Una de las mejores maneras de hacerlo es enseñándoles mediante las Escrituras. Que el Señor nos bendiga para que leamos fielmente las Escrituras en forma individual y familiar. Entonces podremos aferrarnos a la barra de hierro para ser, finalmente, llevados de regreso a nuestro hogar celestial.

# CAPÍTULO 5

# ENSEÑE A SU FAMILIA A VIVIR POR EL PODER DE LA FE

A comienzos del siglo XX hubo una gran sequía en el sur de Utah. En el barrio de una pequeña ciudad, la gente se había congregado para oír al obispo, quien les dijo que si no llovía en unas semanas perderían todas las cosechas. Pidió a los miembros que orasen con fervor para que el Señor enviase la lluvia y, en un día previamente acordado y tras haber ayunado, se reunirían en la capilla para ofrecer una última oración y poner fin al ayuno.

Tras el ayuno, una de las familias se dirigía a la capilla para hacer la oración, cuando la hija de cinco años dijo: "Papá, olvidé algo". Regresó a la casa y salió con algo metido en una bolsa, y se dirigieron nuevamente a la iglesia. Cuando todos hubieron llegado, se reunieron en el patio posterior de la capilla para pedirle ayuda al Señor. Todo el barrio se arrodilló y comenzó a orar con fervor, con el obispo ofreciendo la oración, para que el Señor enviara lluvia para sus cosechas.

Antes de decir el amén final, empezaron a caer unas gotas, pocas al principio, pero luego comenzó a llover a cántaros. La gente corrió a la capilla en busca de refugio, excepto el obispo y la pequeña niña quien, tomando la bolsa, dijo: "Obispo, ¿quiere protegerse debajo de mi paraguas?".

Qué gran fe ejerció la niña de esta historia verídica, la fe de una niña que supo que si oraba, junto con todos los miembros del barrio, el Señor le contestaría; y así ocurrió. ¿Quién sabe si no fue la fe de esa niña lo que trajo la lluvia?

Cuán ciertas son las palabras de Alma cuando dijo: "La fe no es tener un conocimiento perfecto de las cosas; de modo que si tenéis fe, tenéis esperanza en cosas que no se ven, y que son verdaderas" (Alma 32:21).

Alma dijo también: "Si no cultiváis la palabra, mirando hacia adelante con el ojo de la fe a su fruto, nunca podréis recoger el fruto del árbol de la vida" (Alma 32:40).

Es cierto que si miramos hacia adelante con el ojo de la fe en el fruto, teniendo esperanza en el Señor, en algo que no vemos pero que es verdadero, recibiremos de acuerdo con nuestra fe.

No hay duda alguna respecto a que estamos en la tierra guiando a nuestras familias por medio de la fe. El presidente David O. McKay dijo claramente:

> La manera más eficaz de enseñar religión en el hogar no es predicándola, sino viviéndola. Si ustedes quieren enseñar cómo tener fe en Dios, reflejen dicha fe ustedes mismos; si quieren enseñar la oración, oren ustedes. ¿Quieren que su familia goce de tranquilidad? Entonces refrénense ustedes de su impaciencia. Si quieren que sus hijos vivan una vida de rectitud, de autocontrol, de buen comportamiento, den ustedes un ejemplo digno en todas estas cosas. Un niño criado en un hogar tal se verá fortalecido ante las dudas, las preguntas y los anhelos que conmuevan su alma cuando llegue al verdadero período del despertar religioso, a los doce o catorce años de edad (*Conference Report*, abril de 1955, pág. 27).

Verdaderamente, no sólo debemos enseñar los principios a nuestra familia, sino que también debemos enseñarle a *vivir* dichos principios. Muchas de las experiencias de la vida, si se tratan de manera correcta, se pueden convertir en experiencias espirituales. No hay duda alguna de que el Señor ha establecido las cosas de tal forma que, si queremos, podríamos vivir mejor por la fe de que lo estamos haciendo. El Señor no nos ha dejado sin instrucción, pues ciertamente podría decirnos: "Escuchad, oh vosotras, familias de la tierra, parientes lejanos y cercanos, sí, toda alma viviente, y el Señor os enseñará sobre lo sagrado de la organización celestial llamada familia, llamada hogar".

## FAMILIAS NUMEROSAS

Hay en el mundo algunas personas que se ríen de las familias numerosas y de la vida familiar. Mas si nosotros vivimos los principios de verdad, nos irá bien y, en el proceso, seremos capaces de enseñar a los demás sobre la importancia de las familias. Nunca olvidaré una experiencia que tuvimos mientras vivíamos en una ciudad del norte de Arizona.

Habíamos ido a uno de esos restaurantes familiares que no son muy caros. Dado el tamaño de nuestra familia, eso era todo lo que podíamos permitirnos. El servicio era tipo cafetería, de esos en los que hay que pagar antes de consumir, por lo que la familia se puso a hacer cola, todos nosotros, los diez. Yo era el último. Sólo había dos personas a cargo del restaurante: la cajera, una adolescente, y el propietario, de unos 60 años. La cajera se quedó mirando cómo pasaban los niños: uno, dos, tres, cuatro, cinco... Continuó mirando para ver si quedaba alguien más y para cuando llegó mi turno noté que estaba un poco intranquila, pero no tuvo el valor suficiente para decir nada. Pagué la cuenta y nos sentamos a comer a unos tres metros de donde estaban ellos.

Entonces ella y el dueño comenzaron a cuchichear. Yo sabía que estaban hablando de nosotros y, dado que no había mucha gente en el restaurante, finalmente les dije: "¿Puedo ayudarles?". Estaban un poco avergonzados, pero al final el dueño preguntó: "¿Todos son hijos suyos?". Me quedé pensando por un minuto y luego le dije: "¡Bueno, éstos son sólo los que han venido hoy conmigo!". Todos nos echamos a reír; sin embargo, uno de mis hijos mayores dijo con algo de vergüenza: "¡Papá, deja de hacerte el payaso!". El propietario nos preguntó si podía tomar una foto para promocionar su restaurante, invitación que nosotros declinamos.

## EL SEÑOR ES EL LÍDER

Uno de los principios más importantes que enseñó el presidente Spencer W. Kimball fue el de confiar más en el

Señor como el verdadero líder que es. Aun cuando el presidente Kimball era el profeta del Señor, siempre permanecía, con su manera humilde, lejos del "centro de atención", buscando en todo momento poner al Maestro en dicho lugar. Una de las cosas más importantes sobre el liderazgo es magnificar al Señor ante los ojos de la gente. Si somos líderes de esa manera, el Señor nos dará poder para dirigir. A mi entender, una de las cosas más importantes que pueden hacer los líderes es influir para que las personas sobre las cuales presiden se vuelvan al Señor. El liderazgo, según el Señor, es promover la salvación de almas. Si un líder puede hacer que una persona se vuelva al Señor, le habrá dado el mayor de todos los dones. Esto también se aplica a las familias.

Nunca olvidaré la ocasión en que las Autoridades Generales aprobaron el llamamiento de un presidente de templo. Si no recuerdo mal, el presidente Kimball telefoneó a ese buen hombre para informarle que el Señor le había llamado a ser presidente de templo. El hombre estaba totalmente asombrado. El presidente Kimball le dijo que llegaría a su ciudad cierto día y que si podía reunirse con él en el templo, estaría encantado de apartarlo como presidente del mismo.

Unos días más tarde, llegó el presidente Kimball. Dio su testimonio de que el Señor había llamado a ese hombre y lo apartó como presidente de la Casa del Señor. Una vez terminado, le dijo al nuevo presidente que lo amaba y que el Señor iba a bendecirlo, y entonces comenzó a caminar en dirección a la puerta. El hombre empezó a ser presa del pánico y dijo: "Espere, presidente Kimball, ¿qué instrucciones tiene para mí?".

El presidente Kimball dijo: "Bueno, el Señor lo bendecirá. Usted lo hará bien", y comenzó a caminar hacia el recibidor.

El hombre, ahora con una mayor urgencia, iba tras el profeta, suplicándole: "Presidente, no sé nada del templo.

¿Y si tengo un problema con la cafetería, o con el sistema de riego o con alguno de los obreros del templo?"

El presidente Kimball le dijo: "Bueno, si tiene algún problema de ese tipo, no vacile en llamar al Departamento de Templos".

El hombre se dio cuenta de que el presidente Kimball se iba a marchar de verdad y, ya fuera del templo, cuando el profeta estaba subiendo al coche, le suplicó: "Presidente, por favor, no sé lo que tengo que hacer".

El presidente Kimball dijo: "El Señor lo ha llamado y el Señor le ayudará. Acuda a Él y sabrá lo que tiene que hacer".

Todavía insatisfecho, el hombre prosiguió: "¿No tiene ningún consejo?".

El presidente Kimball dijo finalmente: "De acuerdo. Si quiere un consejo específico, le daré uno. No le vendría mal perder unos cuantos kilos. Que el Señor le bendiga, presidente". Se subió al coche y se fue.

El nuevo presidente del templo se quedó boquiabierto. Regresó al templo, luchando con sus sentimientos y preguntándose por qué el presidente Kimball había tratado la situación de esa manera. No tenía otra opción excepto hacer lo que debía haber hecho desde el principio: arrodillarse y suplicarle ayuda al Señor. Ese hombre bueno y humilde hizo exactamente eso y llegó a ser un presidente de templo espiritual, amoroso y eficaz.

¿Acaso no podría el presidente Kimball haberle dado muchas pautas sobre la obra del templo? Por supuesto que sí. ¿No habría podido enseñarle mucho sobre el liderazgo? Sí, pero, ¿se da cuenta de que lo que realmente logró el presidente Kimball fue hacer que ese hombre acudiera al Señor? Si podemos enseñar a nuestra familia a confiar del mismo modo en el Señor, ¿quién sabe qué bendiciones podremos recibir en nuestra vida? Ellos sabrán a quién deben acudir para solucionar sus problemas.

Cuando fui llamado como presidente de la Misión Uruguay/Paraguay, habría hecho algunas cosas de manera diferente si hubiese conocido esta experiencia del presidente Kimball. Pero no la conocía; tan sólo sabía que tenía que presentarme en el despacho del profeta para ser apartado.

En el día señalado fui con mi esposa y dos de mis hijos más jóvenes a las oficinas de la Iglesia. Después de que el presidente Kimball me hubo apartado, yo estaba ansioso por recibir cualquier capacitación que él quisiera darme, así que le dije: "Presidente Kimball, usted sabe que me voy entre los lamanitas y, ya que usted ha estado gran parte de su vida entre ellos, ¿tiene algún consejo para mí, alguna sugerencia que quisiera darme antes de que me vaya?".

Me dijo: "Bueno, me gustaría sugerirle que permanezca cerca del Espíritu del Señor, y Él le dirá lo que tiene que hacer".

Me sentía un poco decepcionado de que no hubiese nada más, así que insistí: "Presidente, estaría encantado de que nos enseñase o nos diese alguna instrucción adicional".

Finalmente me dijo: "Gene, ¿tiene usted el Sacerdocio de Melquisedec?" (Ahora sabía que estaba en problemas).

Le dije que sí.

"¿No ha sido apartado como Autoridad General?"

Nuevamente dije que sí.

Entonces me dijo: "Adiós".

Yo tenía el sentimiento de que nos estaba diciendo: "No nos llame, ya lo llamaremos nosotros cuando sea el tiempo de regresar".

Testifico que el efecto que el presidente Kimball tuvo en mí como nuevo presidente de misión fue el mismo efecto que tuvo sobre aquel nuevo presidente de templo. ¡Qué ejemplo tan poderoso de liderazgo! El presidente Kimball estaba diciéndonos que "confiásemos más en el Señor". Él no quería entrometerse entre el Señor y yo, en lo que a la capacitación que el Señor iba a darme se refiere. No se sentía obligado a darme su mejor consejo ni nada parecido. Él podría haberme tenido allí durante días, enseñándome sobre la obra misional. ¿Quién de entre las Autoridades Generales sabía más al respecto? Nadie. Él no estaba disminuyendo la importancia de las enseñanzas que recibíamos en los seminarios para nuevos presidentes de misión y demás; tan sólo estaba dirigiendo nuestra atención hacia nuestra primera prioridad. Él era el ejemplo real de un líder que enseña a las personas a confiar en el Señor.

No tenía otra opción sino hacer lo que sabía que tenía que hacer: buscar humildemente al Señor para aprender a ser presidente de misión. No sé de ningún otro principio que el presidente Kimball me haya enseñado, que fuese más importante. Ese acto excepcional de liderazgo me ayudó a comenzar mi misión correctamente, con más poder y confianza en el Señor de lo que habría tenido en caso contrario.

Lo que el presidente Kimball estaba enseñándonos era que debemos aprender a vivir por la fe, a depender del Señor. Debemos recordar que nuestros hijos eran hijos de nuestro Padre Celestial antes de ser nuestros, y que si acudimos a Él con fe, nos enseñará cómo guiarlos en rectitud.

Si los padres comienzan a enseñar como si ellos fueran el maestro en vez del instrumento en las manos del Señor, las cosas no van a salir tan bien. El Señor es el verdadero maestro y nosotros estamos aquí para ayudarle, y no de la otra forma. ¡Cómo habrá de trabajar el Señor con nosotros si le somos fieles!

Es importante que reconozcamos que la responsabilidad de cada miembro de la familia descansa:

- primero, en la persona misma;
- segundo, en la familia;
- y tercero, en la Iglesia.

Si aceptamos la responsabilidad de aprender por nosotros mismos cuáles son nuestros deberes, aprenderemos mucho más rápidamente del Señor, y Él nos enseñará mucho *más*. Padres, asegurémonos de cumplir el siguiente consejo del presidente Kimball: "El Evangelio da sentido y propósito a nuestra vida es el camino que conduce a la felicidad. Nuestro éxito, individual y como Iglesia, será determinado en gran medida por la fe con que nos dediquemos a vivirlo en el hogar" (*Conference Report*, abril de 1979, pág.

115). Sigamos su consejo, enseñando mediante el ejemplo y el precepto.

Las familias pueden ser algo verdaderamente divertido, aun en situaciones y momentos difíciles. No obstante, siempre parece haber momentos en los que podemos enseñar principios correctos.

## FE PARA ENCONTRAR UNA CASA

Mientras vivíamos en Ecuador, tuvimos un gran problema con una plaga de ratas en nuestra casa. El primer día que vimos una nos dimos cuenta de lo que teníamos que enfrentar: medía casi 30 centímetros, ¡sin contar la cola! Tenían el hábito de mordisquear los melones y el pan de la despensa. A veces nos asustaban porque salían de los cajones de las cómodas. Intentamos ponerles veneno, cazarlas con trampas, pero nada parecía funcionar. Pronto comenzamos a buscar otro lugar donde vivir, pero tuvimos tanto éxito para encontrarlo como para deshacernos de las ratas.

Pasaron las semanas y luego los meses. Mi esposa buscó una casa casi cada día, tarea que se volvió muy desalentadora para ella. Había un buen número de casas en venta, pero debido a nuestra asignación sólo podíamos alquilarlas. Finalmente encontramos una e hicimos una oferta de arriendo, pero la vendieron sin avisarnos. Después de la conferencia general y de un viaje que tuve que hacer, llegué a casa una noche y encontré a mi esposa llorando. Había reunido a toda la familia para la noche de hogar, cuando una rata enorme se acercó y se sentó a escuchar. "¡Ya basta!", le dijo a los niños, la persiguió hasta la cocina, cerró las puertas de un golpe y durante cuarenta y cinco minutos luchó con la rata escoba en mano, hasta que finalmente la mató. Todos los niños estaban mirando por la ventana y gritando: "¡No la dejes escapar, mamá! ¡Que no se escape!" Fue una verdadera lucha a muerte.

Después que mi esposa terminó de contarme el incidente, mostré comprensión y le dije que haríamos lo que fuese necesario para solucionar el problema. Debido a que era tarde, decidimos irnos a dormir y hablar más por la mañana. Yo acababa de quedarme dormido cuando ella me despertó para decirme: "Hay una rata en la habitación".

"No, cariño", le dije, "imaginaciones tuyas. No puede haber una rata aquí".

Entonces oímos un pequeño ruido en la papelera. Mi esposa se levantó y encendió la luz, y allí estaba, una rata enorme al pie de nuestra cama. Cerró la puerta de un golpe para que no se escapase, y yo le dije: "Tú tienes experiencia en estos asuntos, atrápala". Ambos nos reímos. Ella tomó la escoba y la mató.

Tras ese episodio, nos arrodillamos y oramos fervientemente al Señor para que nos ayudase. Le dijimos que habíamos buscado casa por cerca de tres meses, que mi esposa había buscado casi cada día, pero que no habíamos podido encontrar nada para nuestra familia. Suplicamos la ayuda del Señor en ferviente oración, y más tarde entendí que había sido una verdadera oración de fe, tal y como se describe en las Escrituras.

A la mañana siguiente despertamos temprano a los niños y les contamos nuestra experiencia. Les dijimos que tendríamos que orar fervientemente como familia y que si lo hacíamos, teníamos la confianza de que el Señor nos daría una casa de inmediato, aun en ese mismo día. Después de orar juntos, nos subimos al coche y manejamos hasta una parte residencial de la ciudad en la que queríamos vivir.

Sabíamos que podría ser difícil encontrar una casa porque los propietarios evitaban poner letreros en las ventanas; si lo hacían, los ladrones sabrían que la casa estaba desocupada. Preguntamos a algunas personas en la calle si sabían de casas para alquilar, pero nos dijeron que no.

Como media hora después de haber salido, nos detuvimos delante de una casa en la que había una mujer. Le preguntamos si sabía de alguna casa para alquiler y ella respondió: "No, pero francamente, hemos estado pensando en alquilar ésta misma, aunque no la hemos anunciado en ninguna agencia inmobiliaria ni nada parecido. Es la casa de mi hijo, pero él está pasando por algunas dificultades económicas y le vendría bien alquilarla".

Observamos la casa desde fuera y pensamos que no satisfacía nuestras necesidades. Sin embargo, la mujer comenzó a describir el interior y finalmente accedimos a entrar para echar un vistazo. La casa era la mejor que habíamos visto en tres meses, el alquiler era muy razonable y, para nuestra sorpresa, la mujer nos dijo: "Si realmente están interesados en la casa, creo que podríamos mudarnos esta misma semana".

Le dijimos que estábamos muy interesados y que nos mantendríamos en contacto. Unas dos horas después decidimos alquilar la casa y en las veinticuatro horas siguientes ya habíamos firmado un contrato. Nos mudamos una semana después. Estábamos realmente impresionados de que en una mañana, en unos cuarenta y cinco minutos, el Señor nos hubiese dirigido a nuestro nuevo hogar.

Mi esposa estaba un poco molesta pues pensaba que podríamos haber conseguido la casa antes si hubiésemos confiado más en el poder del Señor y menos en nuestros propios esfuerzos. Parece que debemos realizar un cierto esfuerzo por perseverar antes de que Dios actúe. Es algo semejante al principio de que aquellos que tienen fe para ser sanados lo serán; si no, deberemos estar con ellos en sus aflicciones (véase D&C 42:43–52). En otras palabras, hallaremos la salida si tan sólo tenemos la fe suficiente. De otro modo, el Señor permitirá que llevemos la carga nosotros solos durante un rato. No quiero decir que nuestra familia no hubiese orado por la casa, sino que no lo habíamos hecho tan sincera y fervorosamente como cuando recibimos la impresión de hacerlo aquella mañana, en una verdadera oración de fe.

Me resulta sorprendente cómo el Señor, en unas pocas horas, pudo solucionar un problema con el cual nosotros luchamos durante muchos meses. Para mí es un testimonio de que el Señor está dispuesto a ayudarnos con cualquiera de nuestros problemas, tanto espirituales como temporales. Pero la mayor bendición que emana de las respuestas a la oración es el incremento de nuestra fe, una bendición espiritual y real que el Señor nos da. No es de extrañar que el Señor dijese: "Pues si vosotros, siendo malos, sabéis dar buenas dádivas a vuestros hijos, ¿cuánto más vuestro padre que está en los cielos dará buenas cosas a los que le piden?" (3 Nefi 14:11).

Es hermoso ver que en muchas ocasiones recibimos dones mayores mientras oramos por una bendición temporal, tal como ocurrió en esta ocasión.

Lo que siempre me ha impresionado de estas experiencias con la fe es el impacto que tienen en los niños. A medida que ellos ven, una y otra vez, que el Señor contesta las oraciones, su confianza en Él se ve enormemente fortalecida. En cada experiencia aprendemos algo nuevo sobre cómo ejercer nuestra fe y obtener respuestas. Muchas veces, esa recompensa espiritual puede ser mucho mayor que la respuesta específica a una oración.

Al volver la vista atrás podemos ver con más claridad el impacto de tales experiencias espirituales. No se trata de que nos haya enseñado a tener más fe y confianza en el Señor o que sepamos mejor cómo recibir respuesta a nuestras oraciones. Puede que sea más importante el que hayan tenido un impacto directo en nuestra manera de vivir el Evangelio. Cuando los integrantes de una familia realmente intentan vivir por la fe, ascienden uno o dos peldaños en su manera de vivir el Evangelio. Comienzan a establecer valores más elevados que los que podrían estar viviendo otras personas a su alrededor, y tienden a tener la firme determinación de que vivirán dichos valores. Todo esto parece venir no sólo a los padres sino a los hijos también.

## EL ESTABLECIMIENTO DE NORMAS FAMILIARES

Hemos tenido una experiencia poco frecuente como familia; en tres ocasiones diferentes hemos vivido fuera de los Estados Unidos por un total de casi ocho años. En cierto modo, fue una gran bendición el estar alejado de las costumbres, la cultura y las tradiciones de los Estados Unidos. Nos vimos obligados a vivir en otra cultura y a brindar nosotros mismos gran parte de la enseñanza del Evangelio y de las actividades a nuestra familia. Pudimos ver con gran claridad los aspectos positivos y las debilidades de la sociedad de que procedíamos. La segunda vez que regresamos a los Estados Unidos, tomamos la determinación de que nos esforzaríamos por mantener la unidad que habíamos experimentado mientras vivíamos fuera de la cultura de nuestro país, la cual tiende a dividir a las familias y hacer que los hijos pasen mucho tiempo con sus amigos.

Queríamos mantener lo bueno que habíamos aprendido al vivir en algunos países llamados del tercer mundo, así como lo bueno que hay en la cultura norteamericana. Habíamos intentado no absorber ninguna de las cosas malas de las culturas de aquellos países y teníamos la firme determinación de no absorber las debilidades de la cultura de los Estados Unidos. Debido a que habíamos vivido en zonas de marcada pobreza, nos sentíamos abrumados por las grandes bendiciones materiales que el Señor había dado a los Santos de los Últimos Días en Norteamérica.

Acordamos en un consejo familiar que mantendríamos las cuatro metas siguientes:

1. No ser absorbidos por el materialismo ni el egoísmo, y no ceder a las presiones económicas y de la sociedad.

2. No ceder al orgullo en ninguna de sus formas aspirando a los honores del mundo, etcétera.

3. Evitar lo mundano a toda costa.

4. No permitir que nuestra familia sea dividida por nadie, incluyendo los amigos, ni perder nuestra unidad familiar.

Acordamos que fijaríamos ciertas normas familiares para poder supervisar estos objetivos. Hay que recalcar que éstas no son normas de la Iglesia, sino de nuestra familia:

1. Emplearíamos nuestro dinero en atender las necesidades básicas: ropa, artículos de importancia priomordial,

muebles, alimentos, etcétera; pero no haríamos compras lujosas ni de productos elaborados. Ahorraríamos dinero para casos de futura necesidad; no importa cuánto ganásemos, nunca sería tan poco como para no ahorrar nada. Emplearíamos el dinero en actividades orientadas hacia la familia. Finalmente acordamos que nuestros hijos mayores obtendrían empleos, y los más jóvenes intentarían ganar algo de dinero.

2. Acordamos, como familia, controlar el tiempo que dedicábamos a ver videos y televisión. Básicamente, sólo realizaríamos esta actividad los fines de semana y únicamente cuando todos pudiéramos verlos juntos. Además, controlaríamos lo que viésemos mediante el alquiler de videos cuidadosamente seleccionados, especialmente clásicos. Como consecuencia de ello, nuestros hijos también estarían alerta en cuanto a lo que verían en casa de sus amigos.

3. Acordamos que nuestra familia no malgastaría el tiempo y que si nuestros hijos tomaban parte en actividades, éstas serían actividades sanas y con propósito. Por ejemplo, sentíamos que nuestros hijos adolescentes no debían dedicar demasiado tiempo al teléfono, tampoco debían pasear por los centros comerciales ni estar envueltos en otras actividades que promovieran la holgazanería y para que no viniera sobre ellos la influencia del adversario.

4. Nos comprometimos a continuar haciendo todas las comidas en casa y *todos juntos*. Continuaríamos con nuestras actividades familiares nocturnas, tales como leer, coser, cantar, utilizar la computadora, hacer reparaciones, hacer visitas, trabajar en el jardín, tocar instrumentos musicales, prestar servicio, etc.

5. Mantendríamos normas de vestir básicas y modestas, sin importar lo que vistieran los demás, permaneciendo alejados de atuendos reveladores, extremos o que no resultasen apropiados para alguien que había recibido la investidura del templo.

6. Decidimos que, por lo menos en nuestra familia, no iríamos a dormir a casa de otras personas ni fomentaríamos

esta actividad en nuestra casa. Esto fue un poco difícil de controlar al principio, ya que todos nuestros vecinos consentían a dicha actividad. Mas habíamos visto bastantes problemas, tanto morales como de otros tipos en tal sentido, así que acordamos mantenernos firmes en cuanto a esta norma.

7. Acordamos seguir con nuestros paseos y celebraciones familiares, y en ocasiones incluir a otras familias también.

8. Acordamos seguir oyendo en nuestro hogar sólo música de la Iglesia, música clásica o cualquier otra buena música, pero ningún tipo de rock ni nada por el estilo.

9. Acordamos que nos mantendríamos firmes ante cualquier presión social o de nuestras amistades, y que todos estaríamos dispuestos a comentarlas con la familia en cuanto comenzásemos a percibirlas.

10. Animamos a nuestros hijos a traer a sus amigos *a casa* para tomar helado, comer pizza, cenar, jugar, etc. Nuestra casa era siempre el "punto de encuentro", pero éramos felices así y los niños se sentían cómodos cuando traían a sus amigos.

Es muy importante que los jóvenes seleccionen buenos amigos, pues se sentirán impulsados a guardar los mandamientos y tomarán parte en relaciones positivas que contribuirán a su desarrollo y crecimiento. Si escogen malos amigos, pronto se verán inmersos en malas actividades y caerán bajo la influencia de Satanás, quien les enseñará a ser desobedientes a los padres, a no respetar el horario establecido por la familia para volver a casa, a utilizar un lenguaje indeseable, a ver malos programas de televisión y muchas cosas más. Así que serán mucho más receptivos a las malas presiones de sus amigos.

11. Acordamos que nuestra familia estaría en primer lugar y nuestros amigos en segundo, y que cuando papá estuviese en casa, dado que hacía muchos viajes, en gran medida ése era un tiempo para la familia. El tiempo para los

amigos estaría principalmente reservado para los fines de semana cuando papá tuviera que viajar.

12. Animamos a nuestros hijos a salir en citas, pero los comprometimos a que, cuando lo hiciesen, se ciñesen a una serie de reglas seguras. Por ejemplo:

- No podían salir en citas antes de los dieciséis años.
- No podían salir con la misma persona varias veces seguidas.
- No saldrían en citas de manera constante.
- No podrían salir solos con alguien del sexo opuesto, sino que tendrían que ir en grupos de cuatro o más.
- Normalmente no podrían estar fuera de casa más tarde de la medianoche.
- No podrían salir con personas que no fuesen miembros, ni con miembros que no fuesen dignos.

13. Después de todo, nos comprometimos como familia a continuar teniendo el Espíritu del Señor con nosotros, especialmente al hacer uso de las los siete pasos sugeridos en el capítulo 2 de este libro. Los hijos que tienen el Espíritu del Señor obedecerán no sólo las normas familiares sino también las del Señor.

Deseo destacar que, para llegar a un acuerdo familiar sobre todo lo mencionado anteriormente, primero hablamos unos con otros de las grandes bendiciones que habíamos recibido individualmente por la manera en que vivimos en Latinoamérica. Cada uno de nosotros enumeró las cosas que más le gustab an y entonces sentimos una gran necesidad de mantenerlas, por lo que fue relativamente fácil redactar una lista de normas con las que todos estaríamos de acuerdo.

De regreso en los Estados Unidos, tuvimos que hacer frente a grandes dificultades durante dos o tres años. Sin embargo, al volver la vista atrás, podemos determinar que fuimos capaces de cumplir con cerca del 90% de nuestras normas. Aunque no fue algo perfecto, piense en las bendiciones que hemos recibido en comparación con los problemas que podríamos haber tenido de no haber desarrollado dichas normas.

Aun con nuestras normas, hemos hecho frente a muchos de los mismos desafíos que usted tiene en su vecindario: Niños que sienten que deben estar haciendo algo exótico todo el tiempo o que no lo están "pasando bien"; adultos que quieren sentarse en la última fila de la capilla; personas que no quieren cantar en la Iglesia; jóvenes poseedores del Sacerdocio Aarónico que no quieren llevar camisa blanca y corbata para oficiar en la Santa Cena; adultos que hacen muchas cosas en la Iglesia que bien podrían hacer los jóvenes; un desmedido énfasis en la apariencia, el peinado y la ropa; falta de reverencia en la capilla; jóvenes que están fuera hasta las dos de la mañana en fiestas o vagando por la calle; fiestas de verano y citas casi cada noche; falta de santificación del día de reposo; ropa casual y programas deportivos de televisión los domingos; personas que quieren ver telenovelas o películas de dudoso valor moral; padres demasiado complacientes; jóvenes cuyos padres les han comprado su propio coche; maratones de baile para recaudar dinero que ocupan toda la noche; jovencitas que llevan ropas inmodestas; una actitud general de diversión y tiempo libre pero ninguna necesidad de trabajar en casa o de tener un empleo; familias que no hacen nada juntas pero que dejan de manera exagerada que sus hijos vayan con sus amigos a lugares en los que se ven expuestos a música inapropiada, lenguaje profano y chistes vulgares; etc.

Con problemas como éstos a nuestro alrededor, ¿cómo podemos mantener normas semejantes a las mencionadas antes? No creo que esto sea posible a menos que la relación entre los padres, los hijos y el Señor sea fuerte. Si la norma de la familia es la norma del Señor, y todos tenemos un testimonio de ello por el Espíritu, entonces no es difícil establecer este tipo de normas.

## SENSIBILIDAD RESPECTO AL ESPÍRITU
## EN LAS NORMAS SOBRE LAS SALIDAS EN CITAS

Cuando una de nuestras hijas tenía quince años, surgió un romance amistoso entre ella y un joven de una buena familia que vivía cerca. Él era realmente un buen chico y nosotros estábamos complacidos con la amistad que había entre ambos; pero ella sólo tenía quince años y no podía salir en citas.

Día tras día se sentaban juntos en el autobús de camino a la escuela, hablando y pasándolo bien. Se trataba de una relación sana. Sin embargo, a medida que fueron pasando los meses, nos dimos cuenta de que la relación se estaba poniendo más seria, llegando hasta el punto en que este joven, a quien llamaremos Bill, tomó de la mano a nuestra hija durante un desfile de modelos en una noche de talentos de la capilla.

Ella estaba bastante avergonzada, porque todos los demás los vieron y le gastaban bromas. Pero en su interior era muy feliz, porque realmente gustaba del joven. Afortunadamente, ella tenía una relación muy estrecha con nosotros y desde el principio nos habló de lo que estaba pasando. No estaba segura de lo que debía hacer. Mi esposa y yo hablamos con ella esa noche, ya que al día siguiente nos íbamos de viaje para cumplir con una asignación de la Iglesia que nos tomaría unos tres o cuatro días, y no queríamos dejar el asunto sin resolver. También sabíamos que esa noche habría un baile en el centro de reuniones y que al día siguiente los jóvenes irían de excursión. Así que nuestra hija iba a estar mucho tiempo con Bill.

Ya habíamos hablado mucho sobre estas cosas, por lo que nos limitamos a recordarle la seriedad de este asunto si ellos seguían adelante, y que no era apropiado para su edad. Además, sugerimos que podría ocasionar que los demás tuviesen una imagen distorsionada de ella. Y nos dijo: "Pero él me gusta mucho y no quiero herir sus sentimientos".

Le dimos unas pocas ideas de lo que podría decir y añadimos que no íbamos a decirle lo que tenía que hacer. Ella debía seguir el Espíritu y entonces sabría qué hacer para manejar la situación de manera correcta. Teníamos confianza en ella debido a su proximidad con el Señor y estábamos seguros de que sabría cómo actuar.

Cuando unos pocos días más tarde regresamos a casa, nos complació el saber cómo se habían desarrollado las cosas. La noche del baile él la tomó de la mano mientras estaban sentados y ella le dijo con amabilidad: "¿Sabes, Bill? Realmente creo que no debemos hacer esto".

"¿Por qué?", preguntó él.

"Bueno", contestó ella, "soy demasiado joven. Realmente me gustas y lo pasamos bien juntos, pero creo que debemos esperar y no hacer esto ahora. No creo que sea lo correcto".

"¿Estás segura?", le dijo.

Y ella replicó: "Sí, lo estoy".

De este modo, nuestra hija deturo la situación con el muchacho, una situación que podría haber crecido hasta causarle dificultades más adelante. Nos dijo lo mal que se había sentido por tener que hablarle de esa manera, pero sabía que era lo correcto y se sintió aliviada por haberlo hecho.

Él fue muy amable con ella durante la excursión del día siguiente, y ella intentó ser atenta y cordial con sus palabras para que él no se ofendiera. Debido a que ella siguió el Espíritu y observó las normas del Evangelio con fe, puede que haya evitado problemas futuros, no sólo con ese joven, sino con otros que podrían cortejarla más adelante.

Creo que nuestra hija aprendió que era mejor escoger lo correcto, aun cuando a ella no le gustase. Los hijos tienen que aprender a actuar con fe, siguiendo las impresiones del Espíritu, aunque haya presión por parte de otras personas, para tener relaciones semejantes a la mencionada, aun cuando en su entorno haya muchas personas haciendo bastante más que eso.

Mientras nuestros hijos están en el hogar, debemos enseñarles a escoger lo correcto, a seguir las impresiones del

Espíritu. Si los padres han plantado correctamente la semilla del Evangelio en el corazón de sus hijos, muchos problemas se resolverán por sí solos.

Los padres tienen que recordar que el estar en casa no es tan sólo un tiempo para descansar y tomarse las cosas con calma, aunque sea parte de ello. Más que eso, se trata principalmente de un tiempo para la fe, un tiempo para buscar maneras de fortalecer a la familia. Puede que tengamos dificultades en el trabajo y en otros lugares para ejercer nuestra fe plenamente y mantener nuestras prioridades en su lugar, pero si tenemos que hacer a un lado algunas prioridades, que no sean las del hogar. Debemos dar lo mejor de nosotros mismos a nuestra familia. Nunca debemos descuidarnos, sino que tenemos que mostrar verdaderamente a nuestros hijos cómo vivir por la fe.

La familia tradicional enfrenta muchos desafíos en el hogar. Algunas encuestas muestran que en los Estados Unidos la gente ve la televisión unas siete horas y media al día. Los videos y los programas de televisión realmente permiten que el mundo entre en nuestro hogar, y si no estamos en guardia, la fe de la familia puede ser destruida por culpa de estas influencias mundanas.

El tener experiencias donde toda la familia está unida en la fe ayuda a preparar a los hijos para cuando tengan que actuar por sí mismos, para ejercer su propia fe a la hora de resolver un problema en concreto. Supongo que todos encontramos gran alivio en las palabras del proverbio: "Instruye al niño en su camino, y aun cuando fuere viejo no se apartara de él" (Proverbios 22:6).

Tenemos muchas experiencias con la fe cuando damos oído a las impresiones del Espíritu, impresiones que debemos desear recibir con sinceridad. Simplemente, si esperamos recibir instrucción de los cielos y nos estamos esforzando por vivir nuestra vida, en muchas ocasiones recibiremos impresiones que serán de gran beneficio para criar a un hijo o incluso proteger a la familia de algún peligro.

## CÓMO DAR OÍDO A LAS IMPRESIONES

Hace algunos años, un domingo por la mañana, un hombre estaba regañando a su esposa por hacer que la familia llegase otra vez tarde a la capilla. Éste había sido un tema frecuente en su matrimonio durante cierto tiempo: "Cariño, ¿vamos a llegar tarde otra vez? ¿No puedes prepararte antes? ¿Por qué no puedes asignar más responsabilidades a los niños para que tengan algo que hacer? ¿Por qué tienes que hacerlo todo tú? Siempre llegamos tarde. Me avergüenza tener que llegar tarde a las reuniones. Debiéramos dar un mejor ejemplo". Una y otra vez, el marido reprendía a su esposa.

Por fin entraron en el coche para dirigirse a la capilla, pero la reprimenda continuó. Cuando se preparaban para entrar en el centro de reuniones, la esposa dijo: "Sé que no te va a gustar nada, pero tengo que volver a casa?".

"¿Qué?", respondió el marido. "Ya llegamos tarde. ¿Por qué tienes que volver a casa?".

"No lo sé", respondió ella, "pero tengo que ir". Y se fue antes de que él pudiera decir nada más. Mientras el esposo asistía a las diferentes reuniones, su irritación iba en aumento. Tuvo que hacerse cargo de los niños y parecía que su esposa no iba a regresar jamás a la capilla.

Finalmente llegaron a casa después de las reuniones, listo para reprender un poco más a su esposa, hasta que la vio sentada en la cocina, llorando. La cocina casi se había incendiado por completo, y si su esposa no hubiese regresado a la casa cuando lo hizo, todo el hogar habría sido pasto de las llamas. Se sentía tremendamente conmovido por el hecho de que su esposa hubiera dado oído a la voz del Espíritu, y sentía gran pesar porque él no la había oído y por haberla regañado. ¿Por qué el marido no había oído al Espíritu? Supongo que porque estaba enfadado y con ganas de discutir.

Uno de los problemas que tenemos muchos de nosotros es que estamos demasiado ocupados para escuchar la voz del Espíritu. Estamos demasiado ocupados y no podemos percibir ninguna de las cosas importantes que ocurren a nuestro alrededor. Siempre me han gustado las palabras de D&C 5:34: "Sí, por esta causa dije: Detente y espera hasta que te mande, y te proporcionaré los medios para que cumplas lo que te he mandado".

Éste es el único versículo que conozco donde el Señor nos ha dicho que nos detengamos y esperemos hasta que Él nos mande y nos proporcione los medios para ayudarnos a cumplir con lo que nos ha mandado hacer. En otras palabras, a veces tenemos que detenernos y esperar, meditar y ser conscientes de dónde estamos en realidad. Sólo así seremos más susceptibles a la inspiración del Señor.

Realmente, la voz del Espíritu es un susurro. Si hay algún tipo de contención, orgullo u otros pecados, no la escucharemos. ¿Cuántas veces hemos recibido instrucción de lo alto y no la hemos escuchado? Si reconocemos las impresiones y cumplimos con lo que Señor nos invite a hacer, tendremos más guía para nuestra familia.

## LA FE Y EL DESEMPLEO

En un capítulo anterior incluí el relato de uno de mis hijos que oraba en busca de empleo mientras asistía a la universidad. En otra ocasión tuvo una experiencia similar que nos enseñó más plenamente el afecto del Señor al corresponder nuestra fe. Este hijo había trabajado muy duro durante la primavera para tener dinero suficiente y poder asistir al Ricks College (Colegio universitario de la Iglesia en Idaho) durante los semestres de verano y otoño. Lo hizo, y todo fue bien hasta el final de diciembre, cuando descubrió que se estaba quedando sin dinero. Había podido realizar algunos trabajos para mantenerse, pero para las vacaciones de Navidad casi no le quedaba ni un centavo. Le preocupaba cómo podría asistir a la universidad el semestre siguiente. Creo que quería pedir un préstamo a sus padres, pero no le dimos nada. En vez de eso, le dijimos que estábamos seguros de que el Señor proveería si él era fiel.

Vino a casa con unas dos semanas de vacaciones antes

de la Navidad y quería encontrar trabajo. Hizo ciertos contactos, acudió a departamento de personal tras departamento de personal y no pudo encontrar nada, lo cual le desanimó bastante tras su primer día de búsqueda. Sabía que cada día que pasaba durante las vacaciones de Navidad equivalía a tener menos dinero para poder mantenerse en la universidad.

La segunda mañana se puso en contacto con el departamento de personal de una compañía. Le dijeron que no tenían vacantes y que durante la época de Navidad todos los puestos estaban ocupados. Volvió a casa bastante desanimado y habló conmigo al respecto. Intenté ayudarle a que ejerciera la fe, testificándole que el Señor conocía lo serio de la situación y que tendría que orar con más fervor para convencerle de que realmente necesitaba Su ayuda.

Entonces, cuando se dirigía a su coche para continuar buscando, sonó el teléfono. Lo llamé para que atendiera y después de hablar, se acercó a mí con lágrimas en los ojos. Me dijo que una directora de personal lo había llamado y le había dicho: "Realmente debes tener a alguien en el cielo a quien le caes bien. En la última media hora hemos tenido una vacante en el centro de distribución. Si quieres el trabajo, es tuyo a jornada completa durante las vacaciones de Navidad".

Él estaba muy contento. Sentía que sus oraciones habían sido contestadas. Entonces me dijo que apenas cinco minutos antes, después de haber hablado conmigo, se había ido a su habitación y había suplicado al Señor que le ayudase a encontrar un empleo pues lo necesitaba urgentemente, o no podría ir a la universidad. Percibí que realmente había ejercido la fe. Estaba muy emocionado por el hecho de que en tan sólo unos minutos sonase el teléfono y le ofrecieran trabajo.

Este hijo volvió al Ricks College con la idea de que allí encontraría empleo de inmediato y sería capaz de mantenerse durante el semestre de primavera. Pero después de buscar durante todo el mes de enero hasta mediados de febrero, no pudo encontrar nada. Ahora sí que estaba bien desanimado. Hablamos con él por teléfono en numerosas ocasiones y finalmente nos dijo que si no encontraba trabajo pronto, tendría que dejar de asistir a la universidad. Le prestamos un poco de dinero para ayudarle a pagar el seguro del coche. A él no le gusta pedir préstamos, y nosotros sabemos que lo mejor para él es no dárselos, pero lo hicimos durante un mes. Finalmente llegó al punto en que nos llamó para decir que si no lograba conseguir más dinero para la próxima semana, tendría que volverse a casa.

Una vez más le sugerimos que ejerciese la fe. Mi esposa y yo ayunamos por él; volvimos a animarle para que realmente orase por un trabajo y comenzamos también a orar juntos como familia para ayudarle. En el plazo de una semana recibió una llamada de un motel en Rexburg. Estaban buscando un encargado para las noches. El hombre que lo entrevistó supo que era bilingüe y que ya había trabajado antes en el negocio de la hotelería, así que lo contrató. Entonces mi hijo comenzó a recibir unos buenos ingresos, lo suficiente como para seguir asistiendo a la universidad.

Tenía que trabajar menos horas de las que esperaba, pero se mantuvo excelentemente bien y más adelante pudo devolvernos el dinero prestado y tener lo suficiente para sus propios gastos. Estaba realmente complacido por tener trabajo y poder estudiar al mismo tiempo. Resulta más que evidente en su vida que siempre que ha ejercido la fe de manera humilde y enérgica, el Señor le ha respondido de maneras bastante espectaculares. Aun siendo pobre, "la observancia del mandamiento" le ayudó a mantenerse a través de sus estudios. Más o menos un mes después de esa experiencia, recibimos la llamada de un hijo extremadamente contento. Había tenido la impresión de preguntar a la universidad si podría recibir algún tipo de beca para ayudarle con sus finanzas durante el resto de su permanencia en Ricks, y para su sorpresa y deleite, le concedieron una beca de quinientos dólares. Este joven continuó recibiendo más y más bendiciones a medida que se esforzaba por ser fiel y hacer lo correcto.

## UNA ORACIÓN POR UN HIJO EN PELIGRO

La esposa de un presidente de misión me contó una experiencia donde la fe de una madre tuvo una gran influencia su hijo.

Un joven obtuvo permiso de sus padres para llevarse el vehículo todoterreno a las montañas y esquiar con sus amigos. Le dijo a los padres que estarían de regreso para las seis de la tarde.

A medida que la madre miraba el reloj, vio cómo pasaban las seis, las siete y las ocho de la noche. Sus temores y dudas empezaron a asomar. Comenzó a preocuparse de que su hijo estuviera teniendo problemas. Hizo una oración en su corazón pidiendo por la seguridad de su hijo. Las nueve de la noche, las diez, las once. Ella y su esposo hablaron sobre la situación y finalmente se fueron a la cama, con el corazón lleno de ansiedad y temor por su hijo.

Después de que el esposo se quedó dormido, la mujer se levantó, se fue a la sala de estar y, de rodillas, volcó su corazón al Señor para que protegiese a su hijo. Sintió que una gran paz descendía sobre ella, se fue a la cama y quedó dormida.

Como a las seis de la mañana, el hijo y sus amigos llegaron finalmente a casa. La madre lo abrazó y las primeras palabras del joven fueron: "¿Qué estabas haciendo a la medianoche?". Ella le dijo que había estado orando en su corazón.

El hijo le comentó que se habían quedado atascados en un barrizal durante varias horas. Luego, tras conseguir sacar el coche, comenzaron a bajar de la montaña bien entrada la noche, pero que a la medianoche el coche se salió de la carretera en dirección a un precipicio. Si hubieran avanzado un poco más, de seguro que todos habrían muerto. El muchacho compartió su testimonio de que cuando el coche se dirigía hacia el borde del precipicio, le pareció como si alguien estuviese delante de ellos empujándoles hacia la carretera. Para él fue como una intervención de los cielos, teniendo en cuenta la oración de su madre.

Tales ejemplos muestran el gran poder de la fe y de la oración, especialmente la fe y las oraciones de los padres por sus hijos, o de los hijos por sus padres. Parece que el Señor honra de manera especial la oración ferviente de una buena madre en favor de sus hijos. Este joven ciertamente conocía bien la fe de su madre y la tenía en alta consideración.

¿Estamos ejerciendo el mismo tipo de fe y ofreciendo el mismo tipo de oración en favor de nuestra propia familia? Cuando día tras día demos este ejemplo, nuestros hijos terminarán por seguirlo. Estoy seguro de que este muchacho nunca olvidará lo que su madre hizo por él aquella noche.

## UNA BENDICIÓN DE SALUD DE UN HIJO

Sabremos que nuestro ejemplo y enseñanzas han dado fruto cuando seamos capaces de pedir la ayuda de uno de nuestros hijos en un asunto espiritual. Tuvimos una experiencia interesante con un hijo digno que pudo darme una bendición del sacerdocio. Me hizo recordar las palabras de Alma 38:2–3: "Y ahora bien, hijo mío, confío en que tendré gran gozo en ti, por tu firmeza y fidelidad para con Dios; . . . Te digo, hijo mío, que ya he tenido gran gozo en ti por razón de tu fidelidad y tú diligencia".

Hace algunos años, mientras vivíamos en Latinoamérica, como familia fuimos de visita a los Estados Unidos. Mientras estábamos allí, pasamos algún tiempo en un parque de atracciones acuáticas. Tras tirarme por uno de los toboganes hacia una gran piscina, sentí un dolor en el pie derecho. Sin embargo, mientras íbamos por el resto de las atracciones, no me molestó en absoluto.

Más adelante, cuando regresamos a casa, me dormí una siesta y cuando desperté tenía un dolor terrible en el pie. Conduje el coche para ir a cenar con unos amigos, pero apenas podía pisar el acelerador. Finalmente, ya en casa de nuestros amigos, me quité el zapato y el calcetín para examinar el pie. Lo tenía hinchado y cada vez me dolía más.

Cené con gran dificultad, intentando no quejarme. Tras la cena, el dolor era tan agudo que pensaba que debía ir al hospital. Para entonces ni siquiera podía apoyar el pie. Me dolía terriblemente aun cuando no me apoyase en él. Mi hija y mi esposa, que estaban conmigo en la cena, me ayudaron a bajar las escaleras y a entrar en el coche, y me llevaron al hospital.

En el momento mismo en que entraba por la puerta del hospital apareció un médico amigo nuestro, el cual me dijo: "No tenía ningún paciente en el hospital, pero sentí que me necesitaban y vine". Todos supimos que había sido algo inspirado. Las radiografías mostraron que el pie no estaba fracturado, pero sí que había sufrido una grave torcedura. El médico llamó a un cirujano ortopédico, quien nos llevó a su despacho para tratar mi lesión. En vez de enyesar todo el pie y la pierna, lo vendó con una venda especial y me dio unas muletas. Tuve mucho dolor de regreso a casa y me sentía bastante deprimido y desanimado porque había tenido muchos problemas de salud en los meses anteriores, algunos de los cuales llegaron a amenazar mi vida, y sentía que ya no era capaz de aguantar más.

Llegamos a la casa donde nos estábamos alojando a eso de la una de la mañana. Tenía mucho dolor y estaba muy preocupado, así que le pedí a mi hijo que me diera una bendición. Él acababa de ser ordenado élder y me había ayudado algunas veces en la unción, aunque nunca la había sellado. Ésta era su primera vez, y me bendijo para que pudiera recuperarme pronto y ser sanado. Me dio una buena bendición llena de fe.

Intenté poner mi fe en la bendición, pero seguía dando por sentado, tal como los médicos me habían dicho, que tendría que llevar la venda puesta entre cuatro y seis semanas y utilizar las muletas entre diez y quince días, hasta que hubiese desaparecido la hinchazón.

¡Qué gran bendición me dio mi hijo! Dormí toda la

noche y sin ningún problema, aunque tenía la pierna vendada y fuera de las mantas. A la mañana siguiente tuve la pierna en alto y estuve en casa todo el día. Algunos amigos vinieron a visitarme, pero yo me dediqué a cuidar de mí mismo y a no hacer nada más.

Esa noche, cuando finalmente me quité la venda, descubrí que podía caminar sin ella. Al día siguiente ya no me la puse y caminé con normalidad. ¡El pie estaba bien! Era difícil de creer, pero acababa de experimentar una curación total, y no hizo falta pasar por las seis semanas de recuperación. El Señor, con una misericordia plena, retiró de mí el problema. A la mañana siguiente, con un montón de fe e intentando no dudar, dejé atrás las muletas y la venda, caminé hasta el avión y regresé a nuestra casa en México.

Ciertamente me sentía maravillado y muy humilde por el hecho de que el Señor hubiera contestado nuestras oraciones y honrado la bendición de mi hijo. No sé si habría podido aguantar el tener que hacer más reposo en esa ocasión. Fue algo fantástico el pedirle a mi hijo que me diese la bendición, y estoy seguro de que su propia fe en el sacerdocio que posee se vio fortalecida.

## LOS PRINCIPIOS PARA VIVIR POR LA FE

Cuando examinamos con detalle las experiencias similares a las mencionadas en este capítulo, podemos aprender realmente cómo ejercer la fe como familia. Al pensar en ellas, he identificado ciertos principios que pueden ayudarnos a hacerlo una y otra vez:

1. Crea de antemano que obtendrá aquello que desea. Si esto no ocurre, redoble su fe (véase D&C 18:18).

2. Los profetas reciben dirección, y también lo hacen los padres, así como todas las personas que *piden* sinceramente (véase D&C 41:3; 42:61).

3. Cuando ejerza la fe, en muchas ocasiones recibirá respuestas a preguntas que no ha hecho y bendiciones que no ha pedido.

4. Las respuestas suelen venir más frecuentemente

cuando usted está "trabajando por ellas", que cuando está de rodillas.

5. Recibirá muchas respuestas al leer las Escrituras, y es posible que el Señor ya ha dado la respuesta en ellas (véase D&C 32:4).

6. Puede que algunas respuestas no se reciban en años. Usted debe aguardar con paciencia y confiar en el Señor.

7. Cuando intente tomar decisiones basadas en la fe, con frecuencia habrá dos opciones difíciles al mismo tiempo para aumentar su poder de discernimiento.

8. Las respuestas vendrán más fácilmente si usted está haciendo lo que el Señor le ha pedido (véase D&C 79:2; 100:15).

9. El Señor nunca contestará sus oraciones pidiéndole que haga algo malo (véase D&C 46:7).

10. Compare las respuestas a su oración con los frutos del Espíritu para que no sea engañado (véase D&C 11:12–13).

11. Ore fervientemente con tanta gratitud después de que su fe sea recompensada como lo hizo mientras estaba pidiendo aquello que recibió.

12. Cuanto más agradecido esté por lo que el Señor le haya dado, tanto más recibirá.

13. Aprenda pacientemente a discernir entre la voluntad del Señor y la suya, y a evitar someterse a la voluntad de Satanás (véase 2 Nefi 28:22).

14. Ejerza más su fe en favor de los demás; las respuestas vendrán con mayor rapidez.

15. Las respuestas a las oraciones personales parecen venir con mayor facilidad cuando estamos sirviendo a los demás.

16. Asegúrese de santificar al Señor a los ojos de la gente y las respuestas vendrán; magnifique al Señor y no a usted mismo (véase Números 20:12; D&C 115:19).

17. A veces las respuestas parecen venir por partes. Si usted da un paso hacia adelante con fe, el resto le será revelado.

18. El Señor revela muchas respuestas y conclusiones mediante la oración y las Escrituras. Procure entender las preguntas originales y los problemas que se mencionan en ellas.

Hay muchos principios que podemos aprender y entonces enseñar a nuestra familia sobre cómo vivir por la fe. Sin embargo, en general, la idea es sencilla: Si tenemos fe en el Señor, nos humillamos y nos arrepentimos de nuestros pecados, Él ciertamente nos bendecirá con aquello que deseamos.

Que nadie entienda que estos principios únicamente funcionarán con una familia excepcionalmente buena. Permítame recalcar una vez más que nosotros tenemos una familia muy normal y típica. Si hay algo diferente al respecto, puede que se deba a un intento por parte de los padres por ayudar a nuestros hijos a tener experiencias espirituales.

Al grado que nos beneficiemos de las experiencias rutinarias de la vida y las convirtamos en experiencias de fe, encontraremos uno de los secretos para crear una familia celestial. Si podemos enseñar a nuestros hijos que el Señor es el verdadero líder y podemos volverlos fielmente a Él, *Él* criará a nuestros hijos, cambiará sus corazones, los hará humildes y les enseñará desde lo alto.

Muchos de los relatos de este libro son experiencias pequeñas y cotidianas, pero debido a que las anotamos, a que pensamos en ellas y a que las comentamos, se *convirtieron* en experiencias espirituales. Parte de la clave para tener experiencias espirituales es simplemente reconocerlas, valorarlas y tratarlas con el respeto suficiente como para registrarlas. Ciertamente, el Señor nos enseñó bien a través del profeta José Smith, quien, tras la gran visión de los reinos celestiales, dijo: "Éste es el fin de la visión que vimos, que se nos mandó escribir mientras estábamos aún en el Espíritu" (D&C 76:113).

Piense en lo que se habría perdido si José Smith no hubiese registrado esas revelaciones en el momento en que le fueron dadas, mientras todavía estaba en el Espíritu. Seguro que habríamos perdido la mayor parte de la revelación, si no toda.

Lo mismo ocurre con la familia. Cuando tenemos una experiencia espiritual, si no tomamos tiempo para registrarla, la perderemos. Creemos que siempre la recordaremos, mas la habremos perdido poco tiempo después. Los hechos aparecen borrosos, el recuerdo es parco, y antes de que pase mucho tiempo habremos olvidado las grandes bendiciones que nos dio el Señor.

Quisiera recomendar enérgicamente que registre sus experiencias y luego relate a su familia las grandes bendiciones que el Señor les ha dado una y otra vez. Muchas familias tienen las experiencias, pero no las escriben. Así que, en vez de beneficiarse de las lecciones del pasado, tienen que continuar aprendiéndolas una y otra vez.

Para tener experiencias espirituales y hacer que las experiencias habituales se conviertan en tales, necesitamos tener el Espíritu del Señor con nosotros de manera continua. Tenemos que meditar en el significado de los acontecimientos que vive nuestra familia, muchos de los cuales pueden parecernos pequeños o sin importancia en ese momento, pero en realidad son grandes experiencias si las vemos con la perspectiva adecuada. Tal como Alma escribió: "Por medio de cosas pequeñas y sencillas se realizan grandes cosas... y por medios muy pequeños el Señor... realiza la salvación de muchas almas" (Alma 37:6–7).

Que el Señor nos bendiga para que demos lo mejor de nosotros mismos, que meditemos más y seamos más sensibles a las impresiones del Señor. Entonces enseñaremos mejor a nuestra familia a vivir por el poder de la fe.

# CAPÍTULO 6

# ENSEÑE A SU FAMILIA SOBRE EL ARREPENTIMIENTO Y LA DISCIPLINA

En una ocasión, cuando hace unos años llegaba a casa, me encontré con mi esposa, quien salía para una cita, y me dijo: "Cariño, tenemos un problema y tendrás que solucionarlo. *Tu* hijo de seis años la ha hecho bien grande esta vez. Mató unos peces tropicales muy caros en casa del vecino. Yo tengo que salir ahora mismo así que, por favor, acláralo con él. Probablemente tenga que ir y pedir disculpas".

Este niño de seis años y yo tuvimos una conversación de padre a hijo. Me dijo que él y su amigo Tony, el hijo de un vecino, habían estado en el cuarto del hermano mayor de éste, jugando. Su hermano criaba peces tropicales, los cuales su padre le había traído de diferentes lugares del mundo. Ambos niños pensaron que los peces probablemente tenían hambre, por lo que decidieron darles de comer. Sin mala intención, dieron a los peces toda la comida que querían; de hecho les dieron cuatro o cinco veces de lo que necesitaban, y éstos comenzaron a morirse. Además, tomaron algunos peces con las manos y los pasaron de un acuario a otro y, lógicamente, algunos de ellos se les cayeron de las manos al suelo. De lo que pude entender, había peces muertos por todas partes, unos diez en total.

Después de que mi hijo me explicase lo que había pasado, le dije: "Bueno, ¿qué crees que debemos hacer?".

Él me dio la típica respuesta de un niño de seis años: "No lo sé".

Hablamos un poco más al respecto, siendo yo el que llegó a la mayoría de las conclusiones de que él debía ir a casa del vecino, disculparse y hacer una restitución.

Durante varias semanas había logrado ahorrar siete dólares, parte de los cuales había recibido por su cumplea-

ños hacía tan sólo cuatro días. Ése era todo el dinero que tenía y yo le sugerí que sería mejor que lo llevase con él.

Se puso a llorar, pues no quería dar el dinero, pero finalmente le dije: "Ve a tu cuarto y ora, y dentro de unos minutos ven y dime lo que crees que tienes que hacer". Unos cinco minutos después vino con sus arrugados billetes en un montoncito, diciendo: "Creo que es mejor que vayamos. Tendré que darle el dinero".

Fuimos calle abajo, aunque mi hijo en realidad no quería ir. De hecho intentó convencerme de que sería mejor solucionar el problema de otra manera, pero yo insistí y fuimos a casa del vecino.

Le pedí que llamara a la puerta, lo cual hizo muy suavemente. Tengo la certeza de que él esperaba que nadie fuese a abrir. Llamó una vez más y la puerta se abrió, y allí estaba el hermano mayor. Podía verse que estaba muy enfadado y que probablemente estaba pensando: "¿Qué estás haciendo aquí?".

Mi hijo y yo nos quedamos allí, de pie. Intenté animarle, diciendo: "Vamos, hijo, dile porqué hemos venido".

Finalmente y en voz muy baja, le dijo: "Siento haber matado tus peces".

El vecino respondió un tanto severo: "Bueno, en realidad estoy enfadado y triste. Esos peces eran algo especial para mí; mi padre me los había dado y ahora están muertos".

Mi hijo volvió a decir: "Lo siento", y pareció ablandar el corazón del vecino, quien dijo: "Bueno, está bien. Pero no lo vuelvas a hacer".

El pequeño sacó los siete dólares arrugados y dijo: "Quiero pagarte los peces".

El muchacho respondió amablemente: "No, no es necesario".

Yo le guiñé un ojo, indicándole que debía aceptar algún dinero. Finalmente dijo: "Bueno, está bien. ¿Qué te parece si tomo dos dólares?". Una gran sonrisa se dibujó en el rostro de mi hijo.

"Bueno, quizás tres dólares. ¿Qué piensas, hijo?", dije yo.

Él contestó rápidamente: "Creo que es justo", y le entregó los tres dólares al dueño de los peces. Se sentía realmente aliviado por no tener que entregar todo el dinero. Se disculpó una vez más y nos fuimos.

Mientras caminábamos calle arriba, tuve la impresión de que mi compañero parecía ser más alto que aquel jovencito que me había acompañado a hablar con el vecino. Parecía complacido consigo mismo y muy agradecido por haberse arrepentido. Entonces me dijo: "Papá, estoy feliz por haber ido. Fue lo correcto, ¿verdad?". Me dio las gracias, me abrazó y se fue a jugar.

Habría sido muy fácil estar enfadado con nuestro hijo. En cierta forma, peligraba nuestra reputación como buenos vecinos y el hijo de nuestro vecino estaba enfadado con nosotros. Afortunadamente, gracias a que mi hijo supo dentro de sí lo que debía hacer, y debido a que recibió ánimo por parte de su padre para obedecer las impresiones, aun

cuando él no quisiera ir y confesar, todo terminó convir-
tiéndose en una gran bendición para él. Aumentó el amor
que había entre nosotros dos y se reforzó la enseñanza
correcta de seguir siempre el Espíritu. Yo también estaba
complacido porque:

1. Reconoció su pecado.

2. Nos lo confesó al Señor y a mí.

3. Pidió perdón.

4. Intentó poner las cosas en orden con la persona a
quien había ofendido.

5. Se comprometió a nunca más volver a hacer nada
malo.

Una vez más creo que la razón por la que las cosas salieron tan bien fue porque dimos participación al Señor. De
ese modo el corazón de mi hijo se ablandó, al igual que el
mío, por lo que no estaba enfadado. En vez de eso, pude
tratar la situación de manera espiritual para que se convir-
tiera en una experiencia positiva para el pequeño.

## EL PODER DEL AMOR AL DISCIPLINAR

El amor en todas sus formas, incluyendo la disciplina,
puede ser una gran bendición para los hijos. Ellos deben
aprender obediencia de su familia. Deben aprender los principios del corazón a través del ejemplo de los miembros de
su familia. Si así lo hacen, asimilarán futuras lecciones del
Señor y disfrutarán mucho más de la vida. Sí, el amor que
emana de la disciplina administrada con cariño trae consigo
el Espíritu del Señor.

¿Existe un poder mayor que el amor? ¿Hay algún mandamiento más grande? El Señor mandó que en primer lugar
y por encima de todo, debemos amarle a Él, y en segundo
lugar, debemos amarnos unos a otros. De esto depende toda
la ley y los profetas (véase Mateo 22:35–40).

El amor es una motivación divina; motiva al Señor y,
por tanto, debe motivarnos a nosotros también. Esto se
aplica de manera particular al trato entre los integrantes de
nuestra familia. Joseph F. Smith dijo una vez:

Padres, si quieren que a sus hijos se les enseñen los principios del Evangelio, si desean que amen la verdad y la entiendan, si desean que les sean obedientes y estén unidos a ustedes, ¡ámenles! Y demuéstrenles que les aman mediante cada palabra y hecho. Por su propio beneficio, por el amor que debe existir entre ustedes y sus hijos, sin importar lo rebeldes que puedan ser, tanto ellos como ustedes, cuando hablen o conversen con ellos, no lo hagan con ira, no lo hagan ásperamente ni con un espíritu de condenación.

Háblenles con amabilidad; arrodíllense y oren con ellos si es necesario, y hagan que derramen sus lágrimas con ustedes de ser posible. Ablanden su corazón; ayúdenles a tener buenos sentimientos hacia ustedes. No se valgan de la violencia... Acérquense a ellos con la razón, la persuasión y el amor sincero. Si a través de estos medios no pueden ganarse a sus hijos... no habrá medio alguno en el mundo mediante el cual puedan hacerlo (*Gospel Doctrine*, 5ª edición, [Salt Lake City: Deseret Book Co., 1939], pág. 316).

En verdad, el amor es un gran poder para bien. El presidente Smith estaba enseñando sobre la importancia de ablandar el corazón de los hijos, haciéndonos sentir amor los unos por los otros. El presidente David O. McKay lo expresó de esta manera:

Insto con gran seriedad a los padres a reunir a sus familias a su alrededor para instruirlas en la verdad y la rectitud, en el amor a la familia y en la lealtad. El hogar es la base de una vida recta, y ningún otro instrumento puede tomar su lugar ni cumplir con sus funciones esenciales. Los problemas de esta época difícil no pueden solucionarse en ningún otro lugar u organización, ni a través de medio alguno, excepto por el amor y la rectitud, el precepto y el ejemplo, así como por la devoción al deber en el hogar (*Family Home Evening Manual*, 1965, pág. 111).

Este libro ha intentado centrarse en la importancia de enseñar a nuestros hijos el amor de Dios y amarse unos a otros. No podemos pasar esto por alto. Sin embargo, a veces vemos el amor con una mira algo estrecha, llegando de este modo a no lograr entender cómo es que nuestros hijos pudieron hacer algo malo cuando les hemos demostrado tanto amor.

Cuando usted piensa en Jesucristo, ¿qué imagen tiene de Él? La mayoría de las personas lo imaginan sanando al enfermo, perdonando a la mujer adúltera y amando a los niños pequeños. Piensan en Él como en un Dios amoroso, amable y tierno.

Todo esto es verdad, mas debemos recordar que el amor genuino está motivado por aquello que va a ser mejor para la otra persona. En ocasiones, la suavidad, la ternura y el cuidado amoroso del momento puede que no sean lo mejor para la persona a la que amamos. Debemos recordar que fue el mismo Jesús el que expulsó a los inicuos del templo, el que reprendió a Pedro, Santiago y Juan, a José Smith y a todos los santos en Misuri.

¿Cómo pudo hacer esto alguien que amaba tanto a Su pueblo? Tenemos que entender que el Señor hará siempre lo mejor para Su pueblo, aun cuando ello implique llevárselos de la tierra, para que no se hundan más y más en el pecado. En verdad, el castigo es realmente un acto de misericordia por parte del Señor, motivado por Su amor divino.

El Señor explica este principio de manera hermosa en Doctrina y Convenios 95:1–2: "De cierto, así dice el Señor a vosotros a quienes amo, y a los que amo también disciplino para que les sean perdonados sus pecados, porque con el castigo preparo un medio para librarlos de la tentación en todas las cosas, y yo os he amado. Es necesario, pues, que seáis disciplinados y quedéis reprendidos delante de mi faz".

Resulta interesante que el Señor diga que castiga a los que ama. Ya que Él ama a todos Sus hijos, podemos dar por entendido que recibiremos una porción de ese castigo, cuyo propósito verdadero es que nuestros pecados sean perdonados. También me impresiona el hecho de que diga que preparará un medio para librarnos de la tentación, si lo seguimos como discípulos Suyos. Entonces, tras haber hablado del castigo, vuelve a afirmar: "Yo os he amado".

¿No es ése el mismo espíritu con el que debemos disciplinar a nuestros hijos? No mal interpretemos el "castigo" como palabras ásperas, respuestas poco amables o una agresión física y severa. El Señor no actuó de esa manera, ni tampoco debemos hacerlo nosotros. Debemos amar a nuestros hijos con todo nuestro corazón, con amabilidad, ternura y cálido afecto. En ocasiones, y si lo necesitan, también debemos castigarles. Recuerde que estamos demostrando amor cuando disciplinamos a nuestros hijos del mismo modo que si les diésemos un abrazo. Los hijos que reciben la disciplina amarán mucho más a sus padres si éstos lo hacen con un espíritu de amor.

## EL PODER DEL ARREPENTIMIENTO

Recordemos que nuestro motivo para disciplinar a los hijos es ayudarles a tener un corazón humilde y arrepentirse de sus pecados. En otras palabras, si han endurecido el corazón y están haciendo algo malo, necesitan que, a veces, se les ayude por medio del castigo para hacerles humildes y que de este modo reciban el Espíritu del Señor. Si ése es nuestro objetivo, no cometeremos demasiados errores al disciplinar a nuestros hijos. Si verdaderamente los amamos, estaremos deseosos de hacer cualquier cosa buena y correcta para ayudarles a volver su corazón al Señor.

Aunque la palabra *disciplina* tiene cierto significado negativo, procede de la palabra *discípulo*. El Señor nos disciplina, y si estamos dispuestos a recibir Su disciplina con el espíritu correcto, llegaremos a ser Sus discípulos.

La palabra *arrepentimiento* denota un cambio de corazón o de mente, o, en otras palabras, una conversión. Puede que se trate del "potente cambio" del que se habla en el Libro de Mormón (véase Mosíah 5:2; Alma 5:14).

La palabra hebrea para *arrepentirse* significa "volverse o regresar a Dios". Así que, cuando hablamos del arrepentimiento, estamos hablando de un aspecto muy positivo del Evangelio. Cuando me arrepiento, estoy volviendo mi corazón a Dios. Estoy procurando pasar por ese cambio potente. De igual modo, cuando administro disciplina a mis hijos, mi deseo es que vuelvan el corazón a Dios.

Cuando el Señor castiga a alguien, siempre lo hace con un propósito bueno. Nunca se trata de castigar por el mero placer de hacerlo, sino que consiste en hacer que las personas se vuelvan al Señor, hacer que su corazón sea humilde y que, de este modo, crezcan y aprendan de los errores que han cometido. Si ése es nuestro propósito al disciplinar a nuestros hijos, sabremos que estamos en el camino correcto.

Si comenzamos con la premisa espiritual correcta sobre la disciplina, tendremos muy pocos problemas para disciplinar a las personas o para recibir nosotros mismos la disciplina del Señor. Es esencial que, a medida que vayan creciendo, enseñemos a nuestros hijos a decir: "Hágase Tu voluntad, oh Señor, y no la mía".

Todos somos egoístas, especialmente los niños, al querer hacer siempre nuestra voluntad. A veces los niños quieren meterse con sus hermanos y hermanas, intentan competir unos con nosotros. Todos estos tipos de actividades generan contención en el hogar. En muchas ocasiones los niños hacen cosas por motivos equivocados —para complacer a sus padres o para evitar el castigo— y no tanto por el hecho de que esas cosas sean correctas.

Aquellos que buscan complacerse únicamente a sí mismos son muy egoístas. Pero la voluntad del Señor debe estar por encima de todas las cosas. Debemos aprender a hacer aquello que no nos apetece simplemente porque debemos hacerlo. La clave reside en fomentar en nuestros hijos el deseo de responder al sentimiento de "tienes que hacerlo". Si su motivación es algo meramente externo, nunca estarán bien disciplinados ni serán sumisos ante el Señor.

Por ejemplo, cuando comenzamos a leer las Escrituras como familia, teníamos la norma de que los niños debían estar levantados a las seis en punto. Si no lo hacían, tendrían que irse a cama una hora antes la noche siguiente, con la idea de que necesitaban dormir más si no eran capaces de levantarse para el estudio de las Escrituras. Entonces, uno de mis hijos dijo algo que realmente me llamó la atención: "Papá, la única razón por la que vengo a la lectura de las Escrituras es para no tener que irme temprano a cama". Nos dimos cuenta de que estábamos presionando injustamente a nuestros hijos para que obedeciesen, así que prescindimos de esa norma. Nuestros hijos responderán externamente a ese tipo disciplina, mas no aprenderán a obedecer por los motivos correctos: el deseo interior de seguir al Señor.

Puede que la descripción más importante sobre lo que significa ser humilde ante el Señor se encuentre en Mosíah 3:19:

> Porque el hombre natural es enemigo de Dios, y lo ha sido desde la caída de Adán, y lo será para siempre jamás, a menos que se someta al influjo del Santo Espíritu, y se despoje del hombre natural, y se haga santo por la expiación de Cristo el Señor, y se vuelva como un niño: sumiso, manso, humilde, paciente, lleno de amor y dispuesto a someterse a cuanto el Señor juzgue conveniente imponer sobre él, tal como un niño se somete a su padre.

Verdaderamente, todos nosotros debemos someternos a nuestro Padre Celestial. Especialmente nuestros hijos, cuando son jóvenes, se someterán a sus padres terrenales porque querrán hacerlo, si dichos padres los han disciplinado correctamente.

Echemos un vistazo a algunas declaraciones del Señor mismo, de las cuales podemos aprender algunos principios para manifestar este tipo de amor por nuestros hijos. Aquellos padres que son un poco indolentes, sienten que no deben intervenir en los problemas de sus hijos o cuando éstos se están peleando. Sin embargo, el Señor ha dicho claramente: "Ni permitiréis que vuestros hijos anden hambrientos ni desnudos, ni consentiréis que quebranten las leyes de Dios, ni que contiendan y riñan unos con otros y sirvan al diablo, que es el maestro del pecado, o sea, el espíritu malo de quien nuestros padres han hablado, ya que él es el enemigo de toda rectitud" (Mosíah 4:14).

Está muy claro que no debemos permitir que nuestros hijos peleen unos con otros ni que transgredan las leyes de Dios. Además, el Señor dice que el obispo debe ser un hombre "que gobierne bien su casa, que tenga a sus hijos en sujeción con toda honestidad" (1 Timoteo 3:4). Esto mismo se aplica a cualquier familia buena.

En el libro de Proverbios encontramos muchos consejos sobre la disciplina:

> No rehúses corregir al muchacho; porque si lo castigas con vara, no morirá. (Proverbios 23:13).

> Castiga a tu hijo en tanto queda esperanza; mas no se apresure tu alma para destruirlo (Proverbios 19:18).

> Corrige a tu hijo, y te dará descanso, y dará alegría a tu alma (Proverbios 29:17).

El Nuevo Testamento nos enseña también a no provocar a nuestros hijos a la ira:

> Padres, no exasperéis a vuestros hijos, para que no se desalienten (Colosenses 3:21).

> Y vosotros, padres, no provoquéis a ira a vuestros hijos, sino criadlos en disciplina y amonestación del Señor (Efesios 6:4).

Siempre me impresiona el que, cuando damos tiempo a nuestros hijos para que acudan al Espíritu y lo sigan, el Señor les dice qué hacer y ellos escogen lo correcto. A veces necesitan que sus padres les ayuden a tener el valor suficiente para hacer frente a sus propios errores, pero a medida que les hacen frente una vez tras otra, aprenden por sí mismos a hacer lo correcto.

A comienzos de curso, uno de nuestros hijos y su amigo

fueron descubiertos cuando intentaban subir por una valla metálica del campo de béisbol durante la hora del almuerzo. No sabían que eso iba contra las reglas; sin embargo, los maestros les mandaron entrar y les hicieron trabajar sin descanso durante varios días. Probablemente fueron un poco más duros con ellos de lo que deberían haber sido.

Nuestro hijo volvió a casa muy enfadado con los maestros; se sentía muy rebelde, con la actitud de "Ya les enseñaré yo" y "Que esperen nomás hasta que sepamos cómo devolvérsela". En otras palabras, él y su amigo no recibieron el castigo con humildad sino con un corazón endurecido.

Mi esposa y yo comenzamos a hablar con este hijo para convencerle de que debía disculparse ante el maestro aunque el castigo hubiese sido un tanto duro. Él se resistió, preocupado por lo que sus amigos pudieran decir. En vez de tomar la decisión por él, finalmente le dije que fuese a su cuarto y orase, y que si el Señor le decía que no tenía que disculparse, yo estaría de acuerdo. Pero que si el Señor le decía que tenía que hacerlo, entonces él debía ser lo suficientemente hombre como para hacerlo. Tras estar a solas por más o menos unos veinte minutos, volvió con un corazón humilde y con la determinación de que, sin importar lo que costase, se disculparía con el maestro, lo cual hizo al día siguiente.

Estoy convencido de que si damos a nuestros hijos una oportunidad de escoger, tras haberles enseñado principios correctos, el Espíritu Santo les guiará a decidir por ellos mismos lo que deben hacer, sin que nadie les dirija ni controle su vida. Ellos deben decidir por sí mismos.

## PRINCIPIOS QUE GOBIERNAN LA DISCIPLINA

Con el transcurso de los años he aprendido varios principios sobre la disciplina que han hecho mucho más fácil el volver a nuestros hijos al Señor:

1. No discipline cuando esté enfadado o fuera de control. Espere hasta un poco más tarde.

2. Después de disciplinar, asegúrese de mostrar un mayor amor (véase D&C 121:43).

3. Ame, ame y ame a todos, pero especialmente a aquéllos que parecen merecerlo menos.

4. Al disciplinar, aplique consecuencias lógicas (consecuencias que tengan alguna relación con el pecado cometido). En muchas ocasiones, el dejar que los hijos hagan frente a las consecuencias naturales de sus propios actos es la mejor disciplina posible, siempre y cuando no les vaya a ocasionar daño alguno.

5. Cuando discipline, asegúrese de no apresurarse a apaciguar las cosas. A veces, después de que los padres han aplicado la disciplina, intentan acercarse cariñosamente y mostrar amor por sus hijos demasiado pronto. Existe un tiempo determinado para mostrar mayor amor. Si se hace demasiado pronto y los padres intentan arreglar la situación en vez de permitir que el hijo acuda a ellos, éste puede mal interpretar este afecto como una debilidad de la decisión de los padres. No intente enmendar una relación temporalmente exasperada hasta que sea el momento apropiado.

6. No sea demasiado misericordioso con el transgresor cuando haya quebrantado una ley. Su amor debe ser mayor que eso. No debemos permitir que el Señor se ofenda por nuestra falta de resolución para ayudar a nuestros hijos a seguir un principio correcto.

7. Ame a sus hijos lo suficiente como para hacer que hagan frente a las consecuencias de su propio comportamiento. No les proteja de los resultados.

8. Planee con antelación, antes del acaloramiento del momento, las consecuencias que tendrán que pagar por romper las reglas familiares. Asegúrese de que se entienden con claridad, y entonces los hijos tenderán a disciplinarse a sí mismos.

9. Cuando administre disciplina, no dé justificaciones ni explicaciones para la misma. Si lo hace, terminará mermando su eficacia.

10. Aprecie y ame físicamente a sus hijos. El contacto físico rompe numerosas barreras. Béselos y abrácelos.

11. Reconozca, alabe y felicite toda buena actuación. Felicite a sus hijos por el valor intrínseco de lo que hayan hecho y no porque usted persiga alguna razón manipuladora por su parte ("Me complace lo que has hecho").

Al observar cómo los padres disciplinan a sus hijos, con frecuencia suelen seguir dos pautas diferentes. A mi juicio, uno es correcto y el otro no.

## PRINCIPIOS INCORRECTOS
## DE DISCIPLINA

1. A veces las conversaciones de los padres con sus hijos se centran únicamente en el problema y no en cómo se sienten los hijos con respecto al problema. Los padres dan consejo, crítica, condenación, etcétera, y los hijos tienden a rebelarse, a contraatacar y a negarse a hablar, por lo que no se soluciona nada.

2. Después de una conversación, los padres imponen la disciplina a sus hijos. Debido a que esta disciplina es *externa* para los hijos, éstos vuelven a rebelarse, sienten rencor y terminan por rechazarla. Aunque aparentemente aceptan los deseos de sus padres, conservan estas tendencias internas que con el tiempo acaban por salir a la superficie.

3. Los padres se sienten mejor porque han descargado sus sentimientos, pero los hijos continuarán haciendo lo malo más adelante ya que no han aprendido nada, excepto a evitar a los padres que les disciplinan. Además, ya no se llevan tan bien con sus padres, por lo que la relación decrece o se destruye. Quizás lo más importante es que el problema que tenía que corregirse continúa igual y se volverá a repetir.

4. A causa de la naturaleza de la disciplina, las cosas no permanecen en un estado neutral. O bien los hijos aceptan el consejo, cambian, se humillan y se arrepienten, o bien rechazan el consejo, por lo que la disciplina administrada les perjudica a ellos mismos y a su relación con los demás.

Los padres no pueden seguir dando este tipo de disciplina sin que tenga resultados perjudiciales, los cuales terminarán ocasionando la destrucción de sus hijos o de su relación con ellos.

## PRINCIPIOS CORRECTOS DE DISCIPLINA

Hay una manera más inteligente de disciplinar:

1. Los padres orarán (en su corazón) antes y durante la conversación con sus hijos. Orarán para poder ablandar sus propios corazones y ser un instrumento en las manos del Señor para hacer que se humille el corazón de sus hijos. Los padres serán, además, receptivos a las impresiones que reciban.

2. Los padres centrarán la conversación en los *sentimientos que tengan sus hijos* con respecto al problema, y no tan sólo en el problema en sí. Intentarán entender por qué sus hijos hicieron lo que hicieron, permitiéndoles describir el problema desde su propio punto de vista; ello creará una atmósfera abierta en la que se pueden expresar los verdaderos sentimientos sinceros. Esto es especialmente importante porque, a menos que los hijos expresen tales sentimientos, no se efectuará ningún cambio duradero. Los padres podrían decir cosas como: "¿Qué sentías cuando estabas haciendo eso?", o "percibo que realmente tienes sentimientos profundos al respecto. Ayúdame a entender por qué te sientes así". Si los padres omiten este paso, los hijos puede que intenten ocultar lo que ocurrió en realidad y no admitan sus errores. Es *de vital importancia* que se anime a los hijos a compartir sus sentimientos sobre lo que ha sucedido.

3. Los padres crearán un ambiente en el que los hijos puedan humillarse y pedir consejo. La meta de los padres debiera ser preparar una atmósfera tal que los hijos estén dispuestos a aprender. Si no están dispuestos a aprender, cualquier cosa que se les diga será destructiva. Acabarán por perder el respeto a los padres, ya que la disciplina ha sido "injusta", o acabarán perdiendo el respeto por sí mismos

porque los padres creen que ellos "no son buenos". Aun si los padres *tienen razón*, si les aconsejan en el momento equivocado, todo terminará siendo ofensivo.

La relación entre padres e hijos debe estar en orden. No basta con que los padres se sientan bien con sus hijos; los hijos deben también sentirse bien con sus padres. Sólo entonces la disciplina será eficaz.

4. Una vez que los hijos han hablado de lo acontecido y han expresado sus sentimientos, los padres pueden hacerles algunas preguntas a modo de aclaración y darles consejo inspirado para que puedan aprender.

5. Cuando los hijos entienden *por qué* estuvo mal lo que hicieron, ellos se disciplinarán a sí mismos. La disciplina procede del interior.

6. Debido a que la disciplina viene del interior, el cambio es permanente y contribuye al crecimiento y desarrollo de nuestros hijos. Ellos ven que es para su propio beneficio el no volver a hacer lo que han hecho.

7. Debido a la forma en que se ha disciplinado, la relación entre padres e hijos se ve fortalecida y el amor de ambos ha enraizado. Además, los hijos serán más dados a escuchar a sus padres en el futuro. Finalmente, nuestros hijos tendrán una mayor inclinación a volverse a su Padre Celestial y a arrepentirse de sus pecados porque su corazón se habrá ablandado.

Hay muchos otros principios de disciplina eficaz que se podrían abordar. Por ejemplo, los padres deben tratar con mucho cuidado de no resolver un problema serio en el momento mismo en que ocurra. Harían mejor en esperar hasta un poco más tarde, unas horas después o al día siguiente, antes de intervenir, especialmente si están sintiendo la emoción del momento. A veces esta misma apariencia de dejadez por parte del Señor, es utilizada por los no creyentes como evidencia para "probar" la "no existencia" de Dios.

El mundo critica al Señor por permitir que pasen cosas malas. Se preguntan por qué permite que los niños pequeños mueran, que las mujeres sean violadas, que haya muertes violentas, etc. Aun cuando estas cosas son difíciles de entender, debemos tener fe en que el Señor sabe lo que está haciendo. Tal como dijo Isaías: "Porque mis pensamientos no son vuestros pensamientos, ni vuestros caminos mis caminos, dijo Jehová. Como son más altos los cielos que la tierra, así son mis caminos más altos que vuestros caminos, y mis pensamientos más que vuestros pensamientos" (Isaías 55:8–9; véase también Alma 14:8–11). Verdaderamente, el que el Señor lo sepa todo, el que tenga todas las respuestas en Su mano pero aun así no intervenga, aun cuando el mundo lo haría, puede ser una de Sus más grandes características.

Muchos padres no están lo suficientemente disciplinados como para refrenarse y permitir que sus hijos aprendan a su propio ritmo, que experimenten las cosas por sí mismos. En vez de eso, arden en deseos de inmiscuirse y decirles a sus hijos lo que tienen que hacer, porque, después de todo, los padres "son los que saben". Intentarán manipular a sus hijos para que vayan en esa dirección.

Parece que el Señor trabaja en sentido contrario. Si se lo pedimos, Él nos ayudará. Mas no parece tener un control total o directo sobre las cosas. Parece estar en "reposo", permitiendo así que la persona tenga un crecimiento y un desarrollo máximos. Cuando a veces los padres ven claramente lo que hay que hacer, les resulta difícil refrenarse y no intervenir o dar esta información que les ayudará a solucionar los problemas de sus hijos. Pero el retraerse puede ser una mayor manifestación de amor, nos da una nueva comprensión sobre la majestuosidad del amor de Dios, y hace que reconozcamos que sabemos muy poco sobre el Señor.

Podríamos hacer todo por nuestros hijos, pero la única seguridad real para ellos reside en sí mismos. Podemos fijar restricciones para guiarles y poner toda protección a su alrededor. Pero al fin y al cabo, la prueba final depende de ellos. *Deben* ser capaces de ser ellos mismos y de seguir las impresiones del Espíritu.

Cuando discipline a sus hijos, recuerde que las personas generalmente hacen las cosas de la mejor manera posible. Puede que tengan motivos incorrectos y que cometan errores, pero generalmente tienen una razón para hacer lo que hacen.

Si los padres y los hijos saben que no se ofenderán unos con otros de manera intencional sino que buscan la comprensión mutua, con el tiempo esa confianza nos otorgará sus muchos dividendos.

## LA CONFIANZA ENTRE PADRES E HIJOS

Una de nuestras hijas estaba muy inquieta por la llegada de su undécimo cumpleaños. Quería que le prometiésemos que podría invitar a una de sus amigas al cumpleaños para que durmiera en casa el viernes por la noche. No le dijimos que sí ni que no, pero a medida que se acercaba la fecha, supimos que sus amigas estaban planeando darle una fiesta sorpresa.

Al saberlo, le dijimos que no iba a ser posible que nadie se quedase a dormir el viernes por la noche. Ella estaba realmente decepcionada; lloró e insistió constantemente sobre el asunto durante algún tiempo. Nosotros continuamos diciéndole: "Cariño, todo va a estar bien. No te preocupes". A ella le costaba mucho entender el porqué.

Finalmente le dije: "Mira, ¿crees en tu padre?".

"Sí".

"¿Crees que yo haría algo que te hiriese o que te perjudicase?"

"No".

"Entonces confía en mí y todas las cosas se solucionarán por sí mismas para el viernes por la noche, ¿de acuerdo?"

Finalmente creyó y nuestra conversación la tranquilizó un poco. Cuando llegó el viernes, encontramos una excusa para ir a la casa de su amiga, y al entrar en la sala todas sus amigas estaban allí con un cartel enorme y gritando: "¡Feliz cumpleaños!"

Nuestra hija estaba muy emocionada y sorprendida. Estaba muy entusiasmada por el amor de sus amigas al celebrarle su cumpleaños. También estaba muy contenta por la confianza que había puesto en sus padres, la cual se había visto recompensada. Se quedó allí toda la tarde y disfrutó de un cumpleaños maravilloso.

¡Cuánto tienen que confiar los hijos en sus padres! Los padres conocen el fin desde el principio en cuanto a algunas cosas, y si tan sólo sus hijos creen y confían, todo saldrá bien para ellos, normalmente incluso mejor de lo que esperaban. La confianza no se edifica en un instante, sino a través de muchas semanas y meses de experiencias de padres e hijos que ven cómo responden mutuamente con amor verdadero. Vuelvo a decir que si los padres enseñan a sus hijos a orar, a leer las Escrituras y a obedecer la voz del Señor, las responsabilidades serán tratadas entre el Señor y los hijos, y los padres no tendrán que ser los "guardianes" que dirijan la vida de sus hijos.

## LA AUTODISCIPLINA

Un día, un chico estaba molestando a uno de mis hijos en la escuela; le había molestado porque él y otros jóvenes Santos de los Últimos Días estaban vestidos con sus hermosas ropas de domingo. Habían planeado ir al templo justo después de la escuela para hacer bautismos por los muertos y estaban pasando por un momento bastante difícil a causa de que los otros estudiantes se metían con ellos por motivo de la ropa.

Un chico que era más bajito que mi hijo siguió metiéndose con él. Mi hijo era muy fuerte para su edad y tenía la tendencia a no quedarse cruzado de brazos con nadie. Podría haber hecho fácilmente que el otro muchacho dejase de molestarle, pero evitó hacerle daño aun cuando este chico le hiciese pasar por un mal momento. Un par de jovencitas Santos de los Últimos Días se quedaron muy impresionadas con la actitud de mi hijo y le dijeron que admiraban su disciplina para evitar irse a las manos. Mi hijo contestó: "No podía pegarle porque voy a ir al templo".

Me quedé impresionado por el hecho de que supiese en su interior que estaba mal "ir repartiendo bofetadas a la gente", especialmente cuando iba a ir al templo. De algún modo, este mensaje se había arraigado en su corazón y le ayudaba a disciplinarse y a controlarse. Encontré interesante el que, aun después de pasar por esta experiencia, este hijo mío siguiese ejerciendo un mejor control de sí mismo y evitara irse a las manos con los demás.

Los adultos pueden ejercer este mismo tipo de autodisciplina cuando hablen de algo que saben que está mal. En una ocasión, mi esposa asistió a un almuerzo con otras mujeres. Algunas eran Santos de los Últimos Días activas, otras eran menos activas, y también asistieron unas cuantas que no eran miembros de la Iglesia. El tema de conversación se volvió hacia el aborto y la píldora anticonceptiva. Durante varios minutos una de las mujeres expresó categóricamente que no había nada malo en el aborto y que no debería haber restricción alguna sobre el control de la natalidad.

Mi esposa tuvo que hacer frente a la difícil decisión de hablar accerca del tiempo o hablar en favor de la verdad. Escogió hacer esto último, explicando que en la mayoría de los casos el aborto es un pecado serio, con las únicas excepciones de cuando es resultado de una violación o del incesto. Aun entonces, el asunto debía ser decidido tras aconsejarse cuidadosamente con los líderes del sacerdocio y bajo la dirección del Espíritu del Señor, y terminó dando su testimonio sobre el tema. Tal como cabe esperar, el almuerzo concluyó de manera bastante brusca. Sin embargo, más tarde, una de las mujeres inactivas se acercó a mi esposa para decirle que nunca antes había entendido el punto de vista del Señor en cuanto a estos asuntos, pero que había sentido que mi esposa había dicho la verdad.

Hace pocos años, una de mis hijas se encontró en una circunstancia parecida. Se dirigía a una clase cuando una de sus amigas le dijo: "Faltemos a esta clase". La chica hizo sonar su comentario muy tentador, mas nuestra hija lo pensó y sintió que el Espíritu le decía que no debía hacerlo. Entonces le dijo a su amiga: "No, no estaría bien. Tengo que ir a clase". Y lo hizo.

Más tarde le pregunté qué había pasado con su amiga. Ella se quedó pensando por un instante y me dijo: "Bueno, en ese momento no me di cuenta, pero ella también fue a clase".

Cuán agradecido estoy de que oyera la voz del Espíritu y tuviera la autodisciplina de seguirla. Esta experiencia me hizo saber que mi hija estaba ciertamente progresando espiritualmente y que merecía una mayor confianza por parte de sus padres.

Todos nosotros, tanto hijos como padres, necesitamos el valor para seguir la voz del Espíritu, pues en realidad el Señor mismo es el que disciplina. No conozco un dolor mayor que el de decepcionar al Señor. Cuando actuamos así, con frecuencia necesitamos de un arrepentimiento intenso para recuperar el privilegio de volver a tener el Espíritu con nosotros para darnos instrucción.

## EL REQUISITO DE LA RESPONSABILIDAD

Algunos padres tienen dificultades para hacer que sus hijos se responsabilicen de cosas tales como la hora en que estarán en casa, dónde han estado, qué han estado haciendo o, especialmente, si han cumplido una asignación. Más importante que planear y hacer el trabajo es el hacer a uno responsable por lo que ha hecho, principio que se enseña con claridad en las Escrituras.

Los padres pueden ayudar a sus hijos a ser más responsables si siguen ciertos principios. Por favor, considere los siguientes:

1. Si a los hijos no se les requiere dar un informe de mayordomía a sus padres, terminarán por no tenerles respeto.

2. Si los hijos no tienen respeto por sus padres, no les obedecerán, aun cuando éstos esperen que lo hagan.

3. Si no hay un informe de mayordomía, no habrá progreso, ya que no hay corrección, ni guía, ni dirección.

4. El Señor hace responsables a los padres por el informe de mayordomía y la disciplina de sus hijos.

5. Para requerir un informe apropiado por la tarea a realizar, los padres deben asegurarse de que la asignación sea clara y específica, y que los hijos sepan de antemano lo que se espera de ellos.

6. Cuando los padres dan asignaciones, deben verificar que sus hijos les mantengan informados de las mismas.

Si los hijos tienen dificultades con una asignación razonable, los padres no deben tener demasiada prisa para meterse en el medio. Algunos de nosotros cometemos el error de intentar tomar cartas en el asunto y solucionar todos los problemas de nuestros hijos. Una cosa que he aprendido del Señor es que Él no parece excesivamente deseoso de inmiscuirse. Él me permite tener dificultades, sentirme frustrado, humillarme, intentar solucionar el problema y finalmente ver los frutos de mis esfuerzos y el crecimiento personal subsiguiente. Los padres necesitan seguir el ejemplo del Señor en este aspecto. Deben estar cerca de sus hijos, preocupándose por lo que pasa en su vida y en su corazón, mas no deben estar demasiado dispuestos a ayudarles a solucionar cada problema a través de su "gran sabiduría", su "gran resolución" o su "gran disciplina". De otro modo, ¿cómo aprenderán los hijos a desarrollar sus propias fuerzas y a acudir al Señor en busca de ayuda?

Los padres deben ser responsables de que se cumplan las reglas de la familia. Si los padres pasan por alto el cumplimiento de una regla durante un período de tiempo, no debieran sorprenderse cuando sus hijos rompan dicha regla con frecuencia. No es apropiado que los padres castiguen a los hijos por su propia negligencia en el cumplimiento de las reglas. En tales casos, el problema reside en una falta de liderazgo por parte de los padres y no en la desobediencia del hijo.

## UNA LECCIÓN DE RESPONSABILIDAD

Una mañana me di cuenta de que uno de mis hijos estaba muy triste por algo. Me lo llevé a solas y comenzamos a hablar de lo que le preocupaba. Tras vacilar un poco, me dijo: "Papá, yo fui el que dejó salir a Patches". Supe entonces que estaba hablando del conejo mascota de los vecinos, al cual llevaban intentando encontrar más de un mes. Pensé: "Estos amigos van a tener un poco de resentimiento hacia nosotros".

Cuando le pregunté por qué lo había hecho, me dijo: "No lo sé. Creo que estaba enfadado con mi amigo". Recordé entonces que nuestros hijos habían tenido una preocupación adicional por encontrar el conejo de los vecinos y ahora entendía el porqué.

Hablamos por unos minutos sobre lo que todo ello implicaba. Le pregunté si tenía que hablar con su amigo pero él había estado orando y ya había decidido hacerlo.

Su mayor preocupación era que el otro chico dejara de ser amigo suyo. Seguramente le preguntaría por qué había dejado escapar al conejo y por qué no se lo había dicho semanas atrás. Los padres se habían sentido tan mal que llegaron a comprarle otros dos conejos para reemplazar el que habían perdido. Mi hijo se preguntaba si estaría bien llamar a su amigo y tratar el problema por teléfono. Yo le dije que generalmente era mejor hablar con la gente cara a cara y que quizás podría invitar a su amigo a venir a casa. Le di la opción de que yo estuviera presente o de que él hablase a solas con su amigo, y a poco me dijo que lo haría a solas.

Le expliqué que, además de aclarar el asunto con su amigo, tendría que aclararlo con el Señor. Él me dijo que ya había orado y que había pedido perdón. Ciertamente había seguido las impresiones recibidas del Espíritu en cuanto al asunto.

Mi hijo invitó a su amigo a venir a nuestra casa y se fueron juntos a ver un video. Yo bajé en dos ocasiones para ver lo que había pasado, sólo para descubrir que todavía no habían sacado la cuestión a relucir. Tuve la impresión de que él estaba atascado porque realmente le preocupaba la reacción de su amigo. Finalmente le pedí que se acercara a mí y le dije que necesitaba el valor para hacer lo que tenía que hacerse, y que tenía que hacerlo ya.

Al poco rato, este buen muchacho estaba de regreso con una gran sonrisa, diciendo que todo había quedado resuelto. Hablé con mi hijo y con su amigo por un minuto y le dije a este último cuán mal se había sentido mi hijo por lo que había sucedido, que tenía la esperanza de que todo esto no llegase a afectar la amistad entre ellos y que esperaba que le perdonase. El joven sonrió y dijo que no había ningún problema. Mi hijo se ofreció para comprar otro conejo, pero él le dijo que realmente no quería otro porque ya tenía otros dos.

Yo estaba muy complacido al ver que mi hijo había sido lo suficientemente responsable como para hacer frente a la situación y aclarar las cosas con su amigo y con el Señor. Verdaderamente, casi todo lo hizo él solo, aunque alguien había estado allí para ayudarle a ser responsable y animarle a hacer lo que ya había decidido que era correcto; algo muy diferente a *decirle* lo que tiene que hacer y *hacer* que lo haga.

## TÉCNICAS DE DISCIPLINA

Cuando hacemos que nuestros hijos sean responsables de sus actos, ellos lo interpretan como una muestra de amor. Cuando somos demasiado liberales y les permitimos hacer lo que quieran, lo interpretarán como una falta de amor. Los hijos necesitan dirección, pautas y padres que les amen lo suficiente como para hacerles acatar la disciplina apropiada por el incumplimiento de las reglas. Recuerde que los ultimatums vacíos están condenados al fracaso y que la rebelión suele ser una consecuencia inmediata.

El presidente Kimball solía decir de alguien que no estaba haciendo lo correcto: "*Tiene el derecho* a ser disciplinado, no como un castigo, sino como una ayuda para su crecimiento, debido al gran amor que le tenemos. Vayamos, por tanto, y disciplinémosle". Creo que éste es un gran principio.

Hay varias técnicas que han funcionado bastante bien con nosotros en la administración de disciplina, especialmente las siguientes:

1. Dé lo mejor de sí para que sus hijos se vuelvan al Señor.

2. Ayude a sus hijos a tener un corazón humilde y arrepentido.

Entonces ellos:

- Reconocerán sus pecados.
- Confesarán sus pecados.
- Pedirán perdón.
- Desearán corregir aquello que hayan hecho mal.
- Tendrán la determinación de no pecar más.

Como puede ver, éstos son los cinco pasos del proceso del arrepentimiento. Queremos que nuestros hijos se arrepientan, porque ello favorece la manifestación de un corazón humilde.

3. Después de la disciplina, y tras dejar pasar el tiempo apropiado, asegúrese de mostrar a sus hijos un mayor amor físico, verbal y emocional.

4. Asegúrese de no sacar a colación el pecado nunca más. A veces los padres o las familias continúan sacando a relucir una y otra vez los errores del pasado, con intención de recordárselo a la persona para que no vuelva a caer en ese error. Pero, en esencia, esto muestra que verdaderamente no han perdonado ni olvidado en su propio corazón. Es mejor *olvidarlo*, tal como el Señor prometió que haría.

5. Emplee las siete sugerencias mencionadas anteriormente en este libro para invitar al Espíritu. Si lo hace, tendrá un impacto mucho mayor para lograr la humildad de corazón de sus hijos.

6. Haga un buen uso de la reunión de consejo familiar. Los problemas que afectan a más de un miembro de la familia tienen que ser tratados abiertamente con los demás inte-

grantes de la misma. Asegúrese de que los sentimientos de todos se expresen de forma honrada y que cada persona tenga la oportunidad de ser escuchada. Generalmente todos pondrán de su parte para comprometerse y llegar a un acuerdo. (Por supuesto que éste no debe ser el caso si se trata de adaptar o ajustar un mandamiento del Señor). Los consejos de familia deben comenzar siempre con una oración, con un testimonio, con expresiones de amor y puede que hasta cantando; todo ello para invitar al Espíritu del Señor a la reunión antes de abordar temas delicados. Después de que el consejo tome las decisiones, las conclusiones deben aclararse a todos para que no haya malentendidos sobre lo que la familia ha decidido.

7. Las entrevistas privadas y de carácter personal pueden ser muy valiosas a la hora de ayudar con los problemas de disciplina. Nosotros las hemos tenido de diferente manera con el transcurso de los años. A veces teníamos una cita fija para cada niño. Otras veces hemos tenido entrevistas estando sentados a la mesa o en un árbol, y otras veces mientras paseábamos. Últimamente hemos estado celebrando entrevistas menos formales y sin estar programadas. Generalmente hacemos una oración juntos si estamos en un ambiente más formal, cuando se vaya a hacer una entrevista sobre dignidad. Si no se trataba más que de una pequeña comprobación para ver cómo les iban las cosas, generalmente dábamos un paseo por la calle y manteníamos una conversación informal.

Al principio de nuestro matrimonio solía dirigir las entrevistas yo solo como el padre. Luego descubrimos que era mucho más productivo que mi esposa y yo las tuviésemos juntos. Intentamos conocer los sentimientos de nuestros hijos hacia nosotros, saber de su progreso en la escuela, saber de sus amigos, de su progreso espiritual, etc. Esto parece tener un impacto mayor que cuando sólo uno de nosotros realiza la entrevista individualmente. No quiero decir con esto que no haya ocasiones en las que se necesite tener una entrevista con sólo uno de los padres, especialmente al hablar sobre la dignidad.

El centrar la atención solamente en un único hijo nos ha ayudado mucho para mantenerlos a todos en el sendero recto y angosto. Con frecuencia hemos percibido necesidades que, de otro modo, habrían pasado inadvertidas. A veces hemos podido hablar de cuestiones serias sobre aspectos espirituales o relacionados con el sexo. Estas entrevistas también han sido valiosas para profundizar en el amor que tenemos los unos por los otros. En muchas ocasiones, las entrevistas han finalizado con una bendición del sacerdocio y en todos los casos con una oración, la cual hace aumentar el amor que tenemos como familia.

8. Las bendiciones del sacerdocio pueden ser muy eficaces para disciplinar a los hijos. Si usted puede ayudarles a que se humillen y que sean *ellos* los que soliciten la bendición, no hará sino aumentar la fe de ellos y darles un poder adicional sobre sí mismos. También le proporcionará como padre una oportunidad de humillarse y de dar una bendición que hará aumentar enormemente el amor que existe entre padres e hijos.

Tengamos cuidado de no dar bendiciones únicamente cuando haya problemas. Debemos animar a nuestros hijos a pedir bendiciones cuando van a estar lejos de casa, cuando salen para la universidad, cuando comienzan un empleo nuevo o en cualquier otro momento apropiado. A veces un padre puede sentir la impresión de dar a su hijo una bendición de elogio. Si la familia quiere registrar este tipo de bendiciones para el futuro beneficio del hijo, por seguro que puede hacerlo.

## REGLAS

Parte del proporcionar disciplina a los hijos incluye el fijar buenas reglas, especialmente para los hijos más jóvenes; pero aun los hijos mayores necesitan ciertas reglas. Hemos intentado esforzarnos por no tener demasiadas reglas, aunque hay ciertas cosas que deben estar muy claras en la mente de los niños. Si las reglas se presentan con amabilidad, respeto y con el Espíritu del Señor, los hijos no las verán tanto como reglas sino como pautas para su propio beneficio.

Por ejemplo, hemos tenido reglas de modestia al vestir, maquillaje, joyas, etc. Nuestros hijos más jóvenes han tenido normas sobre la hora de irse a la cama, y hasta los adolescentes y los mayores suelen retirarse a descansar entre las 10:30 y las 11:00. Hemos acordado como familia tener diferentes horas para volver a casa, dependiendo de la edad de los niños. Cuando los hijos mayores salían en citas, no podían estar fuera más allá de la medianoche. No permitíamos a nuestros hijos ir a dormir a casa de otras personas ni tomar parte en fiestas nocturnas. Intentamos mantener cierto control sobre los amigos, la música, la televisión, la radio, los videos, el lenguaje y el uso del teléfono.

También hemos tenido las cosas claras sobre las tareas del colegio, de la casa, o las clases de música, para que todo ello se hiciese antes del tiempo de recreo. También había una clara premisa sobre el comer juntos como familia y, especialmente, el evitar la contención a toda costa.

Si los niños aprenden a disciplinarse ellos mismos, se ceñirán a las pautas de la familia como si vinieran del Señor. Cuanto más maduros sean los hijos, menor será su necesidad de tener reglas, a medida que se dejen guiar por el Espíritu. Si los hijos están activamente envueltos en proyectos constructivos, desarrollando sus talentos, trabajando, etc., no tendrán mucho tiempo para verse en problemas ni dificultades.

## CASTIGOS

Creo que a veces los castigos son parte necesaria de la disciplina, pero antes de administrar cualquier tipo de castigo, los padres deben considerar sus motivos para hacerlo. Deben hacerlo porque aman a sus hijos y porque tienen la intención de que el castigo les haga ser humildes y volverse al Señor. Si cumple con estas condiciones, el castigo debe administrarse. Si no, los padres deben buscar una forma diferente de disciplina.

Obviamente, los castigos variarán en gran medida, dependiendo principalmente de la edad de los niños y de lo que ellos necesiten. Siempre hemos intentado encontrar algo que el niño estime, algo que realmente fuese un sacrificio y que verdaderamente "captase su atención" si se veía privado de ello. Pero, lo que es un castigo apropiado para uno puede no serlo para otros, por lo que el castigo es algo muy individual.

Nunca hemos sido muy dados a castigar físicamente a nuestros hijos. Cuando eran más jóvenes y no lográbamos llamar su atención sobre algo, ocasionalmente les dábamos una palmada o utilizábamos una vieja raqueta de pimpón que los chicos me habían dado como regalo de Navidad y en la que escribieron "la azotadora" y otros comentarios divertidos. Acordamos utilizarla cuando fuese necesario llamar la atención de alguien. En esas ocasiones fue muy eficaz, especialmente con los más jóvenes. El temor y el respeto por "la azotadora", sin embargo, fueron siempre más eficaces que el dolor que ella ocasionaba.

Cuando a veces los hijos se rebelan por algo, quieren ser el centro de atención. Lo peor que usted puede hacer es permitírselo. Entonces, una disciplina eficaz es mandarlos a su cuarto para que puedan meditar en sus cosas.

Con el paso de los años ha sido divertido recordar que teníamos un cuarto al que llamábamos "el refrigerador", un cuarto nada cómodo, adonde enviábamos a los niños a esperar a que estuvieran listos para humillar su corazón y hablar con nosotros. Uno de nuestros hijos solía llamarse a sí mismo "el rey del refrigerador", para recordarnos que le habíamos mandado a ese lugar más que a cualquier otro.

Con los niños pequeños suele bastar el hacer que se sienten en una silla mientras se calman y retoman el control de sí mismos. Lo importante es hacer que consideren lo que ha ocurrido y que, cuando sean humildes, acudan a usted.

De vez en cuando, especialmente los más pequeños, venían y nos *decían* que eran humildes. A veces lo eran, pero otras veces no y tenían que volver a sentarse. Una vez que usted sienta que ellos verdaderamente se han arrepentido y humillado, entonces sabrá que la disciplina ha sido eficaz.

Otra técnica concreta que ha funcionado bien con nosotros es hacer que nuestros hijos estén de cara a la pared durante veinte minutos. Ésta es también una forma de aislamiento. Es, además, una posición difícil y a nuestros hijos no les gustaba, aunque ciertamente produjo los resultados deseados.

Otro acercamiento tradicional que es bueno, dependiendo de la edad del niño, es el rescindir todos aquellos privilegios que realmente le importan. Para que esto sea eficaz, usted debe saber qué es lo que sus hijos tienen en estima y eso es lo que debe suprimirse. Requiere una verdadera disciplina por parte de los padres el rescindir algo que realmente importa a nuestros hijos cuando ellos se ponen a llorar y nos suplican que se lo devolvamos. Pero usted debe mantenerse firme. Una o dos de esas experiencias enseñarán más respeto y obediencia que cien intentos de hacerlo cuando usted ceda a las lágrimas de un hijo.

Emplee consecuencias lógicas o naturales con sus hijos. Si puede encontrar una manera de que ellos "hagan frente a la tormenta", será mucho más eficaz que simplemente sacarse un castigo de la manga. Un poco de creatividad en este aspecto redundará en castigos más eficaces.

Recuerde siempre que el castigo debe administrarse con temperamento calmo y completamente al margen de la situación. Cuando usted se vea implicado emocionalmente en algo, ése no es el momento para disciplinar. Quizás desee que su cónyuge se haga cargo de la situación o puede que quiera esperar hasta que logre disciplinar sin que le impulse la emoción del momento. Especialmente, recuerde ser siempre educado en sus palabras y en sus modales, así como evitar cualquier tipo de abuso.

Hay un momento crítico en la disciplina cuando los niños lloran, suplican y dicen: "¡Lo siento! Nunca más volveré a hacerlo". Ése es el momento de continuar con la disciplina, de no prestar atención a explicaciones, promesas ni excusas (dando por entendido que usted conoce los hechos). La ocasión para hablar no es mientras se disciplina, sino una vez que ésta haya finalizado.

Cuando sus hijos sepan que usted aprecia el Evangelio, no les permita meter a éste ni al Señor de por medio. Un hijo podría decir: "Bueno, si así es como vas a ser, entonces no voy a orar nunca más", o "no voy a ir a la iglesia", o "voy a jugar al fútbol los domingos". Nuestra reacción ha sido: "Bueno, eso no tiene nada que ver con lo que estamos hablando. Si quieres hacerlo, depende de ti. Es asunto tuyo. Es algo entre tú y el Señor. Pero lo que estamos hablando es acerca de...", y luego reafirmamos cuál es el verdadero problema. No permita, bajo ninguna circunstancia, que sus hijos mezclen el tema de la Iglesia con asuntos de disciplina. Si lo hacen, terminará por convertirse en un chivo expiatorio, y con el tiempo puede que acabe destruyendo la fe y el testimonio de ellos, o hacer que dejen de asistir a la Iglesia.

A menudo los padres pueden tener éxito con recompensas tangibles como una manzana, una galleta, un paseo al zoológico, un día con un amigo, etc. Las recompensas también pueden ser de carácter social: abrazos, besos, etc. O, más importante aún, usted puede enseñar a sus hijos a reconocer los buenos sentimientos que emanan de modo natural al hacer lo bueno y lo justo. Al grado en que usted pueda hacer esto, sus hijos no necesitarán ninguna recompensa adicional. En vez de eso, ellos se proveerán sus propias recompensas.

## LOS PRINCIPIOS DE LA AUTOESTIMA

Al disciplinar a los hijos, los padres deben tener cuidado de mantener la autoestima de ellos. Nunca debemos despreciarlos ni destruir la imagen que tienen de sí mismos. Éstas son algunas formas en las que podemos fortalecer la auto-estima de nuestros hijos:

1. Fortalecer los dones, habilidades y talentos de cada uno de ellos.

2. Elogiarles con frecuencia, con una expresión sincera de amor y admiración por cómo magnifican algún talento o por cómo han hecho algo bien. Si usted presta atención, siempre podrá encontrar cosas que elogiar. Una buena regla es hacer un cumplido cuatro o cinco veces por cada corrección.

Si no puede pensar en nada bueno, ore para que el Señor le ayude a ver algunas cosas por las que usted podría elogiar a sus hijos. Esto siempre funciona. Recuerde la regla de *elogiar en público* y *corregir privado*. Sea siempre cuidadoso al rechazar las malas acciones de sus hijos, mas no a ellos en sí.

3. Recuerde que el valor de las almas es grande a la vista de Dios (véase D&C 18:10).

4. Estime a sus hijos como a usted mismo (véase D&C 38:24; Mateo 22:39).

5. Fíjese en el corazón más que en la apariencia externa (véase 1 Samuel 16:7). Ayude a su familia a apreciar la importancia de ambos aspectos.

6. El respeto por uno mismo parece estar basado en sentirse amado y de valor. Asegúrese de no hacer nada que destruya ninguno de estos sentimientos en sus hijos.

7. Su creencia en la persona es lo más importante que puede transmitir.

8. Recuerde que, en muchas ocasiones, la actitud, los gestos y la postura física expresan mucho más que las palabras.

9. Todos los hijos tienen una enorme necesidad de amor, aceptación y aprobación. Trate de satisfacer dicha necesidad, especialmente cuando esté disciplinándolos. Asegúrese de dar a sus hijos no sólo atención sino *una atención centrada*. Los hijos necesitan especialmente una atención centrada cuando están bajo presión. No basta simplemente estar con sus hijos; éstos deben sentir que forman parte

suya, que son importantes y que se les ama. En muchas familias los hijos se portan mal debido a la falta de atención. Intentan llamar la atención haciendo cosas que saben que están mal para que sus padres se fijen en ellos. Si verdaderamente escuchamos a nuestros hijos, en vez de simplemente limitarnos a saber que están a nuestro alrededor, centrándonos específicamente en sus necesidades, deseos y sentimientos, muchas cosas se solucionarán antes de convertirse en problemas.

10. Asegúrese de hacer algo con sus hijos, no sólo de acuerdo con el horario o las "necesidades" de usted, sino también con los de ellos.

11. Sea sincero en sus sentimientos sobre cada situación. Comparta los sentimientos conflictivos. Si solamente comparte una porción de sus sentimientos, puede llegar a confundir a sus hijos y ellos pueden verlo como una falta de sinceridad.

12. No basta tan sólo con amar a los hijos. Ellos tienen que ser apreciados por el hecho de existir, porque son hijos de nuestro Padre Celestial.

13. Asegúrese de tratar a sus hijos individualmente, respetando su derecho a tener sus propios sentimientos y actitudes.

14. Véase a sí mismo como un "liberador de sentimientos", en vez de como un investigador de hechos o un juez de evidencias. Reprima su predicación hasta el último momento. Primero, averigüe cómo se sienten sus hijos. Recuerde que los sentimientos negativos siempre preceden a los hechos negativos.

Nunca olvidaré el efecto que cierto hombre tuvo en mí al dañar la imagen que yo tenía de mí mismo en atletismo. Me hallaba estudiando en séptimo grado, era un poco más alto que los demás chicos y bastante bueno para el baloncesto y para correr. Sin embargo, a medida que avanzaba el año, el entrenador comenzó a decirme: "Gene, quédate en el banquillo. No sirves para el baloncesto. ¡Eres dmuy

torpe! No puedes correr, no puedes tirar y no eres rápido".
Este trato se prolongó por un buen número de meses.

Finalmente comencé a creer lo que el entrenador me
decía y en años siguientes me esforcé por evitar cualquier
tipo de deporte, excepto correr. Tomé la determinación de
no jugar al baloncesto con los jóvenes en la iglesia ni en la
escuela.

Este condicionamiento negativo permaneció conmigo
hasta el primer año de universidad, donde era necesario que
tomase parte en algunas actividades deportivas, pero reduje
al mínimo mi participación.

Un año más tarde serví como misionero en un país
lejano, un país en el que los autobuses no paraban para que
los pasajeros pudiesen subir; tan sólo aminoraban la marcha. Pronto aprendimos a subir al autobús mientras estaba
en marcha. Una tarde, cuando mi compañero y yo vimos
cómo el autobús iba calle abajo hacia la parada, comenzamos a correr para tomarlo y no llegar tarde a la siguiente
cita. Para mi sorpresa, llegué a la parada antes que mi compañero. Ese mismo día, corrí unas cuantas veces más tras el
autobús, y en cada ocasión llegué antes que mi compañero.
Yo estaba asombrado y sorprendido, especialmente porque
mi compañero había recibido numerosos premios en la universidad por ser uno de los corredores más rápidos del norte
de Arizona. Fue entonces que me di cuenta de que había
perdido todos aquellos años. Podría haberme destacado en
los deportes, pero creí lo que otra persona había plantado
en mi mente.

Esta experiencia me tomó completamente por sorpresa.
Ese mismo día dediqué algún tiempo a considerar lo que me
había pasado y si yo había creado esta imagen en mi propia
mente o si lo había hecho el entrenador de manera inadver-
tida. No importaba; el efecto era el mismo. Como resultado
de la experiencia reexaminé mi vida en otras facetas, intentando determinar si por casualidad yo o alguien más había
sido el causante del engaño para creer cosas de mí que no
eran ciertas.

Algunas personas creen que no son buenas para la música, y entonces no lo son. Otros creen que no son buenos para las matemáticas, y entonces no lo son. Por supuesto que algunos tienen talentos en ciertas áreas, pero todos podemos mejorar lo que ya tenemos. Lo que sea que usted crea sinceramente de sí mismo es verdad, aun si es falso al principio. Todos haríamos bien en detenernos y examinar lo que creemos de nosotros mismos, porque muchas de estas creencias son verdaderas y probablemente otras tantas no lo sean.

Muchos de nosotros andamos por la vida haciéndonos creer que no podemos ser más de lo que somos. Tenga cuidado al relacionarse con sus hijos para ayudarles a creer lo mejor de sí mismos y de los talentos que el Señor les haya dado. Tenga cuidado de no inhibir el gran crecimiento y el potencial que hay en ellos.

Debemos disciplinar a nuestros hijos con amor, teniendo en cuenta su bienestar eterno. Nuestro objetivo principal debe ser el volver su corazón al Señor. Si lo hacemos, nuestra disciplina será siempre eficaz.

# CAPÍTULO 7

# ENSEÑE A SU FAMILIA
# A GUARDAR LOS MANDAMIENTOS

Los tatarabuelos de mi esposa, Edward y Caroline Owens Webb, estaban entre los Santos de los Últimos Días que fueron expulsados de Nauvoo. El hermano Webb era herrero y, cuando llegó a Council Bluffs, Brigham Young le pidió que se quedase allí por un tiempo para ayudar a los pioneros que se dirigían hacia el oeste en sus preparativos de viaje. Pasaron uno, dos, tres, cuatro y finalmente cinco años antes de que el hermano y la hermana Webb se trasladasen con su familia al valle del Lago Salado. Estaban maravillados de que por fin pudieran unirse al resto de los Santos.

En 1852, los Webb estaban preparados para realizar el viaje y partieron con la última compañía que dejó atrás Council Bluffs. Cuando la compañía llegó al río Platte, se desató una epidemia de cólera en el campamento, y varias personas murieron como consecuencia de ello.

Amasa Lyman dijo al escribir sobre el brote de la enfermedad: "El llanto y el lamento de aquellos que se enfermaban era verdaderamente terrible. El ver cómo alguien caía enfermo en un instante y cómo en cuestión de menos de una hora el brillo de la salud era reemplazado por la palidez de la muerte, y el saber que aquellos que sufrían eran nuestros seres amados, tan queridos por nosotros a través de los más tiernos lazos que unen a los seres humanos, podía partir el corazón. Para la mayoría de los enfermos no habría más descanso que la tumba. Sin embargo, algunos fueron sanados mediante la ministración de un siervo de Dios".

Una joven que padecía la enfermedad mandó llamar al hermano Webb para que le diese una bendición. Aunque su esposa intentó persuadirle de que no fuese, algo que ella nunca antes había hecho, él sintió que debía ir y cumplir con su deber cuando fuese llamado. Con gran fe dio una bendición a la muchacha enferma, la cual fue sanada y pudo llegar al valle del Lago Salado. Sin embargo, él contrajo la enfermedad y murió esa misma noche. Su rudimentario ataúd fue construido con la madera de una caja que estaba unida a la parte trasera de su carromato, y fue enterrado esa misma noche cerca del río Platte. Su esposa escribió: "Falleció lleno de fe en el Evangelio".

Sólo podemos imaginar cómo debió haberse sentido la hermana Webb. En su intento de ayudar a otra persona, su esposo había perdido su propia vida. Habría sido fácil para ella desafiar a Dios, estar enfadada, molesta, y alejar a su familia de la Iglesia. En vez de eso, fue obediente al mandamiento del Señor y llevó a su familia consigo hasta su destino. Fue fiel hasta el final. Ya han pasado muchos años. ¿Qué tiene la familia Webb para corroborar este sacrificio de fe? Cientos y cientos de sus descendientes han sido investidos y sellados en el templo, y son fieles en el reino.

¡Cuán importante es guardar los mandamientos del Señor! ¡Cuán duradero es el impacto de los padres fieles! Esa fidelidad puede extenderse por generaciones de Santos.

Resulta evidente que debemos enseñar a nuestros hijos a guardar los mandamientos. Si les hemos enseñado a volver su corazón al Señor y a percibir las impresiones del Espíritu, el enseñarles a guardar los mandamientos será relativamente sencillo. Además, a medida que los hijos observan cómo sus padres viven los mandamientos, ellos *verán*, *sentirán* y *conocerán* la importancia de hacerlo. Experimentarán las bendiciones que emanan de guardar los mandamientos en una familia fiel y, de ese modo, no tendrán que ser convencidos ni pasar por un período de rebelión; pero aun así necesitan que se les enseñe.

A veces los padres creen que sus hijos aprenderán a guardar los mandamientos por ósmosis o que los aprenderán por sí mismos, y dicen: "Bueno, mis padres nunca me enseñaron y supongo que los hijos tienen la libertad para escoger por sí mismos". Sin embargo, el Señor nos ha dicho que los padres deben enseñar a sus hijos:

> Y además, si hay padres que tengan hijos en Sión o en cualquiera de sus estacas organizadas, y no les enseñen a comprender la doctrina del arrepentimiento, de la fe en Cristo, el Hijo del Dios viviente, del bautismo y del don del Espíritu Santo por la imposición de manos, al llegar a la edad de ocho años, el pecado será sobre la cabeza de los padres.
>
> Porque ésta será una ley para los habitantes de Sión, o en cualquiera de sus estacas que se hayan organizado.
>
> Y sus hijos serán bautizados para la remisión de sus pecados cuando tengan ocho años de edad, y recibirán la imposición de manos.
>
> Y también enseñarán a sus hijos a orar y a andar rectamente delante del Señor.
>
> Y los habitantes de Sión también observarán el día del Señor para santificarlo (D&C 68:25–29).

El Espíritu instruyó a Alma sobre la responsabilidad que tenía de enseñar a sus hijos a guardar los mandamientos:

> Y ahora el Espíritu del Señor me dice: Manda a tus hijos que hagan lo bueno, no sea que desvíen el corazón de muchos hasta la destrucción. Por tanto, hijo mío, te mando, en el temor de Dios, que te abstengas de tus iniquidades (Alma 39:12).

El Señor nos hará responsables si no enseñamos a nuestros hijos. El presidente Heber J. Grant declaró:

> El Señor ha dicho que es nuestro deber enseñar a nuestros hijos mientras son jóvenes y yo prefiero cumplir con Sus palabras más que dar oído a las de aquéllos que no están obedeciendo Sus mandamientos. Es absurdo imaginar que nuestros hijos crecerán con un conocimiento del Evangelio sin que se les enseñe... Mi esposa y yo podemos saber que el Evangelio es verdadero; pero quiero decirles que nuestros hijos no lo sabrán a menos que lo estudien y obtengan un testimonio por ellos mismos. Los padres se engañan a sí mismos si imagi-

nan que sus hijos nacerán con un conocimiento del Evangelio (*Conference Report*, abril de 1902, página 80).

Los líderes de la Iglesia tienen que cuidarse de no suplantar esta responsabilidad de los padres. El élder Boyd K. Packer ha dicho:

> Obispos, tengan siempre bien presente que los padres son responsables de presidir sobre sus familias.
>
> A veces, con todas las buenas intenciones, requerimos tanto de los hijos y del padre, que éste no es capaz de hacer su parte.
>
> Obispo, si mi hijo necesita consejo, primero es mi responsabilidad, y luego suya. Obispo, si mi hijo necesita esparcimiento, yo se lo daré primero y usted después. Si mi hijo necesita corrección, ésa debe ser mi responsabilidad primero, y suya después.
>
> Si yo no estoy cumpliendo como padre, ayúdeme a mí primero y a mis hijos en segundo lugar. No se apresure a retirar de mí el deber de educar a mis hijos (véase *Liahona*, julio de 1978).

## ENSEÑE A SUS HIJOS A RECIBIR LAS ORDENANZAS DEL EVANGELIO

Los padres deben hacer un esfuerzo especial por preparar a sus hijos para el bautismo y la recepción del Espíritu Santo. Deben, además, prepararles para la ordenación al sacerdocio, el cumplimiento de una misión, el matrimonio en el templo, etc. A medida que los hijos aprendan a seguir al Espíritu, querrán recibir las ordenanzas del Evangelio de modo natural.

Hay un gran poder en las ordenanzas. El presidente Brigham Young dijo:

> Dejad que el padre y la madre, que sean miembros de esta Iglesia y reino, sigan un camino recto, y se esfuercen con todo su poder en nunca hacer el mal, sino hacer el bien toda su vida; si tienen uno o cien hijos, si se comportan con ellos como es

debido, ligándolos al Señor por su fe y oraciones, no importa dónde vayan éstos; están ligados a sus padres por un vínculo eterno, y ningún poder en la tierra o en el infierno podrá separarlos de sus padres en la eternidad; ellos volverán a la fuente de donde nacieron (en Joseph Fielding Smith, *Doctrina de salvación*, 2:84).

## LA ENSEÑANZA DE LA LEY DEL DIEZMO

Hace unos pocos años, uno de mis hijos recibió su primera paga por un trabajo en un cementerio. El cheque era por un total de 245 dólares, y él estaba muy animado para comprar algunas cosas que quería.

Fuimos al banco, donde puso un tercio del dinero en su fondo de ahorro para la misión y se quedó con el resto para pagar el diezmo y comprar una bicicleta. Mientras regresábamos a casa, puso el dinero en un sobre y lo metió en la guantera trasera de la furgoneta.

De repente, otro conductor comenzó a hacernos señales con el claxon, de forma bastante molesta, supuse yo. Nos hicimos a un lado, pensando que quería adelantarsenos, pero continuó tocando el claxon y haciendo gestos muy extraños. Finalmente, en un semáforo que estaba cerrado, nos gritó: "¿No sabe que su muchacho está tirando dinero por la ventanilla? Hay billetes de veinte dólares volando por todas partes".

Mientras conducíamos, uno de los hijos más pequeños había encontrado el dinero y comenzó a tirarlo por la ventanilla trasera. Todos nos sentimos muy molestos. Regresamos a la autopista e hicimos una oración, y toda la familia se puso a buscar por unos cien metros a ambos lados de la autovía, pero no encontramos ni un solo billete. (En total se habían perdido sesenta y cinco dólares). Los billetes debieron haberse volado con el paso de los coches o alguien pudo haberlos encontrado. Mi hijo mayor lloraba y estaba muy enfadado, pues en ese mismo momento íbamos en camino a comprar su bicicleta.

Entonces dijo que si utilizaba el dinero del diezmo tendría suficiente para comprar la bicicleta. Nosotros le dijimos que no creíamos que ésa fuese una buena idea, a lo que él argumentó: "Siempre me han dicho que la tierra y todo lo que hay en ella es del Señor. Bueno, Él ya tiene Su dinero". Estaba dispuesto a que le llevásemos a comprar la bicicleta utilizando el dinero del diezmo. Finalmente dijimos que hablaríamos del asunto uno o dos días más tarde, luego de que se hubiese tranquilizado y orase al respecto. Si después de hacerlo todavía quería comprar la bicicleta, le apoyaríamos en su decisión. Si no, tendría que entregar el diezmo al obispo.

Nos pusimos muy contentos cuando a los pocos días lovimos entrar en el despacho del obispo y pagar el diezmo. Había acudido al Señor, recibió una respuesta y fue obediente a esas impresiones. Le dijimos que ciertamente sería bendecido por haber actuado así.

Sin embargo, como suele ser costumbre, comenzó a enfrentar ciertas pruebas. El dueño del cementerio donde trabajaba le dijo que tendría que rescindirle el contrato. El cementerio había sido comprado por otra persona cuyo hijo iba a realizar el trabajo del mío. Mi hijo estaba muy ofendido y nos dijo en broma pero con un tono de seriedad: "Me pregunto si realmente vale la pena pagar el diezmo".

Continuó luchando durante varias semanas, intentando encontrar trabajo en cualquier otra parte, pero no lo logró. Finalmente, un médico que era miembro de la Iglesia lo llamó para decirle que tenía un trabajo para limpiar su despacho y que si lo quería, era de él. Mi hijo aceptó entusiasmado.

Es interesante que, aunque aquel trabajo de limpieza no era tan bien pagado como el del cementerio, el médico se interesó personalmente por nuestro hijo y le ayudó mucho a madurar y a prepararse para su misión. La ganancia que recibió fue mucho más allá del mero aspecto económico.

Esta experiencia de guardar los mandamientos fue una bendición para toda la familia. Y especialmente fue de beneficio para nuestro hijo, puesto que pudo ir a la misión y predicar por experiencia propia sobre la importancia de dar al Señor un diezmo íntegro.

## ENSEÑE A SUS HIJOS
## A PROCLAMAR EL EVANGELIO

Cuando una de mis hijas tenía diez años, hablamos como familia sobre cómo emplear el Espíritu para influir en las demás personas.

Un día, mientras estaba hablando con su maestra de piano, la cual no era miembro de la Iglesia y venía a nuestra casa para darle clases, sintió una inspiración. Le dijo a su maestra, percibiendo que esto le haría sentir el Espíritu: "Cantemos juntas". La maestra estuvo de acuerdo, así que mi hija le dio un himnario a propósito para que tocase un himno. La maestra tocó los himnos con facilidad y ambas cantaron juntas. Después de cantar algunos himnos, nuestra hija recibió la impresión adicional de cantar "En el pueblo de Sión", cuya letra habla de no utilizar tabaco, te, café ni alcohol, todo lo cual utilizaba la maestra. Esta buena hija comenzó a cantar la letra con la maestra, pero ésta se quedó atascada y no pudo continuar cantando. Como resultado de la iniciativa de nuestra hija, pudimos, como familia, enseñarle más cosas del Evangelio a la maestra.

Unas semanas más tarde, esta misma pequeña desafió a un grupo de maestros de la escuela a que dejaran de tomar café (los maestros estaban en el descanso tomando café). Les dijo que iba en contra de los mandamientos del Señor. Una maestra, con la voz un tanto entrecortada, nos llamó para informarnos de lo que había hecho nuestra hija. Este tipo de experiencias edifican una verdadera fe en el niño. Resultó interesante ver cuán valiente fue y, ahora, siendo adolescente, qué gran espíritu misional conserva todavía. Esas experiencias le han sido de gran beneficio.

Tenemos que asegurarnos de que, al enseñar a nuestros hijos a guardar los mandamientos, no omitamos la obra misional. Los niños pueden tener una gran influencia en traer personas a Cristo y, al tener estas experiencias, desarrollarán un deseo de servir como misioneros regulares cuando sean mayores. Debemos enseñar a nuestros hombres adolescentes y, cuando sea apropiado, a las mujeres jóvenes, a servir una misión. Todos los varones jóvenes deben estar preparados para servir. Nosotros siempre hemos sentido que nuestras hijas debían estar preparadas para servir una misión o para casarse en el templo, sin importar cuál de las dos opciones llegara primero. Hemos enseñado a todos nuestros hijos a ahorrar dinero para servir una misión y para casarse. Cuando usted enseñe a sus hijos a prepararse para el servicio misional, quizás quiera considerar lo siguiente:

1. Haga mención en las oraciones familiares al momento en que ellos sirvan una misión, y ore para que se preparen para hacerlo. Algunos padres han dicho: "Oraremos por ellos cuando estén allí".

2. Recuerde a sus hijos los convenios que han hecho en la vida premortal para "obrar en [la viña del Señor] en bien de la salvación de las almas de los hombres" (D&C 138:56).

3. Recuerde particularmente a los jóvenes que el servicio misional es parte inherente del sacerdocio. Cuando ellos reciben su ordenación, reciben también el cometido de llamar al mundo al arrepentimiento.

4. Asegúrese de que sus hijos reciban la bendición patriarcal cuando sea el momento apropiado. Esta bendición será una guía enorme para ellos a lo largo de los años, y a muchos les dará instrucción detallada sobre la obra misional.

5. Comparta experiencias misionales propias y de otras personas.

6. Enseñe a sus hijos que una misión es otra escala en el camino hacia la exaltación que les preparará para el resto de la vida. Si verdaderamente enseñamos a nuestros hijos la importancia de la obra misional, serán enormemente bendecidos.

Hay una misión de la familia, del mismo modo que hay una misión de la Iglesia. La misión de la familia consiste también en proclamar el Evangelio, perfeccionar a sus miembros y redimir a sus antepasados que han fallecido. Enseñe a sus hijos tanto por el ejemplo como por el precepto y serán grandes misioneros —en cada uno de estos aspectos.

## EL CONTROL DE LA TELEVISIÓN
## Y DE LAS PELÍCULAS

A mi juicio, debemos tener cuidado de no permitir que la televisión nos robe el tiempo de estar con la familia. Nosotros hemos tenido diversas normas sobre la televisión, pero el resultado después de los años es que la hemos visto muy poco en nuestro hogar. A veces hemos estado meses, o incluso años, con la televisión desenchufada. Normalmente, y durante el período escolar, la televisión ha estado apagada de lunes a jueves. Hemos visto algunos programas los viernes y los sábados como familia. A veces los niños han visto dibujos animados.

El ver demasiada televisión da a los niños la idea de que siempre deben estar entretenidos, a menudo, a expensas de aprender otras cosas más importantes. Aunque no podemos escondernos de la televisión ni del mundo, sí podemos enseñar a nuestros hijos a ser selectivos y disciplinados sobre lo que van a ver y cuánto tiempo van a verlo. Debemos ayudarles a seleccionar con cuidado aquellos programas que sean educativos y edificantes. Algunas familias han hallado beneficioso el simplemente desconectar la televisión.

El enseñar a nuestros hijos a guardar los mandamientos cuando están con nosotros les reportará grandes beneficios cuando vivan su propia vida y tengan que confiar en sí mismos y en las impresiones del Espíritu para saber qué hacer. Mi esposa y yo nos congratulamos al oír a unos amigos hablar sobre la fidelidad de uno de nuestros hijos.

Una familia que no era miembro de la Iglesia había intentado invitar en una ocasión a nuestro hijo a hacer ciertas cosas con ellos en domingo, pero él siempre les había dicho que el domingo era un día para estar con la familia, que era el día del Señor y que él no hacía ese tipo de cosas en domingo. Siempre se había disculpado de manera educada y ellos quedaron muy impresionados por el hecho de que aún habiendo ejercido un poco de presión, él siempre les dijera que no.

Lo que contribuyó más a su experiencia con él fue cuando decidieron ir a ver una película un día entre semana y le pidieron que fuese con ellos. Nuestro hijo les dijo: "Sólo puedo ir si se trata de una buena película, si en ella no hay palabras malas ni escenas de sexo". Ellos le dijeron que no había ningún problema. Les preguntó qué película tenían pensado ver y cuando lo supo, les dijo que creía que no debía ir. No le presionaron más ni intentaron persuadirle.

En cierta forma se quedaron sorprendidos de que las convicciones de nuestro hijo sobre la calidad de la película fuera suficiente como para declinar la invitación de un amigo, el hijo de ellos, quien quería que él les acompañase. Se quedaron todavía más impresionados con el hecho de que siguiese firme en su posición tras hablar con dos adultos.

Estoy agradecido de que mi hijo hiciera lo correcto por sí mismo, cuando sus padres no estaban presentes. A consecuencia de su ejemplo, mi esposa y yo pudimos dar a conocer el Evangelio a esa familia.

Recuerdo otra ocasión en la que decidí llevar a dos de mis hijos a ver una película determinada. Unos vecinos nos habían hablado bien de ella, pero en los primeros minutos había bastantes palabras inapropiadas. Los tres comentamos que se trataba de algo malo, pero pensamos que sería algo pasajero. El mal lenguaje continuó, pero también nuestro interés en la proyección.

Les pregunté un par de veces a los muchachos: "¿Qué creen que debemos hacer?"; más que nada para ver en qué estaban pensando. (Para ser honrado, a mí me estaba gustando la película y, de no ser por el mal vocabulario, me habría quedado). El lenguaje se hizo todavía más crudo y finalmente nuestro hijo más joven dijo: "Papá, no creo que sea correcto que nos quedemos aquí". El hijo mayor estuvo rápidamente de acuerdo y ambos se quedaron sentados mirándome para ver qué iba a decir yo. "Bueno, probablemente tengan razón", les dije. "De hecho, creo que sí la tienen. Vámonos". Así que, algo vacilantes, más sabiendo que estábamos haciendo lo correcto, abandonamos el cine a los 15 minutos de comenzada la proyección.

Acabamos yendo a otra parte y pasándolo bien juntos. Al salir del cine tuve unos sentimientos interesantes:

1. Tengo buenos hijos.

2. Fueron realmente sensibles al Espíritu y estaban deseosos de hacer lo correcto a toda costa.

3. Observaron a su padre para ver cómo iba a reaccionar.

4. Me sentí muy a gusto de que los tres "muchachos" hubiesen salido del cine y no hubiesen visto la película, a pesar de que la tentación era grande.

En esta situación, papá quería de verdad ver la película y podría haber sido tentado a hacerlo, pero sus hijos fueron más disciplinados de lo que él fue en ese momento.

## LA OBSERVANCIA DEL DÍA DE REPOSO

A veces los hijos tienen verdaderas preguntas sobre qué pueden hacer en el día de reposo. La siguiente es una lista de algunas actividades que pueden ser apropiadas para el domingo; al menos han sido de gran ayuda para nuestra familia:

1. Leer las Escrituras.

2. Leer las publicaciones de la Iglesia.

3. Escribir cartas.

4. Trabajar en la historia familiar.

5. Ir a un centro de visitantes de la Iglesia.

6. Visitar a los enfermos y a las personas que están solas.

  7. Leer buenos libros.

  8. Tener juegos apacibles como familia.

  9. Escribir en el diario personal.

10. Orar.

11. Ayunar.

12. Tener charlas familiares.

13. Memorizar pasajes de las Escrituras.

14. Tocar y cantar himnos.

15. Trabajar en la obra misional.

16. Visitar a los vecinos.

Lo más importante es que los miembros de una familia aprendan juntos de las Escrituras el verdadero significado de guardar los mandamientos y que luego trabajen juntos para hacerlo. Éste es un enfoque mucho mejor que simplemente "deleitarse en la ley". Si los hijos contribuyen a determinar lo que es correcto, generalmente cumplirán con estas cosas mucho más estrictamente que los padres.

Una vez que estábamos teniendo dificultades en lo concerniente a santificar el día de reposo, decidimos acudir a las Escrituras y ver lo que el Señor había dicho. Tras consultar la Guía para el Estudio de las Escrituras, buscamos y leímos los siguientes pasajes:

> *Éxodo 31:13–17:* Tú hablarás a los hijos de Israel, diciendo: En verdad vosotros guardaréis mis días de reposo; porque es señal entre mí y vosotros por vuestras generaciones, para que sepáis que yo soy Jehová que os santifico. Así que guardaréis el día de reposo, porque santo es a vosotros; el que lo profanare, de cierto morirá; porque cualquiera que hiciere obra alguna en él, aquella persona será cortada de en medio de su pueblo. Seis días se trabajará, mas el día séptimo es día de reposo consagrado a Jehová; cualquiera que trabaje en el día de reposo, ciertamente morirá. Guardarán, pues, el día de reposo los hijos de Israel, celebrándolo por sus generaciones por pacto perpetuo. Señal es para siempre entre mí y los hijos de Israel; por-

que en seis días hizo Jehová los cielos y la tierra, y en el séptimo día cesó y reposó.

*Nehemías 10:31:* Asimismo, que si los pueblos de la tierra trajesen a vender mercaderías y comestibles en día de reposo, nada tomaríamos de ellos en ese día ni en otro día santificado; y que el año séptimo dejaríamos descansar la tierra, y remitiríamos toda deuda.

*Nehemías 13:15:* En aquellos días vi en Judá a algunos que pisaban en lagares en el día de reposo, y que acarreaban haces, y cargaban asnos con vino, y también de uvas, de higos y toda suerte de carga, y que traían a Jerusalén en día de reposo; y los amonesté acerca del día en que vendían las provisiones.

*Isaías 58:13:* Si retrajeres del día de reposo tu pie, de hacer tu voluntad en mi día santo, y lo llamares delicia, santo, glorioso de Jehová; y lo veneraras, no andando en tus propios caminos, ni buscando tu voluntad, ni hablando tus propias palabras...

*Mateo 12:8:* Porque el Hijo del Hombre es Señor del día de reposo.

Éstas son nuestras observaciones como familia:

1. El día de reposo es una señal de fidelidad, un convenio perpetuo entre nosotros y el Señor.
2. En el día de reposo no debemos trabajar, sino descansar.
3. No debemos comprar ni vender en el día de reposo.
4. No debemos hacer lo que nos plazca en el día santo del Señor.
5. Cristo es el Señor del día de reposo.

*D&C 59:9–14:* Y para que más íntegramente te conserves sin mancha del mundo, irás a la casa de

oración y ofrecerás tus sacramentos en mi día
santo; porque, en verdad, éste es un día que se te ha
señalado para descansar de tus obras y rendir tus
devociones al Altísimo; sin embargo, tus votos se
ofrecerán en rectitud todos los días y a todo
tiempo; pero recuerda que en éste, el día del Señor,
ofrecerás tus ofrendas y tus sacramentos al
Altísimo, confesando tus pecados a tus hermanos,
y ante el Señor. Y en este día no harás ninguna otra
cosa sino preparar tus alimentos con sencillez de
corazón, a fin de que tus ayunos sean perfectos, o
en otras palabras, que tu gozo sea cabal. De cierto,
esto es ayunar y orar, o en otras palabras, regoci-
jarse y orar.

Observamos que podemos:

1. Ofrecer nuestros sacramentos en el día santo del
   Señor.
2. Descansar (está bien dormir una siesta).
3. Rendir nuestras devociones.
4. Ofrecer nuestros votos (tiempo, talento, medios y
   servicios).
5. Confesar nuestros pecados.
6. "No hacer ninguna otra cosa".
7. Ayunar.

   *D&C 59:15-20:* Y si hacéis estas cosas con
acción de gracias, con corazones y semblantes alegres, no con mucha risa, porque esto es pecado,
sino con corazones felices y semblantes alegres, de
cierto os digo, que si hacéis esto, la abundancia de
la tierra será vuestra, las bestias del campo y las
aves del cielo, y lo que trepa a los árboles y anda
sobre la tierra; si, y la hierba y las cosas buenas que
produce la tierra, ya sea para alimento, o vestidura,
o casas, alfolíes, huertos, jardines o viñas; sí, todas
las cosas que de la tierra salen, en su sazón, son
hechas para el beneficio y el uso del hombre, tanto
para agradar la vista como para alegrar el corazón;
sí, para ser alimento y vestidura, para gustar y oler,
para vigorizar el cuerpo y animar el alma. Y

complace a Dios haber dado todas estas cosas al
hombre; porque para este fin fueron creadas, para
usarse con juicio, no en exceso, ni por extorsión.

Observamos que al santificar el día de reposo, el Señor
nos dará de la plenitud de la tierra, incluyendo comida,
ropa, casas, alfolíes, etc.

Mientras leíamos juntos, enumeramos los puntos principales de cada versículo, buscando las cosas que el Señor
esperaba y las maravillosas promesas que había hecho.
Repasamos los mandamientos en cierto detalle y así aprendimos con el Espíritu lo que el Señor quería que supiésemos
sobre el día de reposo.

Resulta interesante que cuando una familia realiza este
tipo de acercamiento, los valores del Señor pasan de la generación mayor a la más joven. Si los padres enseñan y testi-
fican por el Espíritu, sus valores pasarán al corazón de los
de la siguiente generación. Creo que eso es lo que sucedió
aquel día en nuestra familia. Una vez que hubimos terminado, sentimos que entendíamos más claramente lo que
significaba santificar el día de reposo, y sentimos un reno-
vado deseo de hacerlo. *Ésta es una manera poderosa de
enseñar a sus hijos (y de aprender usted mismo) cualquier
principio del Evangelio.*

## CÓMO ENSEÑAR LA HONRADEZ

Los padres deben hacer un esfuerzo especial por enseñar
a sus hijos a ser honrados con las demás personas y consigo
mismos. Deben enseñarles a honrar las leyes del país, incluyendo las leyes de tráfico, de los impuestos, etc. Los hijos
seguirán especialmente el ejemplo de sus padres en estas
cosas.

Una mañana di un paseo de un par de kilómetros con
uno de mis hijos de nueve años y él habló casi todo el
tiempo, puesto que yo iba haciéndole preguntas y le motivaba constantemente a hablar.

Mientras caminábamos me dijo que el lunes anterior
había aprobado un pequeño examen en la escuela con una

puntuación perfecta, por lo que no le había hecho falta tomar el examen de ortografía del viernes. Yo lo elogié por ello y continuamos hablando.

Poco después de regresar a casa, mi esposa me pidió que hablase con ella a solas y me dijo: "Tu hijo tiene algo que decirte". Su conciencia le estaba haciendo pasar un mal rato porque me había mentido en lo referente al examen de ortografía.

Se había sentido mal y había ido de inmediato a confesárselo a su madre. La verdad era que no había obtenido un cien por ciento en la puntuación del examen; había escrito mal una palabra y por tanto había conseguido un noventa y nueve por ciento. Había escrito mal la palabra "viernes", poniendo "biernes", pero ya la había corregido y se le dio una puntuación de cien por ciento. Se sentía avergonzado y más tarde me lo confesó a mí en medio de un mar de lágrimas.

Para empeorar las cosas, la maestra había puesto su nombre en la pizarra junto con el de los demás alumnos durante toda la semana por haber aprobado la prueba de ortografía del lunes. Se sentía muy arrepentido y culpable, y al mismo tiempo, aliviado por haberlo confesado a su madre y luego a su padre.

Nos preguntó qué debía hacer, y nosotros le preguntamos qué pensaba *él* que debía hacer. Nos dijo que tenía que decírselo a la maestra, pero añadió: "Me siento muy avergonzado. Borrará mi nombre de la pizarra y todos los compañeros me preguntarán: '¿Cómo es que tu nombre fue quitado?' ". Se le veía realmente preocupado por tener que hacer frente a la verdad y, especialmente, por la humillación pública que podría venir después.

Además, estaba preocupado por el hecho de cuándo se lo diría a su maestra. "Siempre está en la clase", dijo, "y siempre hay alumnos alrededor". Le sugerimos que intentara hablar con ella en el pasillo antes de entrar al aula, o después, y quizás podría solucionarlo de esa manera.

Le dijimos que tenía que hacer frente a la tormenta y

poner las cosas en orden, y que si lo hacía con humildad y determinación, quizás la maestra podría tratar el asunto de tal manera que él no se sintiese avergonzado innecesariamente. Los tres hicimos una oración juntos. Él pareció estar aliviado y yo agradecido de que él orara esa noche sobre el tema. Nos despedimos de él a la mañana siguiente y le deseamos buena suerte con la maestra.

Regresó de la escuela muy feliz. Había hablado del problema con la maestra antes de que entrara a la clase y ella estaba muy feliz por su honradez y, mientras los alumnos estaban en el descanso, la maestra borró el nombre y nadie se dio cuenta de que ya no estaba en la pizarra.

Se sentía enormemente aliviado de que la maestra hubiese recibido bien su confesión, y estaba agradecido por haber sido honrado. La noche siguiente nos dijo tres o cuatro veces que nunca más volvería a mentir. "He aprendido una lección difícil acerca de decir la verdad", nos dijo.

Siempre me sorprende cómo los castigos que el Señor tiene para la desobediencia a Sus leyes parecen motivarnos a cumplir con esas mismas leyes. Si no somos honrados, tarde o temprano pagaremos el precio. Con frecuencia, la culpa que está asociada con la desobediencia es suficiente para provocar el arrepentimiento.

Me sorprende que hasta en un niño, la culpa sea una señal del Espíritu de que hay algo que anda mal. Estoy agradecido porque ese hijo fue un joven de integridad en aquel incidente y que tuvo el deseo de hablar con el Señor, con sus padres y con su maestra.

## CÓMO ENSEÑAR LA PALABRA DE SABIDURÍA

Debemos enseñar a nuestros hijos a evitar el uso del tabaco, del alcohol, del café, y de todas las drogas perjudiciales. Debemos enseñarles a mantener su cuerpo saludable y fuerte ante el Señor en todo momento.

Una vez entrevisté a un joven presbítero que había estado saliendo con algunos amigos que no fueron una buena influencia para él. Ellos fumaban y habían estado trabajando con este joven (a quien llamaremos Juan) para incitarle a fumar. Él les había dicho que no muchas veces, pero finalmente accedió y dijo: "Bueno, creo que un poco no me hará daño. Sólo una vez". Y empezó a fumar un poco. Un domingo por la mañana fue al quórum de presbíteros y uno de sus amigos reconoció el olor y dijo: "¡Vaya! Juan, has estado fumando". Juan estaba terriblemente avergonzado y se puso colorado delante de todo el mundo. Cuando aquel día salió de la reunión, iba pensando: "¿Qué debo hacer? ¿Debo seguir siendo amigo de estos presbíteros o debo seguir saliendo con mis otros amigos?". Desgraciadamente decidió continuar con sus otros amigos.

Me reuní con él seis meses después de aquella "pequeña decisión" de fumar un cigarrillo. Para entonces también había transgredido las leyes de no tomar alcohol ni consumir drogas, y hasta había quebrantado la ley de castidad en dos ocasiones cuando finalmente confesó lo que había hecho. Me dijo entre lágrimas: "Élder Cook, todo por culpa de un estúpido cigarrillo. Ya ve el bien que me ha hecho. Si tan sólo no hubiese accedido...".

"¿Qué quieres decir?", le pregunté.

"Bueno", dijo él, "no me di cuenta de que mis amigos estaban haciendo muchas más cosas que fumar. Descubrí que también estaban bebiendo y haciendo cosas peores. Antes de darme cuenta, también yo estaba haciendolo". Y entonces volvió a decir: "Todo por culpa de un estúpido cigarrillo". Éste es un relato muy revelador.

Recuerdo a otro joven que había aguantado a sus compañeros de un equipo de atletismo que le habían estado presionando para que bebiese. Había hecho bien en resistirles, pero ellos continuaron insistiéndole una y otra vez. Finalmente pensó (equivocadamente): "Si salgo con ellos y sólo bebo una vez, me dejarán en paz y ya no me molestarán por ser mormón". Y él se creyó esa mentira.

Vamos a ver, si usted quiere comprar una bebida, ¿a dónde va? No va a la iglesia ni a casa del obispo, ¿verdad? No, va al bar. Y en un bar puede haber mucho más que tan sólo beber. Hay gente con más cosas en la mente que simplemente beber. Bueno, este joven de dieciocho años no pensó mucho al respecto y fue a beber con sus amigos. Más o menos una hora después había perdido la castidad.

Una vez más, tras haber confesado a su obispo y a su presidente de estaca, derramó lágrimas en una entrevista conmigo. Se lamentaba por el hecho de que había sido engañado por "una estúpida bebida". Me dijo: "Élder Cook, si alguna vez tiene oportunidad de hablar con los jóvenes, dígales lo tonto que fui, para que ellos no caigan en la misma trampa". Todo empezó con una bebida.

## CÓMO ENSEÑAR SOBRE LA CASTIDAD

La castidad es uno de los mandamientos más importantes del Señor y, en muchos aspectos, es uno de los que tienen consecuencias más duraderas. Debemos enseñar cuidadosamente a nuestros hijos a evitar la pornografía, los videos inapropiados (especialmente en casa de sus amigos), el estar a solas con alguien del sexo opuesto, el lenguaje obsceno, los chistes de mal gusto, la vestimenta inapropiada, el bailar demasiado juntos, el besarse, manosearse, masturbarse y los pensamientos inapropiados. Debemos enseñarles que Satanás dice de continuo: "Un poco no te hará daño", y hará todo lo que esté en su mano para tentarlos y hacer que caigan en el pecado. Enséñeles claramente que todos los pecados proceden de Satanás y que él está detrás de la enseñanza de estas prácticas malvadas. Debemos enseñarles que si se mezclan con estas cosas en cualquier grado, por insignificante que parezca, acabarán quemándose. Por supuesto que nuestro propio ejemplo es vital a la hora de enseñarles a evitar todo esto.

Suele ser bueno repasar con nuestros hijos cómo pueden hacer frente a las tentaciones cuando éstas surjan. Por ejemplo, si alguien les ofrece ver algo de pornografía, ¿cuál será su respuesta? ¿Y si alguien les ofrece fumar o beber? Si ellos ya han determinado esto de antemano con la familia, sabrán qué hacer cuando se enfrenten a la realidad. Los padres pueden emplear esta fórmula para enseñar cualquier faceta del Evangelio.

Cuando enseñemos sobre la pureza moral debemos hacer hincapié en lo positivo, destacando especialmente las bendiciones que ello conlleva. Debemos dedicar más de una noche de hogar a enseñar a nuestros hijos la importancia que tiene el mantenerse castos durante toda la vida. El mundo quiere hacerles creer que todos los jóvenes están inmersos en la inmoralidad, mas nosotros debemos enseñarles lo contrario debemos enseñarles la norma del Señor sobre la pureza moral. ¿Dónde deben aprender nuestros hijos sobre la sexualidad? ¿Quién debe proporcionarles educación sexual? Sin duda alguna, ésta debe proceder de los padres. Desde que los niños son pequeños, los padres deben enseñarles sobre el cuerpo, sobre la limpieza y sobre la relación apropiada entre niños y niñas. Todo ello se debe hacer de mánera natural con el paso de los años, para que no haya necesidad de "un curso acelerado" sobre "educación sexual" cuando son adolescentes.

Si edificamos estos asuntos sobre un cimiento espiritual, los niños podrán entenderlos fácilmente. Los padres tienen que ser francos y directos al hacer saber a sus hijos que las relaciones sexuales que tienen lugar entre los padres son buenas y apropiadas, no sólo para el propósito importante de concebir hijos, sino también para regenerar y fortalecer el amor entre marido y mujer. Los padres pueden enseñar a sus hijos cuánto se aman mediante muestras apropiadas de afecto. Entonces los hijos tendrán poca dificultad para entender estas cosas.

Los padres deben tener cuidado de nunca cruzar la línea del decoro con sus hijos. Aquellos padres que en cualquier manera se ven involucrados en el abuso de un hijo, bien sea físico, mental, emocional o de cualquier otro tipo, ciertamente serán responsables ante el Señor. Pocos pecados son más serios. También debemos enseñar con cuidado a nuestros hijos a relacionarse con otros adultos. Deben hablar inmediatamente con sus padres si ocurre cualquier tipo de abuso.

## LA ENSEÑANZA DEL ARREPENTIMIENTO
## Y DEL PERDÓN

El Señor ha mandado que nos arrepintamos y que nos perdonemos unos a otros, y debemos enseñar especialmente estos principios importantes del Evangelio a nuestros hijos. Con frecuencia las experiencias más tiernas de la vida tienen que ver con el perdón, y son los padres los que deben dar el ejemplo. Al disciplinar a los hijos y ayudarles a aprender a arrepentirse, enseñamos algunas de las más grandes lecciones de todas. Estas experiencias nos permiten verdaderamente enseñar a nuestros hijos a guardar los mandamientos y a confiar más plenamente en el Señor. Si los padres y los hijos tratan de seguir al Espíritu, se perdonarán unos a otros y también serán perdonados por el Señor.

Cuando un día llegué a casa del trabajo, me encontré a mi hijo más joven sollozando. Se acercó a mí y me abrazó, y pude ver que estaba molesto por algo. Mi esposa e hijas sabían lo que estaba pasando y me hicieron señas de que le diese mucho amor. Él estaba muy, muy triste y me llevó a su habitación.

Sobre la cama vi mi termómetro de exterior, el cual estaba roto, junto con siete dólares en billetes y monedas, todo el dinero que él tenía. Mi hijo me contó entre lágrimas que había roto el termómetro accidentalmente al darle una patada al balón. Se sentía especialmente triste porque había roto el del patio delantero la semana anterior, y todavía peor porque sabía que yo había estado trabajando en el calibrado de los termómetros y del termostato. Estaba seguro de que iba a estar muy enfadado.

Le pasé el brazo por los hombros y le dije que lo perdonaba. Él estaba tan arrepentido que yo no tenía el corazón como para hacerle pagar el termómetro, ni siquiera parte de él, aunque generalmente lo habría hecho. Me alegro de que no fuese así, pues más tarde supe que el accidente había ocurrido esa misma mañana y que él había estado apenado todo el día. Estaba *realmente* arrepentido.

Esa noche me dijo que había orado fervientemente al Señor para que yo no me enfadase con él. Por alguna razón había estado realmente preocupado y se sintió muy aliviado cuando le dije que lo perdonaba.

A la mañana siguiente, durante la lectura de las Escrituras, estábamos leyendo en Juan 3 sobre cómo el Espíritu viene a nosotros y cómo podemos nacer de nuevo y tener experiencias espirituales durante nuestra vida. Lo que hizo de esta experiencia algo realmente tierno fue que cuando les pregunté a los niños "¿Cuándo fue la última vez que sintieron que el Espíritu les ayudaba?", este hijo dijo con gran emoción: "Ayer". Y entonces nos contó cómo había orado con fervor para que yo no estuviese enfadado con él por haber roto el termómetro. Dijo también que después de haber arreglado las cosas entre nosotros la noche anterior, había ido a darle gracias al Señor por contestar su oración.

Dijo: "Realmente siento que el Espíritu me inspiró y que mi oración fue contestada. También le dije al Señor cuán agradecido estaba, y me siento bien por haberlo hecho". Tenía una gran confianza en que había recibido una respuesta a su oración y que había sido inspirado a seguir las impresiones del Espíritu para dar gracias por la respuesta recibida.

No hay duda alguna de que si enseñamos correctamente a nuestros hijos los dos primeros principios básicos del Evangelio, la fe en el Señor Jesucristo y el arrepentimiento, estos principios les conducirán a las ordenanzas del Evangelio. Ellos sabrán que el Señor perdona sus pecados y sabrán de Su sacrificio expiatorio por todos nosotros. Si tenemos presentes estas cosas al enseñar los principios, seremos más eficaces al disciplinar a nuestros hijos y enseñarles la obediencia a los mandamientos del Señor.

Realmente el Señor bendecirá a nuestra familia si volvemos el corazón de nuestros hijos a nosotros, como padres, y especialmente a nuestro Padre Celestial. Éste es también el caso si los padres vuelven su propio corazón a sus hijos. Que el Señor nos bendiga para enseñar a nuestros hijos con un amor profundo para que de ese modo todos volvamos nuestro corazón a Dios.

# CAPÍTULO 8

# ENSEÑE A SU FAMILIA SOBRE EL TRABAJO Y LA ADMINISTRACIÓN DEL DINERO

Después de mudarnos a un país sudamericano para presidir una misión, nos dimos cuenta de que nuestro presupuesto de comida estaba en grave peligro. Comenzamos a hablar sobre a dónde estaba yendo el dinero. ¿Qué estaba pasando? ¿Estábamos dando de comer a todos los misioneros, o qué?

Entonces comenzamos a darnos cuenta de que cada día estábamos alimentando a cuatro o cinco personas adicionales que venían a nuestra puerta a pedir. Se trataba de casos muy apremiantes, como el de la mujer que venía con su hijo de tres años y nos decía: "Mi hijo tiene que operarse y no tengo dinero suficiente, y si no se opera morirá en un mes. Estoy intentando conseguir algo de dinero". Usted sabe cómo estas cosas nos tocan el corazón, y mi esposa había respondido con su corazón.

Hablamos al respecto y pensamos: "Bueno, no podemos mantener a toda la ciudad, ni siquiera podemos mantener este vecindario. De hecho, con nuestro presupuesto misional tendremos dificultades para mantenernos a nosotros mismos". Así que nos preguntamos qué debíamos hacer. Decidimos que siempre que realmente nos sintiésemos inspirados a dar, lo haríamos. Sin embargo, llegamos también a la conclusión de que éramos "una presa fácil". En otras palabras, algunas personas se mantenían mes tras mes al pedir regularmente en ciertas casas, siendo la nuestra una de ellas.

Teníamos un pequeño terreno en la parte delantera de casa, por lo que dije: "Cariño, cuando venga la gente, ¿por qué no les decimos: 'Nos gustaría invitarle a comer y a cambio quisiéramos que trabajase una hora en este terreno; estamos pensando en poner un jardín'? ".

¿Sabe cuántas personas aceptaron la oferta en el período de un año? Ninguna. ¿No es sorprendente? Se les había enseñado de la manera más fácil. No sé cuántos cientos de personas vinieron a nuestra casa, mas ni una estuvo dispuesta a trabajar para obtener el dinero, la medicina o la comida que estaban pidiendo. Cuán agradecidos debemos estar por los inspirados principios de bienestar que nos permiten mantener la dignidad y el respeto propios al trabajar por aquello que recibimos.

¿Se aplican estos principios también a nuestra familia? Sí. Debemos asegurarnos de enseñar a nuestros hijos "a pescar" y no limitarnos a "darles un pez". Debemos tener cuidado de no dar a nuestros hijos un estilo de vida fácil; antes bien, debemos ayudarles a mantenerse por sí mismos. Si educamos a nuestros hijos con una actitud pobre con respecto al trabajo y no aprenden a mantenerse, serán adultos débiles y dependientes. En última instancia, acabarán siendo una amenaza para la sociedad en vez de realizar una contribución real.

El Señor estaba hablándonos a todos cuando dijo: "Maldita será la tierra por tu causa; con dolor comerás de ella todos los días de tu vida. Espinas también, y cardos te producirá, y comerás la hierba del campo. Con el sudor de tu rostro comerás el pan hasta que vuelvas a la tierra —pues de cierto morirás— porque de ella fuiste tomado: pues polvo eras, y al polvo has de volver" (Moisés 4:23–25).

El mandamiento de trabajar fue uno de los primeros que el Señor dio a Sus hijos. Creo que Él sabía que si éramos ociosos, seríamos más dados al desánimo y a la tentación, mientras que si se nos daba algo concreto que hacer, estaríamos más cerca del Señor y tendríamos una vida más plena. No hay nada más descorazonador que ser ocioso y no tener trabajo suficiente. Creo que por eso el Señor quiere que trabajemos todos los días de nuestra vida, en la medida de nuestra capacidad física, para mantenernos con el sudor de nuestra frente.

El viejo refrán inglés "Manos vacías, trabajo del diablo" encierra mucha verdad. El Señor nos ha mandado estar ansiosamente embarcados en una buena causa y no malgastar nuestro tiempo:

> Porque he aquí, no conviene que yo mande en todas las cosas; porque el que es compelido en todo es un siervo perezoso y no sabio; por tanto no recibe galardón alguno. De cierto digo que los hombres deben estar anhelosamente consagrados a una causa buena, y hacer muchas cosas de su propia voluntad y efectuar mucha justicia (D&C 58:26–27).

> Cesad de ser ociosos; cesad de ser impuros; cesad de criticaros el uno al otro; cesad de dormir más de lo necesario; acostaos temprano para que no os fatiguéis; levantaos temprano para que vuestros cuerpos y vuestras mentes sean vigorizados (D&C 88:124; para otros pasajes sobre el *trabajo* y temas relacionados, véase la Guía para el Estudio de las Escrituras).

El Señor dio instrucciones especiales a los padres sobre este tema: "Yo, el Señor, no estoy bien complacido con los habitantes de Sión, porque hay ociosos entre ellos; y sus hijos también están creciendo en la iniquidad; tampoco buscan con empeño las riquezas de la eternidad, antes sus ojos están llenos de avaricia" (D&C 68:31).

## ENSEÑE A SUS HIJOS A COLABORAR
## CON LAS TAREAS DE LA CASA

¿Dónde aprenderán nuestros hijos los principios del trabajo? Deben aprenderlos en el hogar. Estos principios no se aprenden necesariamente porque los padres intenten enseñarlos, sino que deben ser *experimentados* por los hijos cuando están trabajando.

Los padres deben marcar la pauta al determinar qué trabajo debe hacerse en la casa, y entonces repartirlo entre sus hijos de acuerdo con la edad, las habilidades y las necesidades especiales de cada uno. Esta división de responsabilidades cambiará a lo largo de los meses y de los años, con las necesidades del hogar y a medida que la familia va creciendo, y dependerá de la habilidad física, mental y emocional de nuestros hijos.

Hace unos años dividimos las responsabilidades del trabajo en un gráfico rotatorio hecho de dos discos de papel, uno grande y otro pequeño, sujetos en el medio con un alfiler. En el disco grande estaban escritas las tareas de la familia, y en el pequeño los nombres de nuestros hijos. Cada semana hacíamos girar el disco pequeño y los deberes rotaban entre los integrantes de la familia.

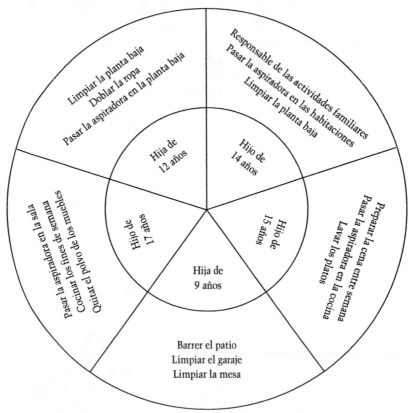

Por supuesto que nos asegurábamos de que nuestros hijos entendieran cómo llevar a cabo los deberes del gráfico antes de pedirles que los hicieran. También verificábamos que habían hecho el trabajo correctamente. Mi esposa comprobaba los trabajos de adentro de casa y yo los de afuera.

Descubrimos también que necesitábamos una lista menos formal de cosas que hacer en la casa de vez en cuando. Tenía que ser una lista flexible a la que se pudiera añadir de un día para otro, para que nuestros hijos supieran diariamente lo que se esperaba de ellos. La lista era útil para todo el año, pero especialmente para la época de verano, cuando nuestros hijos nos preguntaban una y otra vez: "¿Qué puedo hacer?".

También utilizábamos listas y gráficos para mantener un registro de las reparaciones, las grandes compras que teníamos que hacer, las asignaciones para la noche de hogar, los temas de los que queríamos hablar como familia, las actividades familiares, etc.

Sí, para tener éxito, las familias deben estar bien organizadas. Pero ese tipo de organización no viene por sí solo, sino que hace falta una gran cantidad de planeamiento y de trabajo duro.

Tal como dijo el élder L. Tom Perry:

> Uno no logra una familia eterna "de la noche a la mañana". Para disfrutar del mayor de todos los dones, debemos ganárnoslo a través de nuestros logros en la mortalidad.
>
> En primer lugar, me aseguraría de que se aparta el tiempo suficiente cada semana para celebrar una reunión en la que el comité ejecutivo familiar planee la estrategia de la familia. El comité ejecutivo, compuesto por los padres, se reúne para comunicar, tratar, planear y preparar su papel de liderazgo en la organización familiar.
>
> En segundo lugar, haría de la noche de hogar una reunión de consejo familiar donde los niños serían enseñados por sus padres sobre cómo prepararse para sus papeles como miembros de la familia y futuros padres. La noche de hogar comenzaría con una cena familiar, seguida de una reunión de consejo en la que se trataran y se diera instrucción

sobre los siguientes temas: preparación para el
templo, preparación misional, administración del
hogar, finanzas familiares, desarrollo vocacional,
educación, participación en la comunidad, refina-
miento cultural, adquisición y cuidado de la
propiedad, planeamiento del calendario familiar,
uso del tiempo libre y asignaciones de trabajo.
Podríamos poner punto final a esa noche de hogar
con un postre especial y un tiempo para que los
padres tuviesen entrevistas individuales con cada
hijo.

En tercer lugar, el sábado podría ser un día de
actividades especiales dividido en dos partes:
primero, un tiempo para enseñar a los hijos las
bendiciones del trabajo, como cuidar y mejorar la
casa, el patio, el jardín y el huerto; segundo, un
tiempo para las actividades familiares que contribuyen a la edificación del legado familiar de las
cosas que disfrutamos haciendo juntos.

En cuarto lugar, el domingo se convertiría en el
día especial de la semana. Los preparativos especiales deben preceder a las tres horas del servicio de
adoración de la capilla. La familia debe llegar a la
iglesia descansada y espiritualmente preparada para
disfrutar de las reuniones. Podríamos pasar ese día
en un clima de edificación espiritual. Nos vestiría-
mos de manera apropiada para la ocasión —los
muchachos con algo mejor que pantalones vaque-
ros y camisetas, y las jovencitas con vestidos que
resaltaran la modestia. Éste sería el momento de
nuestro estudio familiar de las Escrituras, la inves-
tigación genealógica, los diarios personales, la historia familiar, escribir cartas, hacer contactos
misionales y visitar a nuestros parientes, amigos y
enfermos ("For Whatsoever a Man Soweth, That
He Shall Also Reap", *Ensign*, noviembre de 1980,
pág. 9).

## LOS BENEFICIOS ESPIRITUALES DEL TRABAJO

¿Por qué es necesario que los niños trabajen dedicada-
mente en el hogar? Creo que hay muchas razones, tanto
espirituales como temporales, para cumplir con el manda-

miento del Señor de que debemos trabajar todos los días de nuestra vida:

1. Trabajar hace que los hijos sean más disciplinados.

2. Trabajar hace que los niños se sientan parte de la familia, parte de un equipo.

3. Trabajar ayuda a la familia a cumplir con sus objetivos. El mantener una casa requiere mucho trabajo: limpieza, reparaciones, pintura, jardinería, etc. Los niños se benefician con ese trabajo y también tienen la responsabilidad de ayudar a cumplir con él.

4. Trabajar enseña a los hijos a ser responsables, les enseña que deben hacer su parte en el hogar así como en la sociedad. Trabajar ayuda también a los niños a ser miembros más responsables de la Iglesia, y les será de gran ayuda cuando deban ir a su puesto de trabajo y a mantenerse a sí mismos en el mundo.

5. Trabajar enseña a los niños a ser lo suficientemente disciplinados como para "completar la tarea". Aprenden paciencia, perseverancia y muchas características espirituales que no se pueden aprender de otro modo.

Nunca olvidaré cómo mi padre nos enseñó a sus hijos mientras trabajábamos en una plantación de cítricos en Arizona. Era un trabajo que se hacía bajo temperaturas superiores a los 43º centígrados, y estábamos siempre sedientos. Él con frecuencia nos decía: "Acabemos con dos filas más y entonces podremos entrar a beber algo fresco". Eso nos enseñó a disciplinarnos y a asegurarnos de que completábamos la tarea.

6. Trabajar les enseña a los niños a inspeccionar, aprobar y corregir una tarea en caso de ser necesario. La verificación apropiada por parte de los padres permite a los hijos dar un informe de sus labores.

Un padre solía tener a sus hijos enderezando viejos clavos que no se podían reutilizar. Cuando se le preguntó por qué lo hacía dijo que el trabajo es más que producir un resultado: es una disciplina. Si los padres se concentran en el resultado de las labores de sus hijos, se frustrarán ante la forma inadecuada que los niños tienen de hacer las cosas. Sin embargo, si se dan cuenta de que el verdadero fruto del trabajo es que los niños *aprendan*, los padres tendrán más paciencia. Comprenderán que están desarrollando atributos y características en sus hijos que no pueden desarrollar de ninguna otra manera.

7. Mediante el trabajo, los hijos aprenden a ser independientes y a confiar en sí mismos. Los padres no tienen que preocuparse por ellos, ya que cumplirán con sus responsabilidades sin que se les pida que lo hagan y no habrá una gran necesidad de verificar. Por ejemplo, nunca me gustó sulfatar los frutales. Cuando mis hijos mayores aprendieron cómo hacerlo, para mí fue una gran bendición el no tener que preocuparme más de esa tarea. Cada pocas semanas sulfataban los árboles y me aliviaban de esa responsabilidad, llegando así a convertirse en un deber de ellos.

Nunca olvidaré una dulce nota que una de mis hijas me dio después de pasar por ciertas dificultades porque ella no quería trabajar. Tras darle algunos consejos, puso manos a la obra y se sintió muy bien con sus logros. Me dejó una nota en mi maletín cuando yo salía para cumplir con las asignaciones de una conferencia. Parte de la nota decía:

> Eres muy importante para mí y haces más por mí de lo que merezca o de lo que jamás pueda pagarte. Espero no decepcionarte nunca y que siempre pueda ser una buena hija para ti. ¡Te mereces lo mejor! Y si alguna vez piensas que no eres guapo o te comparas con otras personas, no me lo digas porque me sentiré triste. ¡Eres el mejor padre del mundo! Te amo por todo lo que eres. Que duermas bien. ¡Te quiero!

Cuán feliz me sentí como padre aquella noche, especialmente porque había amado a mi hija lo suficiente como para disciplinarla cuando no quería trabajar. Ella aprendió, y yo también.

8. Trabajar enseña a los hijos a tener confianza en sí mismos. Sabrán que pueden trabajar, y que pueden hacerlo de manera eficaz. Y cuando los padres se vayan, el trabajo

seguirá estando ahí. Esto dará a los padres aún más confianza en sus hijos y les tratarán de acuerdo con ello; un
agradable ciclo para cualquier familia.

9. Trabajar enseña a la familia a estar unida, a obrar y
lograr buenas cosas juntos. Debemos asegurarnos de que no
nos limitamos a enviar a nuestros hijos al trabajo, sino que
debemos *trabajar con ellos*. Además de hacer el trabajo y
edificar buenas relaciones, el pasar ese tiempo juntos nos da
una oportunidad para hablar sobre la oración, la lectura de
las Escrituras y otros principios importantes. Pasar tiempo
con nuestros hijos nos proporciona muchos "momentos
para enseñar".

Trabajar también nos da momentos de diversión. Nunca
olvidaré a un niño pequeño que vio a su padre entrar en el
jardín con un camión lleno de estiércol. El niño dijo: "¿Para
qué es eso?". El padre respondió: "Es para las fresas". El
muchacho dijo: "Bueno, si no te importa, yo prefiero echar
azúcar y helado a las mías".

## EL APRENDIZAJE DE DESTREZAS MEDIANTE EL TRABAJO

A través del trabajo en el hogar, nuestros hijos han
aprendido destrezas poco habituales. Uno de ellos, por
ejemplo, ha desarrollado una habilidad mecánica extraordinaria que le será de gran utilidad a lo largo de la vida.

Cuando fuimos llamados a vivir en México, tuvimos
que hacer frente muy pronto al hecho de que a los latinoamericanos les gustan las llaves para abrir puertas. Yo pensaba que nuestra casa tendría unas ocho o diez llaves para
las diferentes puertas y armarios pero, después de mudarnos, contamos hasta sesenta y dos. Había una cerradura
para todo: habitaciones, cuartos de baño, armarios, cocinas,
etc. Cada cerradura tenía su propia llave y todas las llaves
eran diferentes.

La costumbre de la zona consistía en dejar las llaves
puestas por dentro para que pudieran manejarse más fácilmente, y los de la inmobiliaria nos habían dicho que nues-

tra casa era tan segura como cualquier otra del lugar. Después de uno o dos días de vivir allí, mi hijo de quince años había aprendido a abrir cualquier puerta desde el exterior de la casa en menos de quince segundos utilizando una moneda, un bolígrafo o algún otro objeto. Cuando le pregunté cómo había aprendido a hacerlo, me dijo: "Me he dado cuenta de que cuando se deja una llave en la cerradura, se le permite al pasador girar libremente, con lo cual la puerta se puede abrir con gran facilidad". Podría entrar por cualquiera de las puertas desde el exterior siempre y cuando la llave estuviera puesta por dentro. Inmediatamente pusimos fin a la práctica de dejar las llaves en las cerraduras.

Un contratista que trabajaba para la Iglesia vino a los pocos días y nos dijo: "Me considero un experto en cerraduras. Hemos puesto estas cerraduras en cientos de lugares y siempre hemos pensado que eran seguras". Se quedó asombrado cuando mi hijo le mostró cómo abrir una puerta desde el exterior cuando ésta estaba cerrada por dentro.

Aunque nos reímos con este incidente, me di cuenta de que nuestro joven hijo tenía un talento mecánico poco común, pues siempre ha sido bastante ingenioso para deducir cómo funcionan las cosas y arreglarlas cuando están rotas. Mucho de eso, creo yo, se ha ido desarrollando al trabajar en las cosas de la casa.

## LA HORTICULTURA

Los profetas han aconsejado con frecuencia a los miembros de la Iglesia que tengan un huerto, y nosotros hemos visto que eso es algo muy útil para enseñar a nuestros hijos a trabajar. Hemos descubierto que, además de producir alimentos, los huertos fortalecen la unidad familiar. Nosotros hemos tenido que aprender a trabajar juntos para poder tener un buen huerto. A veces era tan grande que los niños se quejaban de que estábamos intentando ser granjeros, y solían decir: "Papá, no somos sino esclavos". A ellos puede haberles parecido de ese modo, pero ciertamente fue una gran manera de enseñarles el valor de trabajo. El ser continuamente responsables, tal como requiere un huerto, de seguro ayudará a nuestros hijos cuando alcancen la edad adulta.

El trabajo en el huerto nos enseña también muchas lecciones espirituales. Permite a los niños ver las creaciones del Señor, cosas de *gran valor* que no se pueden hacer de manera precipitada, pues hay un proceso que se debe seguir pacientemente. Los hijos aprenden que, aparte de hacer el trabajo, debemos esperar y confiar en el Señor para ver finalmente los frutos de nuestra labor. Por último, pueden ver la mano del Señor mientras trabajan en el huerto, donde se manifiesta el milagro de la vida en todas sus variedades. Algunas de las tareas se pueden delegar individualmente a los niños o se pueden hacer como familia.

Para tener un huerto productivo, las familias deben diseñarlo, preparar el terreno y plantar las semillas. Entonces, cuando éstas comiencen a germinar, tienen que quitar las malas hierbas una y otra vez. A veces hacíamos que nuestros hijos se responsabilizasen por una parte determinada del huerto; en otras ocasiones todos juntos, como familia, quitábamos las malas hierbas. Para tener éxito teníamos que regar con regularidad, fertilizar según fuese necesario, y volver a quitar algunas hierbas más. Este proceso requiere trabajo pero desarrolla disciplina, paciencia y perseverancia; entonces la familia comienza a cosechar, almacenar y a comer los alimentos, llegando así a apreciar el valor de su trabajo.

Siempre hemos hallado que es una gran bendición el tener un aprovisionamiento de comida para un año. Hemos intentado almacenar más que los meros productos básicos como trigo, azúcar y otros, para poder tener fruta embotellada o alimentos enlatados para un año. Esto significaba que uno o dos de nuestros hijos tenían que llevar cuenta del inventario y sugerir a su madre lo que hacía falta comprar para mantener el aprovisionamiento. (Estamos constantemente comiendo y renovando nuestro almacenamiento de alimentos). No sólo el almacenamiento proporcionó seguridad a la familia, sino que también nos dio un trabajo de calidad que realizar, nos enseñó destrezas útiles y nos ayudó a ser más responsables. Esperamos también que nuestros hijos lleven estas características en su vida adulta.

Finalmente, hemos descubierto que uno de los grandes beneficios de un huerto es que siempre producimos más de lo que llegamos a comer, lo cual nos dio una oportunidad de compartir con otras personas dentro y fuera de nuestro vecindario, y de desarrollar buenas relaciones, con excepción, permítame decirlo con una sonrisa, de cuando compartíamos calabacines. En realidad, el compartir estos productos siempre nos dio una razón para visitar a alguien y, una vez más, aprender, mientras lo hacíamos, algunos grandes principios.

Testifico que el tener un huerto es una gran manera de enseñar a la familia muchos principios del Evangelio. El Señor mencionó con frecuencia en Sus parábolas las acciones de plantar y cosechar, con un buen propósito, creo yo. El plantar un huerto nos enseña el verdadero valor del trabajo: que debemos plantar y cultivar para después poder cosechar. El ver cómo crecen las plantas también nos proporciona muchas lecciones espirituales. Además, el trabajar en un huerto ofrece muchas oportunidades de hablar, compartir y pasar un buen rato juntos.

Lógicamente, tener un huerto no es siempre motivo de felicidad. A veces tuvimos que disciplinar a los niños porque no querían trabajar y en otras ocasiones abandonaron sus tareas para ir a jugar con los amigos. Pero aun cuando las cosas no hayan ido siempre como nos hubiera gustado, el tener *algo de provecho que hacer como familia* ha sido una ayuda de valor incalculable para criar una familia celestial.

## CÓMO ENSEÑAR A LOS HIJOS
## A TRABAJAR FUERA DE CASA

El presidente Wilford Woodruff dijo una vez:

> Una de las más grandes bendiciones que Dios haya jamás derramado sobre los niños es el que

éstos tengan padres que estén en posesión de principios verdaderos referentes a su Padre Celestial, la salvación y la vida eterna; y que estén preparados y sean capaces de enseñar, establecer y acostumbrar a sus hijos en cuanto a ellos, para que puedan estar en condiciones de cumplir con el propósito de su creación... Noventa y nueve de cada cien niños a quienes sus padres enseñan los principios de la honradez y la integridad, la verdad y la virtud, los observarán a la largo de la vida (*Discourses of Wilford Woodruff*, editados por G. Homer Durham [Salt Lake City: Bookcraft, 1990], págs. 266–268).

Es importante que los hijos aprendan los principios de la honradez, la verdad, la integridad y la virtud, y que los aprendan en el hogar. Entonces estos hijos salen al mundo a trabajar y comienzan a aprender a mantenerse por sí mismos. Si estos principios están en su sitio, nuestros hijos tendrán una experiencia favorable debido, en gran medida, a una buena familia que les enseñó los principios del Señor.

Es nuestra experiencia que los hijos deben aprender no sólo a trabajar en casa sino a trabajar también en el mundo, para que puedan mantenerse a medida que vayan madurando.

El trabajar fuera de casa, por supuesto, depende de la edad y de la habilidad de los hijos. Siempre hemos intentado enseñar a nuestros hijos a ganar dinero por sí mismos tan pronto como les fuese posible. Algunos pudieron conseguir trabajo repartiendo periódicos a los once o doce años de edad. Antes de cumplir los dieciséis, cuando la mayoría de los jóvenes pueden trabajar, los menores pueden hacerlo cortando el césped para los vecinos, lavando ventanas, lavando coches, limpiando garajes, etc.

También hemos enseñado a nuestros hijos a vender cosas, siendo algunas de las actividades más lucrativas la venta de galletas.

Uno de nuestros hijos estaba teniendo dificultades para ganar dinero. Había intentado cortar césped en el vecindario, lavar ventanas, o lo que fuera, pero realmente no podía encontrar a nadie que quisiera darle trabajo. Su madre y yo hablamos con él sobre cómo hacer galletas caseras y venderlas, y era tanta la desesperación que se determinó a hacerlo. Su madre le enseñó cómo hacer galletas e inmediatamente hizo diez docenas y se fue a venderlas. Un poco antes de irme a trabajar intenté enseñarle qué decir, y tuve la impresión de que el niño podría hacerlo.

Cuando volví a casa, antes de lo habitual, me encontré con un jovencito muy negativo y desanimado. Había ido a muchas casas, pero sólo había vendido una docena de galletas. Le dije que si iba a estar tan desanimado y negativo, el Señor no podría ayudarle y que el Espíritu ayudaba a aquellos que ejercen la fe, que creen que pueden conseguirlo y que el Señor les ayudará.

Le pregunté si él creía eso, a lo que me contestó: "Quiero creer, pero he estado ahí fuera, llamando a todas las puertas y nadie quiere comprar galletas".

Le dije: "¿Qué te parece si oramos juntos? Luego te llevo en el coche para ver si podemos ejercer un poco más de fe y te ayudo a vender las galletas".

Se sintió tan aliviado, que dijo: "Me parece muy bien".

Primero oró él, y luego yo. Cada uno de nosotros intentó dar lo mejor de sí mismo para ejercer nuestra fe en que el Señor nos inspiraría para saber qué decir y tocar los corazones de las personas para que comprasen las galletas.

Al salir de casa estaba más animado, pero todavía luchaba un poco con la experiencia que había tenido antes. Repasamos con mucho cuidado lo que iba a decir en cada puerta. En la tercera casa hizo una venta y luego otra en la cuarta y en la sexta. En cuarenta y cinco minutos había vendido nueve docenas de galletas y era veinte dólares más rico. Estaba maravillado y se sentía muy humilde, al igual que su padre. Ambos nos dimos cuenta de que, debido a que había hecho a un lado la duda, el temor y la negatividad, y que estaba intentando ejercer fe en el Señor, ese espíritu se había transmitido a los demás, quienes percibieron su sinceridad, sus deseos y su buen desempeño como vendedor, por lo que le compraron las galletas.

El verdadero objeto de todo esto no fue tanto el ganar dinero ni aprender a hacer galletas, aun cuando es importante, sino aprender los principios espirituales más importantes relacionados con el trabajo.

Aprendió determinación y persistencia. Aprendió a desenvolverse con las personas, a mirarlas a los ojos, a dar respuesta directa a sus preguntas, a hablar con confianza y a hacer frente a sus objeciones. Pero por encima de todo, aprendió lo que se *siente* al tener éxito. Descubrió la satisfacción y la plenitud que vienen como resultado de sus propios logros, de cumplir con lo que se había fijado hacer. Podría añadir que este joven, algunos años más tarde, llegó a ser uno de los mejores cocineros de toda nuestra familia. Tiene buena fama entre nosotros y en el vecindario por sus pizzas, su helado casero y, por supuesto, sus galletas.

En una ocasión, unas semanas antes de la Navidad, les dijimos a nuestros hijos más jóvenes que podrían ganar un buen dinero si salían a recoger árboles de Navidad después de la festividad y se ofrecían a retirarlos a cambio de una cantidad. Pensamos que si llamaban a la gente por teléfono, podrían conseguir un buen número de clientes, al igual que si intentaban llamar a sus puertas.

Dos hijos y una hija realizaron los intentos más grandes y fueron calle abajo para hablar con los vecinos. Estaban bastante desanimados tras haber ido por treinta o cuarenta casas y haber conseguido que solamente tres o cuatro personas aceptaran la oferta. Les dije que tenían que vender su producto y no limitarse a recibir los pedidos. Ellos me hicieron frente diciendo: "No puede ser. Lo hemos intentado y la gente no tiene interés".

Tomé a uno de mis hijos conmigo, pues parecía ser el más interesado, y le di algo muy persuasivo para decir por teléfono. Él lo practicó, pero intentó cambiar algunas de las palabras, a lo que le dije: "No, tienes que decirlo exactamente de esta manera. Si lo dices así podrás hacer frente a cualquier objeción que la gente tenga. Si ellos dicen que no por cualquier razón, entonces tú debes decir esto otro".

En aproximadamente media hora había ganado veinte dólares. Entonces comenzó a cambiar su enfoque, realizando ajustes en las palabras cuidadosamente escogidas que yo le había dado, y empezó a tener menos éxito; así que volvió a las palabras originales y continuó recibiendo los compromisos para pasar a recoger los árboles de Navidad.

Más o menos una semana después de la Navidad, convencí a un hijo y a una hija para que fueran con nosotros a golpear las puertas de las casas situadas a ambos lados de aquellas a donde íbamos a recoger los árboles. Ellos tenían que persuadir a las personas para que les diesen dos dólares por retirar los árboles. Estuvieron de acuerdo pero no estaban muy seguros de que fuese a dar resultado.

Después de un rato, el muchacho estaba realmente desanimado porque no había hecho ninguna venta. Volvió llorando al coche y dijo que renunciaba. Finalmente lo convencí para que se humillase y dijese las palabras que le había enseñado. Sólo entonces tendría éxito. Aceptó y comenzó también a tener algunas ventas.

Nunca olvidaré el deleite de su rostro cuando recibió sus primeros dos dólares. Vino arrastrando el árbol por entre la nieve como si fuera un relámpago. Su sonrisa era tan grande que casi le iba de oreja a oreja. ¡Qué tremenda autoconfianza había en él!

Una mujer se acercó hasta la camioneta y le dijo a nuestro hijo mayor: "Verdaderamente no estaba interesada en que ustedes se lleven mi árbol, pero pueden hacerlo. Pagaría dos dólares con gusto siempre que pudiese ver a un joven trabajar. La mayoría de los muchachos lo quieren todo a cambio que nada. Te felicito por tener iniciativa propia".

Nuestro hijo más joven había ido a la puerta por la que había entrado la mujer para recibir los dos dólares, pero salió el marido y asustó al pequeño con su brusquedad, el cual se volvió a la furgoneta y dijo: "Lo siento, no quiere comprar".

"Bueno", dije. "¿Le mencionaste que lo harías por un dólar?" Dijo que no, pero que tampoco iba a regresar.

Nuestro hijo mayor volvió a la furgoneta y le dijo al pequeño: "Ese hombre piensa que se va a salir con la suya. Vuelve y dile que nos llevaremos su árbol por un dólar".

El pequeño fue a la puerta y le dijo: "Lo hemos pensado y decidimos que nos llevaremos su árbol por un dólar". El hombre no sabía qué decir ante la determinación del muchacho, y finalmente dijo: "De acuerdo, trato hecho por cincuenta centavos". Nos llevamos el árbol y luego nos reímos mucho.

Hacia el final de la mañana, mi hija no estaba teniendo mucho éxito y se encontraba un poco desanimada porque hacía frío. Cuando llegamos a casa para el almuerzo, con el calorcito que había adentro, ella decidió no volver a salir.

Mientras estaba allí, habló con su madre y por la tarde volvió a salir e hizo algo de dinero. Cuando estábamos solos, me dijo: "Papá, ¿sabes por qué lo he hecho tan bien esta tarde? Mamá me dijo que debía orar al Señor y que Él me ayudaría. Oré de verdad cuando estaba en casa y he estado orando aquí. ¡Mira lo que ha hecho el Señor! Mira todo lo que he ganado".

A veces los niños se avergonzaban cuando llegaban a una casa en la que conocían a los jovencitos de su edad. En una ocasión, uno de los árboles cayó de la camioneta justo en la mitad de la calle. Yo salí para recogerlo y allí me encontré con el primer consejero en el obispado, quien se reía de lo que estábamos haciendo. Un consejero en la presidencia de la estaca pasó también con su coche y se rió sanamente por lo que estábamos haciendo. Estábamos en una zona de gente bastante adinerada, y puede que algunos de los vecinos pensasen que no estábamos haciendo algo apropiado, pero ese día vi una gran madurez en mis tres hijos.

Obtuvieron una mayor confianza en que el Señor les ayudaría en cualquier cosa que estuvieran haciendo. Ganaron más confianza en sí mismos. Aprendieron cómo conocer personas, hablar con ellas y hacer frente a sus objeciones. Aprendieron más sobre cómo administrar el dinero y separar para el diezmo y los ahorros para la misión. Por encima de todo, sentimos una gran dosis de amor y de unión. Entre todos habíamos diseñado un plan en nuestra mente, algo que nunca habíamos visto hacer a nadie más, e hicimos que tuviese éxito. Estaban tan complacidos que comenzaron a buscar otros proyectos para ganar dinero, y al año siguiente querían volver a recoger árboles de Navidad.

En esa ocasión hablé con mis hijos sobre cómo persuadir a las personas. Ellos habían desarrollado parte de la habilidad el año anterior, así que ya sabían lo que tenían que decir y podían valerse muy bien sin mi ayuda. La verdadera diferencia entre el "medio persuasivo" y aquellos otros que alcanzan sus metas la mayor parte del tiempo reside en lo que hacen cuando la gente dice que no.

Si desde un principio las personas decían que no tenían interés, los niños responderían: "Bueno, ya que estamos aquí, me llevaré su árbol por sólo un dólar. ¿Está bien?". La mayoría de las personas decían que sí. Si decían que no, los muchachos dirían: "Estoy intentando ganar este dinero para comprar ropa para ir a la escuela, y seguro que me gustaría ofrecerle este servicio con usted. Es tan sólo un dólar. Estaríamos agradecidos de poder llevar su árbol".

Si aún así la gente decía que no o decían: "Bueno, el servicio de recolección de residuos vendrá y se lo llevará", entonces los niños añadían: "Esta misma mañana llamamos al departamento de sanidad [lo cual habíamos hecho] y nos confirmaron que pasarían a recoger los árboles, pero que no lo van hacer hasta la tercera semana de enero. Mientras tanto, usted va a tener el árbol en la acera, esparciendo las agujas por todas partes al secarse. Nosotros se lo llevaremos por sólo un dólar". Ante ese argumento, casi todas las personas cedían y nos entregaban sus árboles.

Yo me aseguraba de que la furgoneta estuviera justo delante de la puerta, para que las personas pudieran vernos. A veces tocaba el claxon para que pudieran ver la furgoneta. Les dije a los niños que señalasen la furgoneta para que la gente pudiera ver los árboles que ya habíamos recogido. Entonces sentirían que les estábamos ofreciendo un buen trato y que aceptarían. Cosas pequeñas como éstas marcan una gran diferencia. De hecho, este tipo de cosas pequeñas marcan toda la diferencia entre un "medio persuasivo" y uno que puede persuadir a casi todo el mundo.

Enseñe a los niños a no hablar con su tono normal de voz, sino a hacerlo con más sentimiento y entusiasmo. Yo no podía oír lo que decían porque estaba bastante lejos, pero sí podía ver la reacción de las personas y adivinar casi con exactitud lo que los niños les estaban diciendo. Era divertido ver cómo un no se convertía en un sí y cómo los niños venían arrastrando otro árbol hacia la furgoneta.

El don de la persuasión es uno que debemos transmitir a nuestros hijos, pues les ayudará enormemente a lo largo de la vida, les será de gran beneficio en sus años de adolescencia, cuando comiencen a buscar empleo, y en el campo misional. (Por este motivo he compartido los detalles de estas experiencias.) Creo que este proceso no consiste sino en eliminar la duda, el temor y la incertidumbre de nuestras palabras, y acercarnos a una situación con una fe pura. Tal como enseñó José Smith, la fe es la causa motora de toda acción.

## EXCUSAS PARA NO TRABAJAR

Cuán importante es que los niños, especialmente cuando entran en la adolescencia, encuentren trabajo y aprendan a ganar su propio dinero. Recibirán grandes bendiciones a medida que aprendan cómo tratar con la gente más allá del entorno familiar y vivan en el mundo pero sin ser del mundo. Se tiene que enseñar a los niños a dar de sí mismos, de su propio tiempo, a sacrificarse y aprender a trabajar. El sacrificio mismo de algunas de las cosas que desean les enseñará mucho y les ayudará a tener el Espíritu del Señor con ellos. "El sacrificio nos abre las bendiciones del cielo".

No siempre resulta fácil convencer a nuestros hijos de

que deben tener un empleo. Algunos han tenido la inclinación, pero en nuestra comunidad muchas de las familias eran tan adineradas que sus hijos no tenían necesidad de trabajar, y muchos no lo hacían. Siempre hemos sentido que los hijos debían trabajar tanto si era necesario como si no, pues aprenden mucho cuando son serios y tienen que responder con regularidad a quien les da trabajo.

Hemos descubierto que las excusas que dan para no tener que trabajar son todas iguales:

- "No quiero dedicarle todo mi tiempo libre. Tengo muchas cosas que hacer con mis amigos".
- "¿Cómo puedo trabajar cuando tengo deberes que hacer después de la escuela, tengo clases de piano y tareas que hacer en casa?".
- "¿Cómo puedo tener un trabajo cuando hay tantas actividades? No podría ser miembro del club de motivación, ni del coro, ni pasarlo bien en todas las actividades extra escolares".
- "No quiero trabajar porque sentiría vergüenza de que mis amigos me viesen. Después de todo, el único lugar en el que podría trabajar sería en esos restaurantes de comida al paso. Ninguno de mis amigos quiere trabajar ahí, y yo tampoco".

Usted tendrá que enseñar a sus hijos los principios del trabajo esforzado a través de su propia fe. Testifíqueles del valor del trabajo y convénzales de manera amorosa para que hagan a un lado sus temores y "se pongan en marcha".

## LA BÚSQUEDA DE EMPLEO

Los hijos que quieren encontrar trabajo tendrán más éxito si los padres les enseñan cómo buscarlo. Las siguientes sugerencias pueden serle de ayuda:

1. Los jóvenes necesitan vestirse bien cuando van a buscar empleo. Muchos de ellos van con aspecto descuidado, por lo que no atraen demasiado la atención de quien los entrevista. Si los jóvenes se visten con la ropa de domingo

o algo por el estilo, realmente se destacarán ante la competencia.

2. Necesitan ayuda para preparar una pequeña biografía o currículum. Si se lo entregan al futuro jefe, especialmente si antes han tenido uno o dos empleos, causarán una buena impresión.

3. La mayoría de los jóvenes necesitan ayuda para preparar una presentación y presentarse ellos mismos a un posible futuro jefe.

4. Hemos encontrado particularmente útil el ir con los hijos cuando éstos son aún jóvenes, esperarles en el coche y hablar con ellos después de cada entrevista. La mayoría de los jóvenes se desaniman al ser rechazados las primeras veces. El tener a un padre allí para animarles ha sido muy beneficioso. Éste es también un buen momento para que el padre invite al Espíritu del Señor por medio de la oración o de cualquier otro de los medios tratados. Además, en momentos como ésos, los jóvenes necesitan saber cómo tener el Espíritu con ellos y cómo hacer que las demás personas lo sientan; de ese modo los jefes serán más dados a ofrecerles un empleo.

5. Enseñe a los jóvenes a no caer en la práctica de limitarse a "entregar solicitudes". Muchos patrones sugieren que ésta es una manera de desasociarse de la persona que está pidiendo empleo.

6. De ser posible, enseñe a sus hijos a contar algo breve de ellos que ilustre su madurez y confianza en sí mismos.

7. Los jóvenes deben entrar en cualquier establecimiento comercial con una actitud positiva y con confianza. No deben pensar que están allí para mendigar un empleo, sino que el posible empleador es afortunado de tener a alguien tan bueno como ellos que le ofrece sus servicios. La actitud del joven marcará la diferencia.

8. Encuentre maneras de mostrar que el joven tiene talentos y habilidades especiales. Ellos pueden decir cosas como: "He trabajado con regularidad en nuestro huerto familiar durante cuatro años; soy una persona responsable". "Estoy

dispuesto a llegar temprano y trabajar hasta tarde". "Estoy dispuesto a hacer cualquier cosa que se me pida". "Me esforzaré por tomar la iniciativa". Este tipo de frases generan un sentimiento de confianza en un posible empleador y manifiestan la autoconfianza de la persona que busca empleo.

Este tipo de experiencias verdaderamente contribuyeron al desarrollo de nuestros hijos, pues aprendieron a ser más osados y a sacar mejor provecho de las circunstancias a las que se enfrentaban.

Cuando era joven, descubrí los medios que mi padre empleaba para motivar a sus hijos a trabajar. A los once años me dijo que no iba a seguir comprándome la ropa y que yo tendría que hacerlo. Sabía que hablaba en serio pues había hecho lo mismo con mi hermano mayor. Mi padre tenía la determinación de que sus hijos fuesen autosuficientes económicamente, e hizo todo lo que pudo para enseñarnos con tal fin. Así que, con once años de edad, obtuve un trabajo de repartidor de periódicos y comencé a ganar y ahorrar algún dinero. Cinco años más tarde todavía estaba repartiendo periódicos. Un día, el director del periódico me dijo: "Joven, has sido tan leal y lo has hecho tan bien al entregar los periódicos y vender las subscripciones, que te voy a nombrar director auxiliar de distribución del periódico. Supervisarás a los demás repartidores y les enseñarás a vender subscripciones. Después de la escuela y de terminado el reparto, podrás venir a la oficina y trabajar dos o tres horas más. Podrás hacer algunos deberes del colegio mientras esperas al teléfono para responder quejas. Después de todo, será un buen empleo para ti y, a propósito, voy a triplicarte el sueldo".

Yo quedé asombrado, pues estaba ahorrando dinero para servir una misión y aquel aumento de sueldo iba a ayudarme a alcanzar la meta más rápidamente. Era un trabajo ideal en una época en la que muchos adolescentes no tenían empleo. Me decía a mí mismo una y otra vez: "Verdaderamente, el Señor bendice a los que guardan los mandamientos". Yo me había estado esforzando por pagar fielmente el diezmo, santificar el día de reposo y honrar mi sacerdocio.

Pocos años después, el director del periódico se acercó a mí un sábado con otra gran oportunidad. "¡Buenas noticias!", dijo. "En una semana vamos a comenzar a repartir el periódico en domingo. No sólo tendrás que repartir el periódico los domingos por la mañana temprano, sino que podrás quedarte en la oficina desde las siete hasta las dos de la tarde, por lo que recibirás un treinta por ciento de aumento en tu sueldo".

Cuando el director me vio bajar el rostro me dijo: "Sé que eres mormón y puede que estés pensando en no aceptar esta responsabilidad adicional. Pero si no tomas el trabajo perderás la ruta de reparto y también serás despedido del empleo de entre semana. Muchos de los demás repartidores darían el brazo derecho por tener tu trabajo y, después de todo, no te he estado capacitando todos estos años para nada. Bien, ¿cuál es tu respuesta?".

Yo dije un tanto afectado: "Le responderé el martes".

Cuando ese día regresaba a casa en bicicleta, iba muy serio y oraba en silencio: "¿Cómo puede ser, Padre Celestial? He guardado los mandamientos. He intentado hacer lo correcto. He pagado el diezmo. Estoy intentando ahorrar para la misión. Y ahora puedo perder mi trabajo. ¿Debo trabajar en domingo o no?".

Le expliqué el problema a mi padre, quien respondió sabiamente: "No puedo darte una respuesta, pero sé de alguien que sí puede hacerlo". (Se estaba refiriendo al Señor.) Hablé con mi obispo, quien me dijo más o menos lo mismo que me había dicho mi padre. Pasé dos días orando y luchando. Sabía que los domingos podría asistir a la reunión sacramental en otro barrio, pero entonces me perdería las del mío.

Cuando mi jefe me preguntó el martes siguiente cuál era mi decisión, le contesté: "Me gusta mi trabajo y la ruta de reparto, pero no puedo trabajar los domingos y dejar de ir a las reuniones de la Iglesia. No es correcto".

"¡Estás despedido!", dijo muy enfadado. "Ven el sábado a recoger tu último cheque. ¡Eres un joven muy desagradecido!". Y salió muy airado del despacho.

Durante los días siguientes el director apenas me habló, pero siempre que yo me preguntaba si mi decisión habría sido la correcta, la respuesta parecía ser la misma: "Puede que algunas personas tengan que trabajar los domingos, pero tú no tienes ni debes".

Cuando el sábado fui a recoger mi último cheque, descubrí que el director estaba esperando por mí. "Joven, por favor, perdóname", dijo. "Yo estaba equivocado. No debí haberte presionado a actuar en contra de tus creencias y de los mandamientos". Entonces me confesó que era un miembro inactivo de la Iglesia. Y añadió: "He encontrado a un joven de otra religión que está dispuesto a hacer el trabajo de los domingos. Puedes mantener tu trabajo. ¿Aceptas?". Yo respondí que sí con un corazón agradecido.

Entonces el director añadió: "A propósito, descubrirás que el treinta por ciento extra que te iba a pagar por el trabajo del domingo está incluido en el cheque a partir de ahora, aun cuando no vayas a trabajar los domingos en la oficina, y será así mientras trabajes para mí".

Qué gran gozo tuve en mi corazón cuando llegué a casa esa tarde. Me decía una y otra vez: "*Vale la pena* guardar los mandamientos del Señor, pues Él bendice a quienes lo hacen". Por supuesto que habría valido la pena aun sin esa recompensa tangible. Un año más tarde, cuando di mi último discurso antes de ir a la misión, me llenó de gozo el ver que mi jefe estaba entre la congregación, y mi dicha fue aún mayor cuando no hace mucho supe que, después de todos estos años, ahora es un fiel líder de grupo de sumos sacerdotes de su barrio.

Las decisiones sobre empleo y las oportunidades profesionales son verdaderamente difíciles, pero si enseñamos a los jóvenes a mirar al Señor y a guardar Sus mandamientos con exactitud, Él ciertamente hará que todas las cosas "[obren] juntamente para [su] bien" (D&C 90:24). Debemos enseñar a nuestros hijos a nunca comprometer sus principios. Siempre deben tener la confianza en el Señor

La vida es una lucha, pero las promesas del Señor son ciertas. Tenemos problemas grandes y decisiones importantes a las que hacer frente, mas todo ello se puede solucionar si confiamos en el Señor, pues realmente Él es la respuesta a todo, Él es quien puede desatar nuestro potencial y el de nuestros hijos, y quien puede enseñarnos quiénes somos y lo que debemos hacer.

Debemos enseñar a nuestros hijos que será el Señor, en última instancia, el que hará prosperar a aquellos que guarden Sus mandamientos. Tal como dijo Nefi: "Y si los hijos de los hombres guardan los mandamientos de Dios, él los alimenta y los fortifica, y *provee los medios por los cuales pueden cumplir lo que les ha mandado*" (1 Nefi 17:3; énfasis añadido).

Comparto mi testimonio sobre el hecho de que si enseñamos a nuestros hijos a guardar los mandamientos, el Señor proveerá para sus necesidades y les permitirá lograr todo lo que se requiera de ellos. Les ayudará a encontrar un empleo y los bendecirá para que trabajen y apliquen los principios que Él les ha enseñado.

## CÓMO HACER QUE LOS JÓVENES TENGAN EL DESEO DE TRABAJAR

En ocasiones los padres tendrán que ayudar a los jóvenes a desarrollar el deseo de trabajar, tarea que a veces es harto difícil. Las siguientes son unas sugerencias que podrían ayudar a germinar este deseo en un joven, así como algunos pensamientos sobre cómo el Señor lo hace con nosotros. Por ejemplo, es interesante que el Señor nos diga que debemos ganar el pan con el sudor de nuestra frente y que, literalmente, nos deje en el mundo para arreglárnoslas por nosotros mismos. Él nos permite que seamos nosotros los que encontremos trabajo, una casa o que nos las arreglemos por nosotros mismos cada día, todo lo cual es un enorme desafío. Por supuesto que el Señor nos va a ayudar, pero sólo cuando trabajamos y hacemos nuestra parte. ¿No se aplican estos mismos principios a nuestros hijos?

Cuando yo era un muchacho, la gente solía arrojar a los perritos al canal para enseñarles a nadar, lo cual aprendían por necesidad. Nunca vi que ninguno se ahogase, aunque cada vez era algo más molesto de contemplar. Pero, debido a la necesidad, cada uno de los cachorros comenzaba a nadar.

¿No ocurre igual con nosotros? Si tenemos una verdadera necesidad de algo, entonces desarrollaremos el deseo de alcanzarlo, pero generalmente no lo haremos antes. Así que, para crear ese deseo en los hijos, los padres deben ayudarles a reconocer una necesidad real. Por lo general se puede motivar a los hijos a ayudar económicamente cuando alguien está enfermo, cuando hay un fallecimiento en la familia, un serio problema económico o de cualquier otro tipo. Pero esto mismo es igual con las cosas espirituales; cuando haya una necesidad, habrá también un deseo. Entonces, si conducimos apropiadamente a nuestros hijos, éstos se volverán al Señor para solucionar el problema.

A veces podemos crear una necesidad al dar a un hijo una asignación o un llamamiento difícil. Por ejemplo, desde un principio, mi padre me dijo que no iba a pagar por mi misión, que yo tendría que hacerlo por mí mismo. Estoy seguro de que estaba intentando crear una necesidad, y lo consiguió. Trabajé durante ocho años para tener el dinero suficiente para mantenerme en la misión. Sin embargo, pocos días antes de partir me informó de que "no tenía intención de quedarse sin las bendiciones de pagar por mi misión". Y me dijo que podía utilizar mi dinero para casarme e ir a la universidad cuando volviese a casa. Cualesquiera que fuesen sus razones para hacerlo, de cierto creó una necesidad en mí. Me ayudó a alcanzar una meta muy valiosa y, al mismo tiempo, a desarrollar mi carácter mucho más allá de lo que pudiera haber hecho de otro modo.

En ocasiones hemos sugerido a nuestros hijos que para

cicrta fecha concreta deben tener una cantidad de dinero específica como objetivo para sus misiones, estudios universitarios o bodas. Este tipo de metas específicas ha contribuido a la creación de una necesidad real en nuestros hijos. Lo mismo se aplica cuando no tienen dinero y quieren que nosotros les compremos algo. Generalmente hemos dicho que no (excepto con los hijos más pequeños) y que era responsabilidad de ellos el ganarse su propio dinero.

Otra manera de crear necesidades es viendo el ejemplo de otra persona. En muchas ocasiones un buen amigo puede estar trabajando y ganando dinero, y de ese modo nos ayuda a crear en nuestro hijo el deseo de hacer lo mismo. Si los padres son capaces de comenzar debidamente con su primer o segundo hijo en lo que al empleo se refiere, el resto de los hijos le imitarán de manera automática y seguirán ese buen ejemplo.

Una última sugerencia en cuanto a la creación de una necesidad: Muchas veces los hijos pueden crear una necesidad en sí mismos. Si nos acercamos a los jóvenes de manera espiritual y les enseñamos lo que el Señor espera que hagan, ellos crearán la necesidad en sí mismos y se esforzarán por hacer lo correcto.

## LECCIONES SOBRE EL TRABAJAR
## FUERA DE CASA

El tener un empleo enseña a nuestros hijos muchas lecciones:

1. Aprenden disciplina. Aprenden a trabajar de manera regular, día tras día. Aprenden a cumplir con las indicaciones de un jefe. Adquieren una perspectiva más amplia de la vida al estar lejos de la familia y al ver cómo actúan o dejan de actuar otras familias. Es nuestra experiencia que el tener un empleo siempre ha contribuido a una mayor apreciación de nuestro propio hogar.

2. En un trabajo los hijos tienen que hacer frente a personas que están rompiendo los mandamientos, así como a enfrentarse al mundo. Encontrarán dificultades con la

Palabra de Sabiduría, la castidad, la honradez, etc. Es bueno que hagan frente a estas cosas mientras vivan en el hogar, donde pueden hablar con sus padres sobre estos problemas y verse fortalecidos. Esto es mucho mejor que alejarse de la familia por asuntos de estudio o por otra razón y tener que hacer frente a estos problemas por primera vez estando solo.

3. Aprenden a tratar a las personas, a ser accesibles y a no ser egoístas. Aprenden cómo persuadir a los demás y a utilizar buenos hábitos en las relaciones humanas.

4. El trabajo constante genera confianza en los jóvenes. Ellos lo saben, por lo que tienen confianza en sí mismos, y esa confianza se reflejará rápidamente en muchos otros aspectos de la vida.

5. Aprenden cómo administrar sus finanzas. Aprenden a ahorrar, a apartar dinero para los grandes gastos del futuro, como la misión y el matrimonio, y especialmente aprenden a pagar sus diezmos y ofrendas.

6. Un empleo enseña a los jóvenes el verdadero valor de una moneda, para que sean menos dados a querer gastar grandes sumas de dinero en coches u otras cosas que no pueden permitirse si están ahorrando para el futuro.

7. Un empleo ayuda a los jóvenes a desarrollar una imagen sana de sí mismos, un sentimiento de autoconfianza, de hacer las cosas por ellos mismos, de ganarse su propio sustento. Les ayuda enormemente en su desarrollo y madurez.

8. El tener un empleo fortalece las relaciones entre los demás miembros de la familia cuando los hijos más jóvenes ven cómo sus hermanos mayores van a trabajar. Contribuye al desarrollo del respeto de los hijos más jóvenes por sus hermanos mayores y fija el ejemplo para los años venideros, cuando les llegue el turno a los más pequeños.

Para los padres no siempre es fácil ayudar, puesto que se crean exigencias adicionales para ellos. Pero, una vez más, realmente valen la pena. A veces los padres tienen que hacer de taxistas para llevar a sus hijos a trabajar a horas por demás incómodas, o puede que el principal problema sea el tener que compartir el coche de la familia. Muchas veces

los jóvenes comienzan a perderse actividades familiares porque están trabajando, algo que siempre es difícil para la
familia, pero debemos recordar que estos hijos se están pre-
parando para el día en que tengan que dejar su casa, y éste
es el momento para ayudarles en tal preparación. A veces es
difícil para los padres dejarles ir, pero el empleo en el
mundo ayuda a los hijos a hacer la transición de la adolescencia a la madurez.

Le doy mi testimonio una vez más de la importancia de
que los jóvenes trabajen. El trabajo les ayudará a edificar la
honradez, la integridad, la fe, la diligencia, la determinación
y muchas otras características de una persona de bien y
debidamente desarrollada.

## CÓMO ENSEÑAR A SUS HIJOS
## SOBRE LA ADMINISTRACIÓN DEL DINERO

Cuando los hijos tienen un empleo, los padres hacen
frente al desafío adicional de enseñarles a administrar
correctamente su dinero. Tal como ocurre en la mayoría de
otros aspectos, la mejor manera para que los hijos aprendan
sobre este asunto es a través de sus padres. Si los padres son
diligentes al presupuestar, ahorrar dinero, ser cuidadosos en
distinguir entre necesidades y deseos, y estar libres de deudas, eso mismo harán los hijos. Si los hijos ven tal ejemplo,
aprenderán la relación correcta entre gastar y ahorrar, y
cómo controlar su dinero.

Los niños deben aprender la diferencia entre lo que les
gustaría tener y las cosas que pueden permitirse hacer. Más
importante aún, deben aprender las leyes del Señor relacionadas con el diezmo y las ofrendas de ayuno.

Los padres deben decidir si van a dar alguna paga a sus
hijos. En ello hay algunos aspectos positivos, así como algunos negativos. Para algunas familias ha sido beneficioso dar
a los niños más pequeños algo de dinero por las tareas que
hacen en la casa, lo cual les permite ganar algo, aprender a
pagar su diezmo y ahorrar para el futuro.

Otras familias no dan pagas a sus hijos, pues consideran

que trabajar en casa es una obligación de todos los miembros de la familia y no creen que se deba pagar por ese tipo de tareas. Se les puede dar dinero por algún trabajo especial que no forme parte de las tareas del diario vivir. Estas familias están más inclinadas a animar a sus hijos a trabajar en el vecindario o hacer otros trabajos para otras personas con el fin de ganar dinero. Quizás no importa mucho si los hijos reciben o no una paga mientras aprendan a trabajar.

A medida que los jóvenes empiezan a ganar dinero, los padres deben presentarles una forma sencilla de hacer un presupuesto que les permita planear sus gastos. Es importante que se les enseñe que un presupuesto no es simplemente una manera de estar al tanto de lo que gastan, sino una forma de planear los gastos. De ese modo aprenderán a vivir dentro de su presupuesto.

Siempre hemos considerado esencial que nuestros hijos presupuesten una cierta cantidad de dinero para sus ahorros, sin importar lo mucho o lo poco que estén ganando. Además, siempre hemos sugerido una prioridad en los gastos:

1. Pago de diezmos y ofrendas de ayuno.
2. Ahorrar para la misión, la universidad, el casamiento, etc.
3. Disponer de dinero para otros gastos personales.

Siempre hemos pensado que no se debe regalar ni comprar un coche a los jóvenes, pues les consumirá demasiado dinero del que están ahorrando para el futuro. Ha sido un desafío el hacer que nuestros hijos compartan el coche de la familia, pero les ha aliviado de tener que hacer gastos innecesarios. En verdad, este principio ha ayudado a nuestros hijos mayores, quienes han estado en condiciones de sufragarse los estudios universitarios sin pedir préstamos, sin pedir dinero a sus padres y sin ningún otro tipo de ayuda. También alejó algunas de las tentaciones a las que los hijos hacen frente cuando pueden ir y venir tal cual les plazca, con quien les plazca y cuando les plazca.

Siempre que la familia planeaba vacaciones, nos asegurábamos de que nuestros hijos ahorraran un poco de dinero para colaborar, lo cual no sólo aligeraba nuestros gastos sino que hacía que ellos fuesen más conscientes del coste que ello implicaba. De este modo, estaban más dispuestos a reducir los gastos y a sugerir lo que debíamos hacer en las vacaciones.

Durante los consejos familiares hemos repasado con regularidad las partes del presupuesto de la familia sobre las cuales nuestros hijos tenían cierto control, tal como el transporte, la comida, las clases de música, los gastos de educación, etc. Esto les ha ayudado a darse cuenta de que no podían tener lo que se les antojase en la vida, sino que tenían que vivir dentro de un presupuesto. A medida que veían cómo su familia actuaba así mes tras mes, ellos desarrollaron de modo natural el deseo de hacer lo mismo, y descubrieron que era mucho más fácil hacerlo cuando eran independientes o ya estaban casados.

Una de las cosas más importantes que los hijos deben aprender es que existe una relación directa entre guardar los mandamientos y la estabilidad económica con el transcurso de los años. Si se les enseña este concepto cuando son jóvenes, entonces tendrán menos problemas económicos cuando sean adultos. Ciertamente, el Señor está dispuesto a intervenir en nuestros asuntos temporales si nosotros hacemos todo lo que esté a nuestro alcance para, humildemente, hacerle formar parte de ellos.

## SOLUCIONES ESPIRITUALES
## A PROBLEMAS TEMPORALES

Un conocido mío tiene un amigo mexicano que solía viajar en su viejo coche desde México a Utah para asistir a cada conferencia general. Año tras año, hombre iba y se quedaba con su amigo.

Tras una de esas conferencias, mi conocido estaba algo molesto y le dijo que nunca más debía viajar en ese coche viejo. Le dijo: "Tu coche es tan viejo que te va a dejar en la autopista de California. Sé que para ir a casa pasas por Los

Ángeles, San Diego y Tijuana. No vas a volver aquí en ese coche viejo y poner tu vida en peligro". Mi amigo le dio un buen discurso.

El buen hombre le escuchó y siguió su camino, y a la siguiente conferencia general llegó, una vez más, con el mismo viejo coche. Mi amigo comenzó otra vez a darle consejos, pero el buen hermano mexicano le dijo: "Espera un minuto, amigo mío, y escúchame. Realmente pasó como dijiste. La última vez que salí de aquí el coche me dejó en medio del tráfico del sur de California, donde mi hermano y yo nos quedamos sentados en la autopista y con todos los coches tocando el claxon.

"No sabíamos qué hacer. Ninguno de los dos es mecánico. Finalmente fuimos y levantamos el capó y, mientras miraba el motor, me decía a mí mismo: 'Lo que este coche necesita es una bendición'. Mi hermano y yo inclinamos la cabeza y oramos para que el Señor bendijese al coche y le ayudase a funcionar bien. Una vez terminada la oración, bajamos el capó y entramos de nuevo en el coche, y con un corazón humilde hicimos girar la llave. El coche arrancó, y desde entonces ha funcionado excepcionalmente bien. Así que, ya que mi coche ha recibido una bendición, no me va a hacer falta comprar uno nuevo".

Uno puede ver la humildad de ese buen hombre. Ciertamente tenía necesidad de mantener su coche y de no comprar uno nuevo, y creo que el Señor les bendijo a él y a su vehículo.

Le testifico que hay respuestas espirituales para todos los problemas temporales, y que nuestros hijos deben aprender esa lección en los primeros años de su vida. Habrá momentos en el futuro en los que tengan que hacer frente al desempleo, las deudas, o cualquier otro tipo de difíciles problemas económicos. Mas si ellos pueden ver con claridad la relación que existe entre las leyes espirituales y las temporales, y experimentan esa relación cuando son jóvenes, sabrán cómo hacer frente a esos problemas cuando sean mayores. Las leyes son eternas y se ponen en marcha cada vez que nos sometemos humildemente a ellas y, por consiguiente, al Señor.

Mientras cumplía con una asignación en un país latinoamericano, ocurrieron algunas cosas que realmente me enseñaron una gran lección, y empezaron a ayudar a los líderes de ese país a enseñar la actitud de que las personas deben ser autosuficientes individualmente y como país. Este cambio comenzó con un humilde obispo y un hombre a quien llamaré hermano García.

El hermano García acudió a mí durante una conferencia de estaca y me dijo en privado: "Tengo un serio problema. Soy ingeniero y estoy sin empleo". Entonces me habló de sus actividades profesionales y del dinero que había logrado hacer en un principio, y me dijo: "He sido un buen miembro y he ido al templo, pero llevo bastante tiempo sin empleo. Acudí a mi obispo en busca de ayuda y él me dijo que lo que yo necesitaba era más *fe* y *diligencia*, y que tenía que *humillarme*. ¿Puede creerlo?" Y entonces se rió de manera sarcástica. (El obispo le había ayudado a él y a su familia a cubrir sus necesidades, pero este hombre todavía quería más.)

El humilde obispo, sin educación pero muy inspirado, le había dado la respuesta correcta a su problema de desempleo. Él esperaba cierta conmiseración de mí, pero estaba hablando con la persona equivocada.

Podía ver que no tenía un corazón humilde, y le dije: "Hermano García, usted no ha entendido. La Iglesia no tiene la responsabilidad de ayudarle a usted. De hecho, voy a decirle que su obispo le dio la respuesta correcta según las Escrituras". Fui muy contundente con él. Entonces intenté darle algunas pautas en cuanto a lo que debía hacer, y me dijo: "Como usted sabe, en este país un tercio de los hombres están desempleados. Usted habla como si con fe y humildad todos pudieran tener trabajo, pero eso no es posible, ¿no le parece?". Yo le contesté: "Puede haber gente de otras religiones sin empleo, pero no tendría que haber ningún Santo de los Últimos Días sin trabajo". Le di mi testimonio de que el Señor le ayudaría y compartí el siguiente pasaje: "Además, de cierto os digo que en cuanto a vuestras deudas, he aquí, es mi voluntad que las paguéis todas" (D&C 104:78).

Le pregunté si estaba libre de deudas, a lo cual dijo que no, y que nunca lo había estado desde que se había casado. Le dije que no podía esperar que el Señor le ayudase si él no estaba dispuesto a obedecerle. Entonces leímos el versículo 79: "Y es mi voluntad que os humilléis delante de mí y obtengáis esta bendición por vuestra diligencia, humildad y la oración de fe".

Le pregunté: "Hermano García, ¿cuáles son las tres claves?".

Él me contestó tímidamente: "Humillarse, ser diligente y orar con fe".

Entonces le dije: "Generalmente el Señor no se repite de inmediato en el versículo siguiente, pero en este caso lo hizo, quizás debido a que pensaba que nosotros no íbamos a captar Su mensaje". Y entonces leímos los versículos 80 y 81: "Y si sois diligentes y humildes, y ejercitáis la oración de fe, he aquí, ablandaré el corazón de vuestros acreedores, hasta que os envíe los medios para libraros.

"Por tanto, escribid luego a Nueva York, escribid conforme a lo que dictare mi Espíritu, y ablandaré el corazón de vuestros acreedores para que sea quitado de sus mentes el deseo de afligiros".

"Hermano García", le dije, "el Señor ablandará el corazón de las personas a quienes usted debe dinero, o el corazón de la persona encargada de darle un empleo. ¿Quién enviará los medios para librarle?".

"El Señor", respondió él.

"Hermano García", le dije, "fíjese en cómo el Señor vuelve a resumirlo todo una vez más en el versículo 82: 'Y si vosotros sois humildes y fieles, e invocáis mi nombre, he aquí, os daré la victoria' ".

Le expresé mi amor y mi testimonio y entonces me fui. Regresé a esa misma ciudad cerca de un año más tarde y en una reunión de capacitación de líderes, por alguna razón, comencé a decir algo sobre esta persona, sin recordar que me encontraba allí mismo. (De haberlo recordado, probablemente no habría sido tan osado como para hablar de ello.) Empecé a decir algunas cosas sin utilizar el verdadero nombre de esta persona, y de repente un hombre se puso en pie en medio de la congregación, y dijo: "Élder Cook, el hombre de quien está hablando es mi amigo, quien está aquí, sentado a mi lado. Él es demasiado modesto como para decirle esto, pero yo lo haré". Y entonces nos contó esta historia.

Dijo que, al principio, el hermano García había quedado ofendido por nuestra conversación. Económicamente, las cosas siguieron empeorando. Entre un mes y seis semanas, las cosas fueron cuesta abajo, y entonces comenzó a pensar en lo que el obispo y yo le habíamos dicho sobre la *humildad*, la *diligencia* y la *oración de fe*. Comenzó a darse cuenta de que el consejo de su obispo era correcto y que debía seguirlo.

Se humilló hasta el polvo y finalmente le dijo al Señor: "Trabajaré en *cualquier* empleo que quieras darme".

A veces, cuando no tenemos trabajo, no somos lo suficientemente humildes como para aceptar cualquier empleo, pero el proceso no dará comienzo a menos que eliminemos nuestros prejuicios y nuestras pretensiones, y nos humillemos.

El hombre prosiguió: "Entendió que tenía que salir y comenzar a buscar diligentemente, lo cual no había hecho. Así que entró y salió de todas partes buscando empleo con la oración de fe. Estaba orando y ayunando para que el Señor le diese un trabajo".

Entonces el hermano García se puso en pie y continuó diciendo: "Quizás le sorprenda saber que el trabajo que recibí consistía en cortar césped. 'Debo sostener a mi familia', me dije a mí mismo". (Ahí teníamos a un ingeniero que había aceptado un empleo para cortar el césped en la propiedad de un hombre rico. Realmente tuvo que humillarse para hacer frente a eso, mas decidió hacerlo.)

Entonces prosiguió: "Desde entonces ha pasado un año, hermano Cook, y le voy a dar estas buenas noticias. En la actualidad poseo la mayor empresa de la ciudad de mantenimiento de jardines. De hecho, el ayuntamiento me contrató seis meses después de la experiencia con el obispo y ahora me encargo del césped de toda la ciudad y tengo a veinte hombres trabajando para mí".

Entonces le dije al hermano García: "¿Y qué hay de la ingeniería?"

El respondió: "Olvídese de la ingeniería. Ahora estoy ganando mucho más dinero".

Esta experiencia me enseñó una gran lección sobre la manera en que trabaja el Señor. ¿Por qué toda esta espiritualidad funcionó para ese buen hombre? Porque:

- Se humilló.
- Estuvo dispuesto a ser diligente y sacrificarse.
- Superó su orgullo.
- Oró con fe y lo que pareció ser su más grande prueba se convirtió en la mayor de sus bendiciones.
- Siguió el consejo de sus líderes del sacerdocio.

¿No podemos todos hacer lo mismo? Cuando nos humillamos y ofrecemos el sacrificio requerido (tal como la diligencia y la oración de fe), el Señor entra en acción. Aquel obispo era un hombre sin estudios y no era sabio en cuanto a la forma del mundo, pero había sido ordenado obispo en la Iglesia y entendía que tenía que orar al Señor para recibir respuestas y ayudar a su gente. Entonces llegó el ingeniero que ganaba diez veces más que el obispo y que tenía una mejor educación; pero fue el obispo el que recibió la respuesta.

Puede que nadie conozca las respuestas a todos nuestros problemas temporales, pero las Escrituras nos enseñan cierto número de principios que son muy claros. He aquí unas pocas de estas claves:

1. *Confiar en el Señor*. Si quiere ser bendecido temporal-

mente, siga el consejo que el Señor da en D&C 104:78-82, incluyendo las instrucciones referentes a las deudas.

Las claves de estos versículos son verdaderas y poderosas. Asegurémonos de enseñarlas a nuestros hijos.

2. *Guardar los mandamientos*. El segundo principio para solucionar nuestros problemas temporales es guardar los mandamientos. Las Escrituras están llenas de este mandato y el Señor ha dicho en muchas ocasiones que nos bendecirá temporal y espiritualmente si somos obedientes.

Permítame mencionar tres mandamientos que se relacionan específicamente con las bendiciones temporales:

*El diezmo*. El Señor ha prometido enormes bendiciones a los que paguen fielmente su diezmo. ¿Hacía Él excepción de las viudas? No. Aunque eran muy pobres, también pagaban el diezmo. ¿Hace excepción de los niños? No. A veces esto es muy difícil de entender para la gente muy pobre. Aún así, cuando el significado de la verdad comienza a florecer en sus mentes, ellos realmente están impregnados de ella.

Algunas personas casi no tienen nada pero, del mismo modo, les enseñamos a pagar un diezmo de sus ingresos. He oído a algunas personas decir: "No tengo nada". Pero sí tienen. ¿Están ganando sólo cincuenta dólares al mes para mantener a su familia? Aún así tienen que pagar el diezmo. El Señor no hizo excepciones y ésta es la manera en que puede bendecirles. Debemos enseñar claramente este principio a todos nuestros hijos como parte de la respuesta a los problemas (véase Malaquías 3:8–11; D&C 119).

*Ofrendas de ayuno*. Todos hemos oído muchas historias y puedo compartir mi testimonio personal, al igual que usted, de las bendiciones que se reciben al dar las ofrendas de ayuno. Enseñemos esto mismo a nuestros hijos.

En Mateo 6:25–33, el Señor enseñó: "No os afanéis por vuestra vida, qué habéis de comer o qué habéis de beber; ni por vuestro cuerpo, qué habéis de vestir".

¿De qué tipo de problemas estaba hablando? De problemas temporales.

"¿No es la vida más que el alimento, y el cuerpo más que el vestido?"

Nuevamente está colocando en perspectiva lo espiritual y lo temporal, y continúa diciendo:

"Mirad las aves del cielo, que no siembran, ni siegan, ni recogen en graneros; y vuestro Padre celestial las alimenta. ¿No valéis vosotros mucho más que ellas?"

Piense en esto por un minuto. Aquí tenemos las aves del Señor, y parece que Él las cuida, ¿verdad? Y el Señor nos dice: "¿No valéis vosotros mucho más que ellas?". "¿Cómo podría yo cuidar de ellas y no daros algunas promesas relativas a vuestro bienestar temporal?"

"¿Y quién de vosotros podrá, por mucho que se afane, añadir a su estatura un codo? Y por el vestido, ¿por qué os afanáis? Considerad los lirios del campo, cómo crecen: no trabajan ni hilan; pero os digo, que ni aun Salomón con toda su gloria se vistió así como uno de ellos".

Una vez más, piense en lo que nos está diciendo. Él ha proporcionado la belleza de los campos y de las flores, que ni siquiera trabajan por ello. ¿No somos nosotros mucho mayores que los lirios? Y entonces recibimos esta gran promesa en el versículo 30: "Y si la hierba del campo que hoy es, y mañana se echa en el horno, Dios la viste así, ¿no hará mucho más a vosotros, hombres de poca fe?"

¿Cuál es el problema? La poca fe.

"No os afanéis, pues, diciendo: ¿Qué comeremos, o qué beberemos, o qué vestiremos? Porque los gentiles buscan todas estas cosas; pero vuestro Padre celestial sabe que tenéis necesidad de todas estas cosas".

Muchas personas han citado el siguiente versículo pero sin ser conscientes de la importancia de todo lo que le precede: "Más buscad primeramente el reino de Dios y su justicia, y todas estas cosas [las cosas temporales] os serán añadidas".

No se espera que estemos demasiado preocupados por el trabajo aunque sí es un mandamiento el hacerlo. Pero hay una gran necesidad de fe. El Señor promete bendecirnos económica y espiritualmente si depositamos nuestra fe en Él.

A mi entender, habiendo vivido en muchos países latinoamericanos, no hay excepción. He estado en cientos y cientos de hogares y me he arrodillado en suelos verdaderamente humildes, en chozas de bambú y todo lo demás. No he visto excepción alguna para que el Señor no derrame Sus bendiciones temporales sobre Su pueblo si tan sólo ellos ejercen fe en Él y hacen lo que les ha mandado. Los problemas se solucionarán, no de manera mágica, pero Él les dará una oportunidad aquí y otra allí, y comeuzarán a crecer y a desarrollarse y salir de los serios problemas económicos a los que hacen frente. Le testifico de la veracidad de este hecho.

*El día de reposo.* Creo que existe una relación directa entre honrar el día de reposo y ser bendecido tanto temporal como espiritualmente. Debemos enseñar este principio a nuestros hijos. El Antiguo Testamento está repleto de estas referencias y haría usted bien en buscarlas en la Guía para el Estudio de las Escrituras. Me referiré a un pasaje que se encuentra en Doctrina y Convenios 59:16–20, donde el Señor da una promesa respecto a santificar el día reposo:

> De cierto os digo, que si hacéis esto, la *abundancia de la tierra* será vuestra, las bestias del campo y las aves del cielo, y lo que trepa a los árboles y anda sobre la tierra; sí, y la hierba y las cosas buenas que produce la tierra, ya sea para *alimento* o *vestidura*, o *casas*, alfolíes, huertos, jardines o viñas; sí, todas las cosas que de la tierra salen, en su sazón, son hechas para el beneficio del hombre, tanto para agradar la vista como para alegrar el corazón; sí, para ser alimento y vestidura, para gustar y oler, para vigorizar el cuerpo y animar el alma.
>
> Y complace a Dios haber dado todas estas cosas al hombre; porque para este fin fueron creadas, para usarse con juicio, no en exceso, ni por extorsión (énfasis añadido).

Resulta interesante que la abundancia de la tierra nos

sea dada para alimento, vestidura o incluso, un hogar. En otras palabras, si obedecemos esta ley, el Señor nos bendecirá tanto temporal como espiritualmente.

Testifico que la obediencia al día de reposo tiene un impacto directo sobre nuestro estado financiero y el de nuestros hijos.

3. *Obedecer los principios de estabilidad económica.* Enseñaremos a nuestros hijos a ser económicamente estables, lo cual quiere decir que:

a. Evitaremos la deuda como si de una plaga se tratase. Haremos todo lo posible para no contraer deudas (con excepción de gastos a largo plazo de carácter extraordinario, como para la vivienda o la educación), o, si tenemos deudas, saldremos de ellas lo antes posible, con toda urgencia. No compraremos cosas a crédito ni nos veremos envueltos en pagos a plazos.

b. Ahorraremos parte de nuestros ingresos sin falta. Siempre "pagaremos al Señor" en primer lugar por medio del diezmo, para luego "pagarnos a nosotros mismos" por medio de nuestros ahorros.

c. Distinguiremos claramente entre necesidades y deseos, y saciaremos únicamente nuestras necesidades. Estaremos en guardia constante contra los excesos que intentan que satisfagamos nuestros deseos, lo cual nos hará caer en dificultades económicas.

d. Siempre mantendremos un presupuesto familiar o personal. No sólo registraremos los gastos sino que planearemos por adelantado qué cosas debemos comprar y nos limitaremos a esa cantidad de dinero.

e. Viviremos dentro de nuestros medios. Hace falta mucha humildad para hacerlo, pero no hay duda de que el vivir más allá de nuestras posibilidades es contrario a los mandamientos. Seremos frugales en toda nuestra existencia.

Si enseñamos fielmente estos principios a nuestros hijos y ellos aprenden a vivirlos, se evitarán o solucionarán la mayoría de sus problemas económicos. El Señor es fiel a

Sus promesas. Si aprendemos los principios y los vivimos, seremos bendecidos tanto espiritual como temporalmente.

Enseñemos por tanto a nuestros hijos la importancia de trabajar en casa y en su puesto de trabajo, y entonces les prepararemos correctamente para la edad madura y para poder una vida plena y productiva. Que el Señor nos bendiga para enseñarles los principios relacionados con las finanzas y aquellos que gobiernan tanto las bendiciones temporales como espirituales. El vivir y enseñar estos principios en su hogar le será de gran ayuda para criar una familia celestial.

# CAPÍTULO 9

# ENSEÑE A SU FAMILIA A TRAVÉS DE REUNIONES Y ACTIVIDADES

En una conferencia de estaca celebrada en Lima, Perú, conocí a una jovencita que era la única miembro de la Iglesia en su familia. En los meses posteriores a su bautismo había escuchado muchos consejos sobre la noche de hogar. Ella quería hacerlo, pero no estaba segura de cómo dar el primer paso. Sólo tenía diecisiete años y nadie más en su familia tenía interés alguno.

Un domingo escuchó un fuerte testimonio sobre la noche de hogar y decidió que ya había esperado suficiente tiempo y que iba a comenzar a hacerla. Se fue a su casa y en la sala de estar misma cantó un himno, ofreció una oración y dio la lección. Su familia, especialmente sus dos hermanos mayores, se rieron, se burlaron de ella y le preguntaron qué estaba haciendo entre los mormones, etc. Ella se fue llorando a su cuarto, donde esa noche puso fin a la lección.

Al lunes siguiente, a pesar de la resistencia que había encontrado en su familia, siguió adelante y tuvo otra noche de hogar, y lo mismo hizo el otro lunes. Cuando a la semana siguiente comenzó a cantar el primer himno, hubo un golpecito en su puerta. Su hermano mayor le dijo: "Mary, ¿puedo entrar? Realmente me gustaría saber qué estás haciendo".

Ella le contestó: "Bueno, pero con la condición de que no te rías de mí". Le dijo que no lokaría y entró. Ambos cantaron, oraron y aprendieron juntos, y a la semana siguiente se les unió el segundo hermano.

Cuando aquel día compartió su testimonio en la conferencia de estaca, dijo: "Y aquí, élder Cook", y señaló a una de las hileras delanteras, "están mis padres y esos dos hermanos. Ahora todos son miembros de la Iglesia".

¡Qué tremenda bendición! Esa jovencita de diecisiete

años, a través de la obediencia a los mandamientos, fue el instrumento mediante el cual toda su familia se convirtió. Seguramente a esto se refería el Señor cuando dijo : "Yo, el Señor, estoy obligado cuando hacéis lo que os digo; mas cuando no hacéis lo que os digo, ninguna promesa tenéis" (D&C 82:10).

¿Acaso no debemos amar a nuestra familia con mayor intensidad y esforzarnos mucho más por tratar a cada miembro de la misma tal como el Señor nos trata? La noche de hogar puede tener un gran impacto sobre una familia, tanto si son miembros de la Iglesia como si no lo son.

La noche de hogar y los consejos de familia son reuniones familiares *importantes*, y cada familia tiene que decidir cuándo y cómo las celebrará. Para muchas es muy útil tener una reunión espiritual familiar en domingo, en la cual enseñar la doctrina de la Iglesia, sustituyendo quizás la lectura de las Escrituras de ese día. Entonces, el lunes por la noche celebran una actividad, para divertirse y recrearse. También se puede salir y ofrecer servicio a alguien que pueda estar pasando por alguna necesidad. La noche de hogar puede incluir también un consejo familiar en el cual todos dialogan para solucionar un problema por el que estén pasando o para planear trabajos o acontecimientos futuros.

Los profetas han enseñado claramente la importancia que tienen las noches de hogar y los consejos familiares.

El presidente Marion G. Romney dijo una vez: "No se puede dar mayor servicio a una familia... que el de motivarla con una visión de los beneficios que se obtienen al celebrar con regularidad la noche de hogar y, por tanto, fortalecer los lazos familiares en esta vida y prepararlos para la continuación de esta sagrada relación en la vida venidera".

El presidente David O. McKay dijo: "Las familias que preparan fielmente y celebran de manera constante sus noches de hogar, y que trabajan juntas durante la semana para aplicar las lecciones de éstas a sus vidas, serán bendecidas".

Y el élder Boyd K. Packer comentó: "La noche de hogar

puede inspirar ese tornar de los corazones. El propósito de la noche de hogar es hacer que la familia esté unida mediante el amor y una dulce relación, abrir las puertas de la comunicación entre padres e hijos, hacerles que sean felices por el hecho de vivir juntos y pertenecerse el uno al otro por toda la eternidad".

A veces los frutos de la noche de hogar pueden ser un tanto divertidos. Cuando nuestros tres primeros hijos eran pequeñitos, los puse en línea al lado de la estufa y les enseñé lo que creía ser una excelente lección sobre el porqué los jóvenes debían servir una misión. Al final de la lección le pregunté al mayor: "Hijo, ¿vas a servir una misión?".

"¡No!", contestó. Tanto su madre como yo nos quedamos sorprendidos. Entonces me aventuré a hacer la pregunta siguiente: "¿Por qué no?". Él miró hacia arriba y dijo: "No puedo, papá. ¡Todavía tengo puesto el pijama!". Puede imaginarse lo inadecuado que me sentí al no poder establecer una buena conexión con mis "alumnos".

Cuando fui llamado a servir como Autoridad General, intenté enseñar a nuestros jóvenes hijos lo que ello significaba. Poco tiempo después, nuestro hijo de siete años compartió su testimonio en una reunión sacramental, y parece que se había olvidado un poquito del significado de ser Autoridad General. Ni siquiera podía recordar esas palabras. Todo lo que pudo decir fue: "Mi papá ha sido llamado para ser... para ser... para ser uno de esos hombres que trabajan con Jesús". No podía recordar el término, pero sí conocía el sentimiento. La noche de hogar es una bendición real para las familias.

George Durrant lo dijo de esta manera: "Los padres que abrigan sueños respecto al destino de sus hijos saben que el programa del Señor para la noche de hogar es como un regalo del cielo. No se trata de algo que tengamos que hacer, sino que es algo que nos acostumbramos a hacer... Los profetas han dicho: 'Los hijos que procedan de tales hogares no se perderán'. Usted puede tener hijos e hijas que sean responsables, que deseen servir, que amen la virtud y que tengan un testimonio fuerte, que amen y sean amados gracias a que usted ha celebrado la noche de hogar y ha compartido este sentimiento con su familia de forma continuada" ("A Gift from Heaven", *Ensign*, marzo de 1971, págs. 6–7).

## EL PLANEAMIENTO DE LAS REUNIONES FAMILIARES

Un elemento importante a la hora de dirigir las noches de hogar y los consejos familiares es planear con antelación, lo cual es responsabilidad de los padres. Luego, a medida que los hijos van creciendo, se puede delegar en ellos gran parte del planeamiento.

Para ayudarnos a planear nuestras noches de hogar hemos utilizado diversas listas y ruedas de asignaciones las cuales nos decían a quién le tocaba dirigir, quién dirigía la música, quién oraba, quién daba la lección, quién preparaba el refrigerio, etc.

## FAMILIA COOK
## ASIGNACIONES DE LA NOCHE DE HOGAR

| ASIGNACIONES | 1-ene-'80 | 8-ene-'80 | 15-ene-'80 | 22-ene-'80 | 29-ene-'80 |
|---|---|---|---|---|---|
| Dirigir | Hijo | | | | |
| Pianista | Papá | | | | |
| Dir. de música | Hija | | | | |
| Discurso | Hijo | | | | |
| Número especial | Mamá | | | | |
| Lección | Hija | | | | |
| Testimonios | Hijo | | | | |

# AGENDA DEL CONSEJO DE LA FAMILIA COOK

Fecha: _____

Primera oración:_____

## MIEMBROS PRESENTES Y SOLUCIÓN DE DIFICULTADES INDIVIDUALES

Problemas                Soluciones

1. _____     1. _____

    _____         _____

    _____         _____

    _____         _____

2. _____     2. _____

    _____         _____

    _____         _____

    _____         _____

Última oración: _____

# FAMILIA COOK
# AGENDA DE REUNIÓN ESPIRITUAL

Fecha:_____

Preside: _____

Dirige: _____

Primer himno: _____

Dir. de música: _____

Pianista: _____

Primera oración: _____

Escritura/Artículo de Fe memorizado: _____

_____

Discurso: _____

Número especial: _____

Lección (repaso de la lección de la semana pasada/resultados del consejo familiar)

_____

Testimonios: _____

_____

Consejo familiar: (1er domingo y/o según se necesite) ____

_____

Planeamiento de la actividad de la noche de hogar: _____

Asignaciones para la semana entrante: _____
_____
_____

Último himno: _____
Última oración:_____
Entrevistas: _____

Aun los niños pequeños que no saben leer pueden dirigir las reuniones. Los padres pueden hablar con ellos de lo que deben hacer y en qué orden deben hacerlo. Entonces los pequeños pueden hacer una agenda con dibujos en vez de con palabras. Es muy divertido ver cómo los niños dirigen la noche de hogar. Es también algo que edifica su autoconfianza y les hace sentirse parte importante de la familia.

Llegó un tiempo en nuestro matrimonio en el que ya no necesitamos una agenda; nuestra familia aprendió a dirigir las reuniones y ahora nos limitamos a asignar cada semana la lección de la noche de hogar.

El punto principal consiste en organizar los contenidos, sin ser demasiado formal, para que la familia pueda tener una buena experiencia. El objetivo es tener una familia feliz, satisfecha, animada y que crezca fuerte.

Los consejos familiares se pueden incorporar a menudo a las noches de hogar, dando así a los miembros de la familia la oportunidad de tratar problemas personales o familiares. Para nosotros han resultado muy útiles a la hora de llegar a acuerdos sobre disciplina, reglas, etc. En estas reuniones hemos intentado abordar muchos de los asuntos familiares como el presupuesto o los horarios, y también las hemos empleado para llegar a acuerdos sobre decisiones familiares con consecuencias a mucho más largo plazo.

Una tarde, tras regresar de una conferencia de estaca, mi esposa me dijo: "Acabo de saber que uno de nuestros parientes está en la cárcel". Entonces añadió con un guiño: "Más aún, se trata de uno de *tus* parientes".

Un primo lejano, a quien llamaré Juan, había llamado desde la prisión local. Nunca habíamos estado con él, pero conocíamos a su padre. Le había dicho a mi esposa que si podía pasar algún tiempo con una buena familia, se le reduciría la duración de su encarcelamiento.

Ella me preguntó qué pensaba yo sobre el hecho de permitir que nos visitase, a lo cual, debido quizás a que estaba cansado, respondí diciendo: "Bueno, tú sabes que hemos accedido a las peticiones de muchas personas, pero no estoy seguro de que tengamos que tomar parte en algo como esto. Hablaremos más tarde". El tiempo pasó y no volvimos a hablar del asunto.

Una semana más tarde regresé de otro viaje y mi esposa me dijo que Juan había vuelto a llamar. Una vez más respondí de manera bastante negativa, diciendo que probablemente no sería prudente tenerle en nuestro hogar cuando yo estaba viajando tanto; así que, una vez más disuadí a mi buena esposa de sus justos deseos.

Al cabo de unas pocas semanas, mi esposa se acercó a mí una mañana temprano, mientras me encontraba leyendo, y me dijo: "Cariño, sabes que te he hablado en dos o tres ocasiones sobre ayudar a Juan, y en cada una me has respondido de manera bastante negativa. Sólo quiero que sepas que siento fuertemente que debemos enseñarle, que tenemos que ayudarle y hacer lo que nos ha pedido. Sin embargo, no voy a volver a mencionar el tema. Pensé que deberías saber cómo me siento". Entonces salió del cuarto y me dejó a solas.

Me sentí mal por mis respuestas negativas, así que fui a ella y le dije que no pensaba que debíamos tomar una decisión semejante por nosotros mismos, sino que deberíamos tratarlo en el consejo familiar. Así que llamamos a los diez miembros de nuestra familia, les explicamos la situación y votamos: 9 a favor y 1 en contra. Entonces volví a hacer hincapié en el posible peligro de tener a un presidiario en nuestra casa cuando yo no estuviera presente. (Y yo conocía el motivo por el cual Juan estaba en la cárcel.)

Un par de los hijos más jóvenes cambiaron su voto por que les persuadí, y la votación estaba ahora 7 a 3.

Tras hablarlo todavía un poco más, uno de mis hijos dijo: "¿Por qué seguimos hablando de esto, papá? ¿Por qué no nos arrodillamos y lo confirmamos?".

"¿Qué?", dije.

"Sí," dijo él. "¿Por qué no nos arrodillamos y lo confirmamos? El Señor sabe si debemos hacerlo o no".

Sus inspiradas palabras me tomaron por sorpresa, y me sentí arrepentido y humillado por no haber dirigido a mi familia a buscar una respuesta del Señor. Todos nos arrodillamos de inmediato y tanto ese hijo como yo oramos. Tras las oraciones el voto fue de diez a favor, y llamé rápidamente a la cárcel.

Cuando Juan oyó mi voz, se echó a llorar. "Gracias. Gracias por llamar", dijo. "Gracias, muchísimas gracias". Le dije que iríamos a la iglesia en unas horas, que luego volveríamos a casa para la cena, y que nos gustaría que pasase todo el día con nosotros. Él estaba muy complacido por todo ello.

Juan lloró en las reuniones de la iglesia durante casi todo el tiempo. Su humildad me sorprendió y me conmovió. Sin embargo, todavía me sentía un tanto preocupado sobre cómo podría reaccionar ante los niños cuando regresásemos a casa. Mis temores no se hicieron realidad pues al cabo de cinco o diez minutos de estar en casa tenía a todos nuestros hijos comiendo de su mano. Sabía algunos trucos de magia, sabía cómo hacer reír a los niños. *Sabía* cómo tratarlos. De hecho, nos parecía que realmente tenía un don. Pasamos una tarde de domingo maravillosa y cuando esa noche toda la familia le acompañó de regreso a la cárcel, volvimos a sentirnos espiritualmente diferentes, y sabíamos que él también se sentía así.

Juan continuó viniendo a nuestra casa en numerosas ocasiones durante los meses siguientes hasta que, finalmente, salió de la cárcel. Últimamente hemos oído que se ha casado y que seguía adelante con la vida. ¡Cuánto nos bendice el Señor a todos si intentamos extender una mano amiga al necesitado! No estoy sugiriendo que debamos acceder a toda petición procedente de la cárcel, de la calle o de cualquier otro lugar. Lo que sí sé es que el Señor ciertamente puede dirigirnos a quién debemos ayudar, y una forma de hacerlo es a través de los consejos familiares. Me siento muy agradecido por el consejo que celebramos como familia respecto a aquel asunto, pues hubo muchas cosas buenas que resultaron de él. Ciertamente, tal como escribió el salmista: "He aquí, herencia de Jehová son los hijos; cosa de estima el fruto del vientre. Como saetas en mano del valiente, así son los hijos habidos en la juventud. Bienaventurado el hombre que llenó su aljaba de ellos; no será avergonzado cuando hablare con los enemigos en la puerta" (Salmos 127:3–5).

Que el Señor nos bendiga para que seamos más dadivosos y para que rodeemos a los necesitados con el amor de nuestra familia. La noche de hogar debe abordar los sentimientos del corazón y no tanto la instrucción, aunque ésta también forme parte de ella. Celebremos noches de hogar y consejos familiares más eficaces para así inculcar en nuestros hijos la fidelidad hacia el Señor.

## LA PLANIFICACIÓN DE
## ACONTECIMIENTOS FAMILIARES

Para ser más eficaces, los consejos familiares, las noches de hogar y otros acontecimientos y actividades deben planearse con bastante antelación. De hecho, cuando los padres planeen sus horarios, deben incluir en primer lugar los asuntos de la familia. Por ejemplo, si usted quiere tener una noche de hogar a la semana, ¿no sería sabio anotarla en el calendario semanal? Planee con tiempo los cumpleaños y otros momentos especiales. Marque los días en que sus hijos no irán al colegio para que pueda organizar su trabajo y estar en casa en esa ocasión. Al obtener el calendario de la escuela, usted puede verificar este tipo de detalles antes de planear actividades en el trabajo o en la iglesia, y poder así incrementar el tiempo que pase con su familia.

Planee llevar a cabo noches de hogar o reuniones espirituales de calidad. En ocasiones, éstas se podrán celebrar en un ambiente tranquilo, pero en otras, cuando se aborden temas importantes, estas reuniones se deben planear con el mismo esfuerzo y cuidado que se le da a una presentación de calidad en el trabajo.

De igual modo, las actividades familiares pueden, a veces, ser espontáneas y en otros momentos se deben planear con antelación, como por ejemplo: Viajes a un museo, a un centro de historia familiar, al templo (para hacer bautismos por los muertos), a un parque de atracciones, etcétera; todas ellas pueden proporcionar muchas experiencias positivas. La clave está en hacer cierta variedad de cosas y pasarlo bien juntos.

El pasar un buen rato juntos es parte importante del crecimiento y desarrollo de una familia. Los niños tienen que disfrutar al estar con su familia y las actividades pueden proporcionar ese ingrediente importante de la vida familiar.

El planeamiento de actividades recreativas origina anticipación en la familia. El pensar en una excursión durante los días o semanas previas a su realización suele ocasionar tanta satisfacción como la actividad misma. La anticipación puede también ayudar a los hijos a sobrellevar ciertos momentos difíciles en la escuela o en el trabajo.

A pesar de todo el planeamiento que se pueda hacer, sea consciente de las impresiones que se reciben en el momento mismo en que un miembro de la familia tiene una necesidad especial. En tales circunstancias debemos hacer a un lado los planes familiares para tratar esa necesidad.

Planee sus asuntos cada día de tal modo que usted sea el primero en levantarse cada mañana y pueda estar preparado para dar atención a sus hijos a medida que se vayan levantando. Por encima de todo, recuerde que sus hijos están con usted durante un breve período, y que debe hacer todo cuanto esté a su alcance para prepararles para la vida y concederles todo el tiempo que pueda.

## RELACIÓNESE CON SUS HIJOS

Aparte un tiempo para relacionarse con sus hijos. Ore, juegue, trabaje y adore con ellos.

Tome la responsabilidad de dejar a su familia feliz cada mañana. Cada día, antes de salir para el trabajo, haga todo lo que pueda para contribuir a la creación de un ambiente feliz y espiritual, para que de este modo sus hijos comiencen la jornada de un modo espiritual.

Pase tiempo con sus hijos. Quizás éste sea el mayor regalo que pueda hacerles. No podrá tener mucho efecto en ellos a menos que sea capaz de percibir lo que están ellos oyendo y sintiendo en sus vidas. Sólo entonces estará en condiciones de aconsejarles y ayudarles a aprender cómo hacer frente a la vida y vencer sus dificultades. Por encima de todo, escuche, escuche y escuche.

Deje su maletín en el trabajo. Los padres que se llevan el trabajo a la casa casi siempre le roban a sus hijos el "tiempo familiar". Si usted lleva tareas del empleo a su casa, quizás deba hacerlas temprano por la mañana o ya entrada la noche, cuando sus hijos estén en cama o no se hayan levantado aún.

Creo que los padres deben evitar leer el periódico o ver la televisión cuando sus hijos estén con ellos. Una vez más, tales actividades debieran quedar relegadas para cuando los niños estén en la cama o haciendo sus tareas. De nuevo le digo que el tiempo que pase con sus hijos es el regalo más valioso que pueda hacerles.

Si usted tiene una familia numerosa, sea cuidadoso y pase el mayor tiempo posible tanto con los hijos más pequeños como con los mayores, los cuales tienden a ser más dominantes, a tener más desafíos y a requerir mayor atención. A menos que los padres tengan cuidado, pueden desatender las necesidades de sus hijos más pequeños.

¡No sea tan serio! Aumente el amor entre los miembros

de su familia al dejar pequeñas notas por toda la casa que digan "Te quiero", o que mencionen algo especial que usted haya visto en sus hijos.

Jueguen y paseen juntos, hagan todo lo posible como familia, y verá cómo aumenta el amor.

Creo que es esencial que las familias coman juntas. El hacerlo les proporciona un tiempo extra cada día. Las familias que comen juntas y hablan juntas, permanecen juntas. Utilice el tiempo de las comidas para hablar sobre las tareas de la escuela, repasar acontecimientos y noticias, contar algunos chistes o relatar experiencias.

No deje que la vida familiar gire alrededor del televisor. Algunas familias creen que ver la televisión es estar "juntos", pero generalmente no hay mucho valor en ese tipo de unión. Resulta triste ver cómo las familias pasan tanto tiempo delante del televisor cuando hay tanto por saber, sentir y hacer juntos.

Asegúrese de pasar el tiempo apropiado con cada uno de sus hijos. Todos los hijos necesitan saber que son especiales y que tendrán toda la atención de los padres durante algún momento de la semana.

Recuerde que, con frecuencia, los hijos necesitan hablar en momentos inoportunos. Puede que vengan cuando usted esté ocupado, cuando esté enfrascado haciendo algo, cuando esté leyendo o en el momento en que le gustaría irse a la cama. Recuerde que usted no puede dictar los sentimientos de sus hijos, y si tienen una necesidad usted debe intentar responder a ella.

Confiera a sus hijos algunas de las habilidades que usted haya aprendido. Aunque las familias viven juntas, los padres suelen fracasar en el intento de compartir lo que saben sobre la oración, la lectura de las Escrituras, las relaciones humanas, el planeamiento, cómo conseguir empleo, etc. El tiempo que dedique al legado e información de estas habilidades le reportará beneficios mucho mayores que ver la televisión.

No se olvide cada noche de dar ese último abrazo, de

contar un cuento al pequeñito o de darle un beso antes de dormir. Aun cuando estas cosas pueden convertirse en algo rutinario, será algo poderoso que puede beneficiar enormemente a los miembros de su familia.

Asegúrese de decidir en unión la mayoría de los temas durante el consejo familiar. Habrá algunas cosas personales que los padres van a decidir, pero hemos descubierto que la mayoría de los asuntos se pueden tratar mejor haciendo partícipe a toda la familia, pues les hace sentirse parte de las cosas y que todos son autores del "plan familiar".

Busque oportunidades de servir como familia. Éstas le proporcionarán algunas de las mayores recompensas. Los recuerdos de haber servido juntos a otras personas perdurarán para siempre y ayudarán a su familia a seguir el ejemplo del Salvador.

## EL RECIBIR DIRECCIÓN
## DEL SEÑOR

Asegúrese de orar específicamente por los suyos e intente recibir dirección del Señor de manera regular sobre las necesidades individuales y generales de la familia.

No se preocupe demasiado por el hecho de que sus hijos cometan errores. Todos lo hacen, al igual que los adultos. Busque los *modelos* de errores que se están desarrollando. Hay una gran diferencia entre cometer un error y desarrollar un modelo de errores. Intente corregir esos modelos y pase por alto algunos de los errores pequeños. Si usted da demasiada relevancia a los errores pequeños y a las pequeñas actitudes que están fuera de su alcance, puede que nunca se percate de cosas más grandes.

Ore individualmente con cada uno de sus hijos.

Cuando sus hijos tengan un problema, esfuércese por leer con ellos un pasaje de las Escrituras que les dé dirección espiritual. El consejo no sólo será correcto sino que también les enseñará a confiar en las Escrituras para obtener solución a sus problemas.

A menos que existan circunstancias poco comunes,

la madre debe estar en casa con sus hijos. Nunca confíe la enseñanza de sus hijos a otras personas, ni sienta que la Iglesia se encargará de enseñarles. El papel de la Iglesia es ayudar a los padres a enseñar, y es en éstos en quienes descansa la verdadera responsabilidad.

Sea fiel a su familia por encima de todas las preocupaciones del mundo. Si usted les es fiel a ellos y al Espíritu del Señor, todas sus demás prioridades ocuparán su debido lugar.

## EVALÚE SU PROGRESO

Su progreso como padre se puede medir, en cierto modo, por lo bien que usted llegue a interpretar los sentimientos más íntimos del corazón de sus hijos. ¿Hablarán ellos con usted? ¿Acudirán a usted en busca de consejo? Aprenda a tomar la "temperatura" de sus hijos con regularidad para ver cómo se encuentran. Si usted presiente que están un poco alejados, entonces podrá tomar ciertas medidas.

Quizás no haya nada que cubra mejor los errores de los padres que el simplemente amar a los hijos. Abráceles. Hable amablemente con ellos y apóyeles. Usted recibirá el mismo tipo de respuesta en muchas ocasiones, y entonces sabrá cómo se está comportando como padre.

Otra manera de averiguar cómo está usted actuando es determinar si sus hijos realmente quieren estar en casa con usted. Y... ¿quiere usted estar en casa con ellos? De todos los lugares del mundo que he conocido, el hogar con mi familia es el que más prefiero.

Quizás estos cinco puntos puedan resumir muy bien el papel de los buenos padres:

1. Guían a sus hijos hacia el Señor.

2. Aman a sus hijos, les animan, les motivan y les apoyan.

3. Pasan tiempo con sus hijos, les enseñan, disfrutan de estar con ellos y les ayudan a desarrollar sus dones y talentos.

4. Preparan espiritualmente a sus hijos para la vida y los

fortalecen con actitudes y creencias positivas. Les enseñan a trabajar, a jugar, a servir y a permanecer cerca del Señor.

5. Recuerdan que ningún éxito en la vida puede compensar el fracaso en el hogar.

## CARACTERÍSTICAS DE LAS FAMILIAS MORMONAS EFICACES

Hace algunos años, el Departamento de Sociología de la Universidad Brigham Young realizó un estudio para determinar las características de las familias mormonas eficaces. El estudio recabó información de más de 200 de estas familias para averiguar qué había contribuido a su eficacia. Los investigadores me escribieron sobre sus conclusiones:

Estimado élder Cook:

Con el fuerte hincapié que la Iglesia hace en la formación de buenas familias, quizás le interese conocer los resultados de nuestro estudio sobre las características de las familias mormonas eficaces. Pedimos a los presidentes de estaca de diferentes estados que identificasen a las 15 familias más fuertes de sus estacas, y reunimos información sobre unas 200 de ellas para averiguar qué les había hecho ser tan eficaces, y comparamos, después, estos descubrimientos y hallazgos con algunas familias menos eficaces. Aquí tiene algunas de las conclusiones a las que llegamos.

1. Casi el 100% de estas familias paga un diezmo íntegro, asiste con regularidad a todas las reuniones y siempre acepta una asignación o un llamamiento en la Iglesia.

2. Estas familias tienen metas muy claras sobre lo que quieren para sus hijos. Casi el 100% dijo que sus metas incluyen: hacer que obtengan una buena educación, que desarrollen un fuerte concepto de sí mismos, que sean activos en la iglesia, que desarrollen un fuerte sentimiento por la unidad familiar, que sirvan una misión y que se casen en el templo. (Descubrimos también que las familias menos eficaces no tenían metas muy claras para sus hijos).

3. En las familias eficaces, el 73% dijo que casi siempre tenían la oración familiar diaria.

4. Dos tercios de estas familias dijeron que casi siempre tenían la noche de hogar. El tercio restante también celebra la noche de hogar, aunque no con tanta frecuencia.

5. Estas familias no identificaron a las estrellas del cine ni de los deportes como héroes familiares. La mayoría dijo que sus héroes eran líderes de la Iglesia o miembros mayores de sus respectivas familias.

6. Los cónyuges se esfuerzan por tener una buena relación en su matrimonio. En una escala del 1 al 10, la familia media tiene una puntuación de 8,5 al considerar que su matrimonio es fuerte y bueno.

7. El 96% dijo que solían hacer cosas juntos como familia. El 92% dijo que siempre iban juntos a actividades en las que participaba algún miembro de la familia.

8. Estas familias no están libres de adversidad. El 80% dijo que tenían verdaderas pruebas en su vida (enfermedades, muerte, problemas con hijos, etc.), pero que trabajaban unidos para hacerles frente. La familia era la primera línea de defensa en los momentos de adversidad. Intentaban solucionar juntos estas cosas en la medida de lo posible.

9. Más de un 80% dijo expresar afecto físico *diario* a los demás integrantes de la familia.

10. Como promedio, estas familias dedican a la televisión un tercio del tiempo que le dedica la familia media norteamericana.

11. Las familias eficaces tienden a ser algo más estrictas que las demás. Tenían bastantes menos reglas, pero expectativas mucho más elevadas. Esperan mucho de sus hijos.

12. Tienden a recompensar a sus hijos mediante la alabanza más que con algún regalo especial o incluso dándoles dinero.

13. Estas familias pasan gran parte del tiempo hablando entre ellos. Casi el 100% dijo que hablaban frecuentemente como familia y también indi-

vidualmente con cada hijo en forma regular y casi diaria.

Esperamos que esta información le sea de utilidad. Debiera ayudarnos a dilucidar lo que las familias deben hacer si quieren llegar a ser más eficaces.

Atentamente,
William G. Dyer
Phillip R. Kunz

Fíjese en que las familias eficaces tenían la oración familiar, la lectura de las Escrituras, las noches de hogar y otras actividades espirituales tratadas en este libro. Además, los puntos 7, 10 y 13 se relacionan directamente con pasar tiempo juntos en actividades.

Las actividades son una verdadera bendición para la familia. Le proporcionan un tiempo divertido, alivian las tensiones y desarrollan las relaciones unos con otros en aspectos nuevos. Las actividades son especialmente apetecibles para los hijos más jóvenes, y son una parte integral de la enseñanza y la capacitación de la familia. Al mismo tiempo que una familia lo está pasando bien, los padres tienen la oportunidad de enseñar sobre muchas cosas.

Desgraciadamente, algunos miembros de la Iglesia y de la sociedad en general han decidido que tales actividades queden relegadas al ámbito de la escuela o de la Iglesia. Sienten que es función de estas instituciones el entretener a sus hijos y proporcionarles actividades apropiadas. Algunos miembros de la Iglesia han llegado a abandonar las actividades de seminario, de las Mujeres Jóvenes o de los programas del Sacerdocio Aarónico. De seguir en esta dirección, las familias pueden perder inadvertidamente parte del tiempo crucial dedicado a estar juntos y, al mismo tiempo, terminar por debilitarse.

Debido a su función de padre, usted es el "director del comité de actividades" de su familia. Seguramente querrá que sus hijos le ayuden, mas es usted quein debe tomar las riendas del planeamiento de actividades diversas en las que pueda participar su familia. No se puede dar esta oportunidad de liderar a nadie más. Parte de la unión que existe entre padres e hijos viene del pasar buenos momentos juntos. Uno de sus objetivos principales es llegar a ser su mejor amigo, y parte de toda amistad es pasarlo bien, al igual que aprender juntos y hacer la mayoría de las otras cosas mencionadas en este libro.

Los padres deberían incluir en su horario una secuencia apropiada de actividades para la familia. Todos los miembros deben decidir conjuntamente en cuanto a las actividades familiares, para de esta forma competir en cierto grado con algunas de las actividades más exóticas o mejor planeadas de la escuela y la Iglesia.

## LA COORDINACIÓN DE ACTIVIDADES ENTRE EL HOGAR, LA IGLESIA Y LA ESCUELA

Algunos padres podrían preguntarse: "¿Cómo puedo proporcionar todas estas actividades familiares cuando mis hijos tienen tantas otras fuera de casa?" Ésta es una pregunta bien válida. Un mayor enfoque en las actividades centradas en el hogar reducirá el número de exigencias en las familias activas, pero todavía alcanzaría a llegar hasta los menos activos, quienes tienen una mayor necesidad de recibir apoyo de la Iglesia.

Quizá nuestra familia tiene una perspectiva diferente a la de la mayoría porque hemos vivido fuera de los Estados Unidos durante muchos años. En algunos de los países de Latinoamérica casi no hay actividades escolares ni de otro tipo a las que nuestros hijos pudieran ir y que no fuesen demasiado mundanas ni implicaran el uso de tabaco y alcohol. La Iglesia en esos países se encontraba en un estado básico de desarrollo y ofrecía muy pocas actividades. Mi esposa y yo vimos pronto que tendríamos que ser el "comité de actividades" de nuestra familia.

Cuando regresamos a nuestra casa en Utah, volvimos a un barrio muy activo. De hecho, en nuestros primeros tres meses llegamos a contabilizar un total de treinta y nueve actividades a las que fuimos invitados como familia o en forma individual: actividades de las Mujeres Jóvenes, el aniversario de la Sociedad de Socorro, la reunión social de los sumos sacerdotes, actividades de los Boy Scouts, etc., etc. Si no me equivoco, fuimos a unas tres de esas actividades como familia y algunos de nuestros hijos asistieron a otras más.

Al poco tiempo, nuestro buen obispo me comentó que estaba preocupado por mi familia. Yo le dije: "Si usted sabe algo que desconozco, le agradecería que, por favor, me lo dijese".

"Bueno", dijo, "tengo el sentimiento de que su familia no apoya tanto a la Iglesia como debiera. Por ejemplo, el pasado domingo por la noche tuvimos una reunión de scouts en el centro de estaca para todos los scouts y sus familias. En la reunión contaron el número de personas de cada barrio y el que tuvo un mayor número de miembros ganó un premio. A causa de que su numerosa familia no estaba allí, sentimos que no estaban apoyando a la Iglesia tanto como debieran". (Dijo todo esto de una forma cuidadosa y amorosa, con la mejor de las intenciones.)

Yo le dije: "Bueno, pudiera equivocarme, obispo, pero si no entiendo mal se supone que es la Iglesia la que debe apoyar a la familia. Si hubiésemos asistido a esa reunión social aquella noche, nos habríamos perdido la magnífica reunión espiritual familiar celebrada en nuestra casa". Le pregunté si alguna vez había visto que mis hijos no asistieran a las reuniones del sacerdocio, a la reunión sacramental, a la Escuela Dominical o a la Mutual, a lo que me dijo que no. Yo proseguí: "Según mi entender, todas las demás cosas podían elegirse, eran optativas, y entiendo que podíamos escoger aquéllas a las quisiéramos asistir. ¿No es así?". Él no estaba muy seguro.

Entonces le dije a aquel buen obispo: "¿Sabe cuál ha sido nuestro mayor problema desde que regresamos de Latinoamérica?".

"No, dígame hermano Cook", respondió.

"Ha sido la Iglesia misma, y puede que hasta cierto punto también lo haya sido la escuela".

"¿A qué se refiere?", me preguntó.

"Debido a que viajo mucho los fines de semana, las noches de entre semana son muy importantes para mí, al igual que los sábados y los domingos que estoy en casa. Debo pasar ese tiempo con mi propia familia. En Latinoamérica teníamos una noche de hogar casi cada noche. No me refiero a una lección, sino a pasar un buen rato juntos.

"A veces tallábamos o construíamos cosas. En ocasiones dábamos paseos por la calle, ayudábamos a las viudas o ministrábamos a las personas que tuviesen necesidad. Había momentos en los que lo pasábamos realmente bien con otras familias. Pero desde que he vuelto a casa ha sido difícil, porque algún grupo tiene a mis hijos el martes por la noche, otro el miércoles y alguien más el jueves; y el viernes salen con sus amigos. Mi mayor desafío han sido todas estas actividades que hay fuera de casa".

Ese fiel obispo se quedó bastante sorprendido por mi respuesta, pero estoy seguro de que entendió. Le sugerí que sería muy prudente hacer que los cabezas de familia del barrio determinasen cuántas actividades debería haber para luego ayudar a los padres a entender que ellos —y no la Iglesia ni la escuela— eran los principales responsables de las actividades de sus familias.

En los meses siguientes, con el planeamiento y la participación de los padres, aquel buen obispo redujo drásticamente el número de actividades de nuestro barrio. También volvió a enseñar el principio de que los padres tenían que celebrar actividades con sus propios hijos y que, en su función de apoyo, la Iglesia también patrocinaría algunas actividades conjuntas. (Debo mencionar que él sabía, al igual que nosotros, que había previsto más actividades que las "ideales" para ayudar a las familias que tenían necesidades mayores que las nuestras.)

El presidente Harold B. Lee dijo: "Para mí es evidente que la Iglesia no tiene otra elección —y nunca la ha tenido— excepto hacer todo lo posible por ayudar a la familia a desempeñar su misión divina... ayudar en la mejora de la calidad de vida de los hogares de los Santos de los Últimas Días. Por más importantes que sean nuestros muchos programas y esfuerzos organizativos, éstos no deberían suplantar el hogar, sino apoyarlo" ("Preparing Our Youth", *Ensign*, marzo de 1971, pág. 3).

## ACTIVIDADES CON LOS ABUELOS

Cuando planee actividades con su familia, por favor no se olvide de quienes están entre los miembros más importantes de la misma: los abuelos. Ellos pueden ser una gran ayuda para criar una familia, especialmente si viven cerca. Haga el mayor esfuerzo posible para dar participación a los abuelos en tantas actividades familiares como le sea posible. Si son miembros fieles de la Iglesia, pueden proporcionar una excelente instrucción del Evangelio, especialmente en las noches de hogar y durante la lectura de las Escrituras. En ocasiones, cuando los hijos están pasando por una etapa difícil, los padres y otros miembros de la familia, como los tíos y las tías, pueden ser de gran ayuda en esos momentos de necesidad. En ocasiones como ésas, los abuelos dignos pueden llegar a ser los héroes de sus hijos.

En el Evangelio sabemos que las familias son un elemento multigeneracional. Creo que el Señor tenía la intención de que en las familias se incluyese a tías, tíos, primos, abuelos y demás.

A veces los abuelos tienen la idea de que al haber criado a sus hijos ya se les ha vencido el turno y que ahora pueden ir a donde quieran y hacer lo que les plazca. Algunas personas del mundo han llegado a decir que las obligaciones de los abuelos para con la sociedad ya han terminado. Pero nosotros estamos por encima de eso. Debiéramos hacer cualquier esfuerzo por fortalecer e incluir a nuestros parientes cercanos en nuestra vida.

Normalmente los abuelos tienen tiempo libre para estar con los niños porque no pesan sobre ellos las demandas inmediatas de una familia. Aún los abuelos que viven lejos pueden ser de ayuda por teléfono, carta o gracias a las visitas ocasionales. Los abuelos que no sean miembros también pueden colaborar al enseñar y amar a sus nietos.

Los buenos abuelos tienen la visión de intentar mantener unida a toda la familia y proveen una influencia de rectitud que no podría obtenerse de otro modo.

## ACTIVIDADES FAMILIARES

Uno de los verdaderos desafíos que tienen las familias es decidir qué actividades efectuar. Muchas de las actividades fuera de casa cuestan dinero, por lo que a una familia le resulta difícil tener muchas actividades de este tipo. Sin embargo, pueden hacer muchas otras sin coste alguno. La siguiente es una lista de actividades divertidas y útiles para nuestra familia:

1. Visitar un museo.
2. Ir a un planetario.
3. Hacer investigaciones en una biblioteca de historia familiar.
4. Hacer bautismos por los muertos.
5. Hacer excursiones a pie.
6. Visitar lugares históricos de la Iglesia.
7. Visitar una imprenta.
8. Visitar una estación de televisión.
9. Presenciar un juicio con jurado.
10. Visitar una iglesia de otra religión.
11. Ir a una fábrica de dulces.
12. Visitar una estación de bomberos.
13. Disfrutar de un centro de visitantes de la Iglesia.
14. Ir a un gimnasio.
15. Ir a nadar.
16. Visitar a otra familia.
17. Jugar en un parque de la ciudad.
18. Visitar a los abuelos.
19. Visitar a un pastor de ovejas y su rebaño.

20. Explorar un lugar poco conocido cercano a su hogar.

Todas estas actividades se pueden hacer con muy poco dinero o sin coste alguno, y algunas son educativas.

Las siguientes son otras actividades que podrían requerir de todo un día:

1. Esquiar.

2. Pasear en barca.

3. Nadar en un lago cercano.

4. Acampar.

5. Ir de excursión a una cueva.

6. Ir hasta un parque nacional cercano.

7. Pasarlo bien en un parque acuático.

8. Alojarse en una cabaña.

9. Ir a merienda campestre.

Otras actividades más comerciales podrían incluir:

1. Patinaje sobre hielo.

2. Patinaje sobre ruedas.

3. Ir al cine.

4. Ir al zoológico.

5. Ir a tomar un helado.

6. Ir a un parque de diversiones.

Hay muchas más actividades que, obviamente, variarán de acuerdo con el lugar donde viva la familia.

## ACTIVIDADES PARA LOS HIJOS MÁS JÓVENES

Las familias con hijos pequeños pueden pasar momentos muy entretenidos:

1. Marchando alrededor de la casa al compás de una canción, gateando debajo de la cama y haciendo peleas de lucha libre.

2. Haciendo carreras para tomar un par de calcetines, encender la estufa, tomar un vaso de agua, subirse tres veces a un sofá, volver, saltar por encima de una silla, regresar y dar un abrazo: "Ésa es la asignación: ¡En marcha!".

3. Jugar a "Leer el futuro". Tomarles de la mano y fingir que se les dice lo que van a sentir el día que sirvan una misión, se casen en el templo, etc.

4. Dar un apodo a cada hijo, algo que sea positivo y edificante. Puede que hayan recibido sus respectivos nombres de un abuelo o de otra persona querida para la familia, y de este modo usted puede magnificar el ejemplo de dicha persona. Por ejemplo, uno de nuestros hijos tiene por sobrenombre "Claranzo", a similitud del nombre de un abuelo. Una de nuestras hijas "encajó bien" en el divertido nombre de "Jelly Beans". Un apodo divertido y positivo puede hacer que un niño se sienta especial.

5. Leerles a sus hijos. A los niños les encanta un buen cuento, y también al lector.

6. Jugar a decir cosas positivas de otra persona. Podría decir durante la cena: "Es el turno de Fulanito", lo cual quiere decir que todos dicen algo que les encanta sobre dicha persona. Esta actividad trae mucho amor a la familia.

7. Hacer pequeñas dramatizaciones sobre los relatos del

Antiguo Testamento, como la historia de Moisés o de José en Egipto.

8. Ser más divertido. Cuente chistes y haga que todos lo pasen bien juntos.

9. Hacer que sus hijos comiencen un diario o su historia familiar o individual; léales de las revistas y folletos de la Iglesia, etc.

10. Jugar a las "Veinte preguntas". Piense en algún personaje del Evangelio y haga que sus hijos intenten adivinar de quién se trata mediante preguntas que se respondan con un "sí" o un "no". O haga preguntas relacionadas con el Evangelio y celebren un concurso por equipos entre los miembros de la familia, con preguntas divertidas, vivaces, rápidas y que requieran desplazarse de un sitio a otro.

11. Háblarles de cuando era joven, de su misión, su matrimonio y otras experiencias. A ellos les encanta oír relatos misionales o anécdotas familiares.

12. En ocasiones sea totalmente impredecible sobre lo que van a hacer en una actividad. Sorprenda a todo el mundo.

Permita que sus hijos mayores le ayuden a planear lo que vayan a hacer, pues esto aumentará su amor por sus hermanos y hermanas pequeños. Recuerde también que los hijos mayores necesitan un tiempo personal con sus padres para nadar, jugar a los bolos, al tenis o dar un paseo. A nuestras hijas siempre les han gustado las citas especiales entre padre e hija. No olvide que estas actividades divertidas se pueden convertir en buenos momentos de enseñanza. Recuerde también que, por encima de todo y hasta cierto punto, el cielo es una continuación del hogar ideal. No hay nada más importante.

## JUEGOS FAMILIARES

Hay también una gran cantidad de divertidos juegos familiares. Si su familia no está acostumbrada a los juegos, puede acudir al *Manual de sugerencias para la noche de hogar*, el cual contiene juegos excelentes que ayudarán a expandir por igual la creatividad de los padres y de los hijos. La siguiente es una serie de juegos que siempre nos han gustado:

La gallinita ciega

Veo veo

Charadas

Ping—pong

El juego de las mentiras

Juegos de computadora

Damas

Ajedrez

"¿Te gusta tu vecino?"

Tú la llevas

Policías y ladrones

Trabalenguas

Imitaciones

Baloncesto

Béisbol

Vóleibol

Fútbol

También nos lo hemos pasado bien haciendo ejercicios juntos.

Por supuesto que cada familia debe seleccionar aquellos juegos y actividades que les reporten una mayor diversión.

## PREGUNTAS Y PRUEBAS

Con frecuencia lo hemos pasado bien haciendo preguntas o teniendo pruebas hechas por nosotros mismos o tomadas de diversos libros y revistas.

En la época de Navidad utilizamos el siguiente cuestionario de preguntas y respuestas:

Nombre el villancico cuya idea opuesta se da aquí:

1. La niña en el establo

2. No escuchéis triste canción

3. ¡Qué triste estoy! Él murió

4. Muy cerquita del verde valle

5. Mañana estruendosa

6. Váyanse, paganos

7. Cencerro bajo cencerro

8. Oh, Pascua salada

9. Esa mochila nueva

10. El último verano

11. Trinos de primavera

12. ¡Menudo grandullón!

13. ¡Cállese abuelo!

14. Ya se fue el monarca

15. Esa chica rubia

16. La trompetista

*Respuestas:*

1. Jesús en pesebre

2. Escuchad el son triunfal

3. ¡Regocijad! Jesús nació

4. En la Judea, en tierra de Dios

5. Noche de paz

6. Venid, adoremos

7. Campana sobre campana

8. Oh, dulce Navidad

9. El viejo zurrón

10. La primera Navidad

11. Campanas de Navidad

12. Ay del chiquirritín

13. Dime niño

14. Ahí vienen los Reyes Magos

15. La Marimorena

16. El tamborilero

## GRÁFICA DE PESOS Y MEDIDAS

Con los años también nos hemos divertido anotando la altura y el peso de nuestros hijos. Les pedíamos que se midiesen y pesasen cada seis meses y anotábamos los resultados en una hoja separada para cada hijo. A ellos les gustaba ver que crecían tanto en altura como en peso. Crecer fue algo divertido y les permitió tener un mejor sentimiento de que iban madurando, y con el tiempo a todos les gustó sobrepasar a su madre.

## VISITAS VOCACIONALES

Lo hemos pasado bien con nuestros hijos cuando hemos empleado algunas de nuestras noches de actividades para aprender sobre diversas vocaciones. A ellos les ha permitido ver los diferentes tipos de profesiones que hay disponibles y pensar en si les gustaría o no dedicarse a ellas. Hemos visitado lugares como éstos:

Estación de bomberos

Comisaría

Planta metalúrgica

Fábrica de caramelos

Estudio de arquitectos

Estudio de ingenieros

Planta de procesamiento de productos lácteos

Granja

Central de recolección de residuos

Servicio forestal

Planta depuradora de aguas residuales

Concesionario de coches

Planta de suministro de electricidad

Banco

Compañía telefónica

Grandes almacenes

Fábrica de computadoras

Imprenta

Salón de belleza

Redacción de un periódico

Juzgado

Ayuntamiento

Centro de empleos

Universidad

Mina de cobre

Museo de arte

Almacén del obispo

Industrias Deseret

Cementerio

Biblioteca pública

Centro de historia familiar

Centro del extracción de nombres

## LA MÚSICA Y LA FAMILIA

A muchas familias les gusta cantar y escuchar buena música. Nosotros tenemos un buen número de casetes con los que cantamos en el coche o en otras ocasiones para pasar un buen rato. Tenemos tanto música religiosa como popular, canciones vaqueras, románticas, etc. Las familias también pueden cantar utilizando el libro de canciones de la Primaria o el himnario. Particularmente nos gusta cantar al piano, con acompañamiento de guitarra o de flauta. La música trae un espíritu maravilloso al hogar. Verdaderamente el Espíritu viene cuando las familias cantan canciones religiosas y populares.

## CÓMO ESCOGER UNA ACTIVIDAD

Aunque hay una gran cantidad de actividades de las que pueden disfrutar las familias, a veces tenemos problemas para decidir cuáles hacer y cuándo. Si una familia planea sus actividades por escrito o con un calendario, les resultará mucho más fácil poner cierta variedad. Generalmente planeamos en el consejo familiar cuatro actividades semanales de una vez. Simplemente tome una hoja y haga una lista semejante a la siguiente:

| Fecha | Acontecimiento | Participantes |
|---|---|---|
| 15 de julio | Estación de bomberos | Toda la familia |
| 28 de julio | Esquí acuático todo el día | Todos menos un hijo que tiene que trabajar |
| 10 de agosto | Juegos en casa | Encargada la hija mayor |
| 17 de agosto | Cena en el cañón | Toda la familia |

El tomar estas decisiones por adelantado nos ayudó a ser más fieles en el cumplimiento de nuestras responsabilidades relacionadas con las actividades familiares.

Si las familias tienen que "competir" con las actividades de la escuela y de la Iglesia, deberán hacer algunas cosas divertidas. Si planean juntas estas cosas, aumentará su gozo al igual que el amor entre sus miembros. Estas actividades también dan la oportunidad de que los hijos se "limpien" cada pocos días de lo que puedan haber tomado del mundo. El simple hecho de estar juntos y hablar permite que se produzca un tremendo "proceso de limpieza".

A veces, y debido a las diferentes edades de los niños, podría ser divertido tener varias actividades diferentes al mismo tiempo. Uno de los padres puede ir con los hijos mayores y el otro con los pequeños.

## EL REFRIGERIO

Por encima de todo, ¡no olvide el refrigerio! A todos los miembros de la familia les encanta el refrigerio. Éste puede incluir cosas que se compran en la tienda o que se hacen en casa. A nuestra familia le gusta mucho las rosquitas, el helado, la fruta enlatada, el tofe, las manzanas asadas, el cereal frío, el chocolate caliente, los melocotones, los malvaviscos, las palomitas de maíz y las galletitas.

## PROYECTOS FAMILIARES CONSTRUCTIVOS

Hay un valor real en hacer participar a los hijos en proyectos constructivos en la casa, donde pueden desarrollar sus habilidades, talentos y pasatiempos. Muchas veces los niños están aburridos en casa y quieren estar con sus amigos o puede que dedicando tiempo a actividades de escaso valor. Quizás quieran ver la televisión o videos tarde tras tarde o durante todo el sábado.

Algunas Autoridades Generales han enseñado que algunas familias son *dadas a tener demasiadas actividades recreativas.* Nos han sugerido que hay una gran fortaleza en tener proyectos familiares un poco más edificantes, pero aún así divertidos.

Los proyectos familiares nos han permitido tener una "noche de hogar" cada día, con cada miembro de la familia trabajando en un proyecto constructivo, muchas veces junto con uno de los padres, un hermano o una hermana. Estos proyectos han incluido:

Plantar un huerto

Hacer acolchados

Aprender a cocinar

Escribir en el diario personal

Aprender a coser

Aprender a hacer pequeñas reparaciones en casa

Escribir cartas a los miembros de la familia

Organizar álbumes de fotografías

Pintar un cuadro

Trabajar en el presupuesto familiar

Dibujar

Preparar provisiones para un año

Preparar equipos de emergencia de 72 horas

Desarrollar menúes semanales

Hacer pan

Estudiar fonética

Celebrar un maratón de lectura

Trabajar en las especialidades del programa Scout

Estudiar un idioma extranjero

Hacer ejercicios

Hacer ejercicios de matemáticas

Bailar

Buscar significados de palabras en el diccionario

Tallar madera

Cantar

Tallar jabón

Mejorar la caligrafía

Tener un concurso de deletrear palabras

Tomar lecciones de mecanografía

Tomar clases de música

Aprender las charlas misionales

Tener un concurso de búsqueda de pasajes de las Escrituras

Tener una noche de deportes

Tener una noche de teatro

Preparar un libro de recuerdos

Aprender a planchar

Aprender a utilizar la computadora

Aprender buenos modales

Trabajar en el programa "Mi progreso personal" de las Mujeres Jóvenes

## LLAMAMIENTOS FAMILIARES

Del mismo modo que tenemos llamamientos en la Iglesia, también extendemos llamamientos a nuestros hijos en el hogar, quienes los desarrollan por sí mismos o con ayuda de uno de sus padres o hermanos.

Uno de los niños se encarga de dirigir la obra misional, poniendo una foto de la familia y escribiendo nuestro testimonio en los ejemplares del Libro de Mormón y haciendo contactos con los vecinos. Otro se encarga de poner la información de nuestra historia familiar en la computadora, hacer los arreglos para investigar en la biblioteca de historia familiar y organizar a la familia para efectuar bautismos por los muertos.

Otro hijo se encarga de la ayuda a los necesitados. Hemos mantenido una lista de personas del vecindario que necesitan ayuda, y ese hijo se asegura de que actuemos individualmente o como familia.

Otro nos ayuda a hacer un seguimiento de la situación del plan de bienestar, diciéndonos lo que necesitamos comprar cuando estamos en lo mínimo.

Otro hijo se encarga de la responsabilidad de planear una actividad semanal para la noche de hogar. Otro nos anima a leer las Escrituras como familia, a tener la noche de hogar y la oración familiar.

Todas estas actividades invitan a que los niños participen en cosas productivas.

Tenemos una actividad familiar anual en la que escribimos las metas para el año nuevo. Si no son demasiado personales, las compartimos con la familia, luego preguntamos si alguien puede pensar en otras metas que añadir a la lista. Siempre suele haber algunas, lo cual nos da una oportunidad de ayudar a cada hijo a fijar algunas metas a largo plazo. Tradicionalmente, las metas están divididas en cinco aspectos: espiritual, educativo, físico, financiero y social. Después de esto nos ponemos dos o tres metas como familia en estas mismas categorías.

Más o menos cada mes, repasamos estas metas como familia. Hemos animado a nuestros hijos a escribirlas en una tarjetita que tienen siempre a mano, para que puedan verlas con frecuencia. Esto ha ayudado a nuestras hijas a fijarse metas para su Progreso personal.

## LOS HIJOS PUEDEN
## FORTALECER A LA FAMILIA

Una vez hablamos durante la cena sobre cómo los hijos podrían fortalecer mejor a la familia. Estábamos enfocándonos en lo que hace que una familia tenga éxito. Tras hablar durante un buen rato, llegamos a lo que determinamos en llamar "La familia: Diez mandamientos para los hijos".

1. Elías "hará volver el corazón de los *padres* a los *hijos*, y el corazón de los *hijos* hacia los *padres*" (D&C 128:17; énfasis añadido).

2. Obedece a tus padres, evita la presión y las enseñanzas de los amigos. Prioridades: (1) el Señor, (2) la familia y (3) los amigos (véase D&C 68:25).

3. Sé obediente, confía en tus padres, guarda los (sus) mandamientos (véase 1 Nefi 8:37; 2 Nefi 4:6).

4. Fortalece a tus hermanos y hermanas, no pelees con ellos, sírveles, sé un ejemplo, sé positivo, edifica a tu familia (véase Mosíah 4:14–15; Alma 39: 1,10).

5. Ama físicamente a tu familia —dales muchos abrazos (véase D&C 88:123; Jacob 3:7).

6. Fomenta la lectura familiar de las Escrituras (véase Lucas 24: 27,32).

7. Fomenta la oración familiar (véase 3 Nefi 18:21).

8. Fomenta la noche de hogar (véase Deuteronomio 6:4–6).

9. Fomenta las actividades familiares sanas (véase D&C 95:13).

10. Prepárate para ser padre o madre (véase Éxodo 20:12; Proverbios 6:20; D&C 1:3).

Realmente los hijos pueden apoyar y fortalecer a su familia y hacer que sea más fuerte. Usted se dará cuenta de que, además de las cosas espirituales, estos "mandamientos" incluyen un tiempo para amar, para tener actividades y pasarlo bien juntos. Este acercamiento equilibrado a la vida familiar parece tener más éxito.

## PROYECTOS DE VERANO

Hemos descubierto que, especialmente durante el verano, los niños siempre preguntan qué pueden hacer. Es muy útil tener planeados algunos proyectos a los cuales dedicar cierto tiempo, por ejemplo, en los meses de verano. Las siguientes actividades nos ayudaron a desarrollar nuestras habilidades, talentos y destrezas:

| *Papá* | *Mamá* | *Hija de 15 años* | *Hijo de 13 años* | *Hijo de 10 años* |
|---|---|---|---|---|
| guitarra | piano | cocinar | trompeta | piano |
| piano | flauta | flauta | piano | otro idioma |
| computadora | otro idioma | piano | otro idioma | computadora |
| canto | leer | canto | computadora | guitarra |
| otro idioma | hacer ejercicios | computadora | rompecabezas | |
| memorizar | computadora | otro idioma | maquetas | |
|   Escrituras | | | cocinar | |
| | | | guitarra | |

| *Hija de 6 años* | *Proyectos familiares* | *Proyectos conjuntos* |
|---|---|---|
| leer | explorar | Mamá/hija en la flauta |
| escribir | otro idioma | Papá/hijo en la guitarra |
| otro idioma | juegos familiares | Papá/hija e hijo aprender |
| nadar | cantar con guitarra/piano |   a usar la computadora |
| cantar | estudio de la enciclopedia | 2 hijas en piano y flauta |
| | búsqueda de Escrituras | |
| | proyecto de servicio | |

En estos proyectos, mamá daba clases de flauta, papá de piano, guitarra y computadora. Nuestra hija mayor enseñaba piano y flauta. También hemos descubierto que leer es una actividad extremadamente útil, no sólo como proyecto de verano sino como algo que se puede hacer en cualquier época del año. Las frecuentes visitas a la biblioteca para obtener el material apropiado de lectura para todos los hijos han sido una actividad continua. Podemos presentar los grandes héroes de la historia a nuestros hijos a través de la lectura de los clásicos; o limitarnos a pasar un buen rato leyendo algo bueno. También permite a los hijos mayores ayudar a los más pequeños a leer. La participación entre los miembros de la familia en la enseñanza mutua de una variedad de habilidades ha llegado a incrementar el amor en el hogar. Además, el desarrollar sus talentos y habilidades ha concedido a nuestros hijos una autoconfianza adicional y un nivel de madurez que no podrían haber alcanzado de ninguna otra manera.

## FESTIVIDADES Y CUMPLEAÑOS

Las familias pueden beneficiarse de todas las festividades que se celebran durante el año en el país en que viven. Éstas podrían incluir las festividades religiosas, las festividades nacionales y las tradicionales. Los cumpleaños son también una gran ocasión para las celebraciones familiares. A medida que nuestra familia ha ido creciendo en edad, nos hemos convertido cada vez más en adeptos a pasarlo bien en los cumpleaños. Cuando los niños son pequeños resulta fácil tener fiestas de cumpleaños con pastel y helado, pero a medida que pasan los años se va haciendo un poco más difícil planear un cumpleaños divertido.

Para nosotros es muy edificante dedicar un tiempo antes del cumpleaños a planear algunas cosas que sabemos que le gustan al festejado. Después de todo, es un gran acontecimiento poder honrar a uno de los miembros de la familia. Siempre nos hemos escrito notitas unos a otros para luego leerlas en voz alta delante de todos. Esto ha hecho que la persona a la que se reconozca sienta un amor y una atención adicionales por parte de los demás miembros de la familia. Hacemos de esa persona el rey o la reina del día.

En la época de Navidad hemos intentado enseñar a nuestros hijos el relato del nacimiento del Señor con un pequeño programa basado en los pasajes que reflejan la vida de Jesús. Cada miembro de la familia representa un personaje de las Escrituras:

## PROGRAMA DE NAVIDAD

Himno de apertura: _____

Director/a de música: _____

Pianista: _____

Oración: _____

Testimonio inicial sobre la Navidad: ___

_____

| REFERENCIA DE LAS ESCRITURAS | NOMBRE DEL MIEMBRO DE LA FAMILIA |
|---|---|
| 1. Moisés 4:1–2 | Satanás: |

|  | Jesús: |
| --- | --- |
| 2. 2 Nefi 17:14; 19:6 | Narrador: |
| 3. Mateo 1:18–25 | José: |
|  | María: |
|  | Ángel: |
| 4. Lucas 1:26–38 | María: |
|  | Ángel: |
|  | Jesús: |
| 5. Lucas 2:1–20 | José: |
|  | María: |
|  | Mula: |
|  | Ángel: |
|  | Jesús: |
|  | Pastores: |
| 6. Mateo 2:1–12 | José: |
|  | María: |
|  | Jesús: |
|  | Magos: |
|  | Herodes: |
| 7. Lucas 1:80; 2:40–52 | Jesús |
|  | Hombres malos: |
| 8. Moisés 3:7, 9–10 | Jesús: |
|    2 Nefi 19:9 |  |
| 9. Hechos 1:6–11 | Dos hombres de blanco: |
|  | Jesús: |
|  | Apóstoles: |
| 10. Marcos 14:20–25 | Narrador: |

Enseñanzas sacramentales: _____

Himno sacramental: _____

Testimonio final: _____

Himno: _____

Última oración: _____

Por supuesto que se puede hacer un tipo de progra,a semejante para cualquier otra festividad del año.

Mientras vivíamos en Perú, decidimos tener unas

Navidades diferentes, las cuales constaron de dos partes. Primero, contribuiríamos con lo que habríamos gastado (todos menos uno comprábamos un regalo para cada miembro de la familia), para alguien que tuviese una verdadera necesidad. Segundo, lo que fuera que diésemos a otra persona tenía que estar hecho con nuestras propias manos. No se podría comprar en una tienda sino que tendría que hacerse de materiales que ya tuviéramos en casa. De ese modo tendríamos que improvisar y dar de nuestro tiempo, nuestros talentos y de nosotros mismos.

Uno de nuestros hijos decidió hacer un llavero para las llaves de su madre. Teníamos aproximadamente unas cincuenta llaves en la casa pero ningún sitio donde ponerlas, y con frecuencia se entremezclaban. Así que decidió que un llavero sería un regalo excelente.

Buscamos un pedazo de madera para hacerlo. Yo quería comprarlo pero mi hijo me recordó que no podíamos. Dedicamos una hora a preparar un pedacito de madera que nos habría tomado diez minutos comprar. Cuando intentamos lijarlo, nos dimos cuenta de que no teníamos con qué, así que rebajamos los cantos con una tabla gruesa. A poco nos enfrentamos al problema de pintarlo. Afortunadamente teníamos un poco de pintura amarilla, pero ningún pincel.

Una vez más pensé en ir a la tienda, pero mi hijo me reprendió: "Papá, alguien tuvo que inventar el pincel. ¿Cómo lo hizo?" Hicimos un pincel con algunas hebras de la escoba de mi esposa y aunque tenía mis dudas sobre cómo iba a funcionar, logramos hacer una brocha tan buena como las de la tienda. Entonces tuvimos el problema de qué utilizar para los ganchos de las llaves. Lo solucionamos doblando unos clavos, haciendo cada uno con amor y mucha paciencia. La mañana de Navidad, este muchacho disfrutó de una experiencia extraordinaria cuando le entregó a su madre un verdadero regalo procedente de su corazón. Después de todos estos años, todavía conservamos el llavero.

Una de nuestras hijas encontró una piedra de buen tamaño, la pintó con la misma pintura amarilla (ya que era todo lo que teníamos), y escribió en ella: "Mamá, te amo". Todavía la tenemos, una piedra preparada con manos amorosas y un corazón puro.

Otro hijo hizo una llama con las hebras que quitó de la escoba. (Pobre escoba, casi había desaparecido). Dado que era el mayor, este muchacho realmente creó un regalo de gran calidad que, probablemente, se hubiera vendido bien en cualquier tienda de Perú y que todavía forma parte de nuestra colección familiar.

## CERTIFICADOS PERSONALES DE OBSEQUIOS

El dar de uno mismo en Navidad y en los cumpleaños contribuye a acrecentar el Espíritu. Con frecuencia, y de manera anónima, hemos dado a nuestros vecinos certificados de obsequios que dicen cosas como: "Uno de estos días algunos 'ángeles' del vecindario retirarán la nieve de delante de su casa".

Lo que pasa en el corazón del que da es mucho más importante que lo que pasa por el corazón de quien recibe. También hemos dado certificados similares a los miembros de la familia, en los que escribimos cosas como: "Haré tu cama siete veces" o "Lavaré los platos tres veces". A mi esposa le gusta éste: "Seis horas de paz y armonía".

A mi madre, que vivía muy lejos, le enviamos un certificado que le prometía mandarle doce cartas, una cada mes del año. Este regalo fue mejor que nada de lo que podríamos haber comprado en una tienda, porque mostraba un amor más profundo por tratarse de algo que se daba de uno mismo. Siempre que consideramos lo que Cristo dio, hemos llegado a la conclusión de que realmente dio de Sí mismo, una y otra vez.

En una ocasión, durante la época de Navidad, incluimos este pequeño poema junto a un certificado que dimos a un matrimonio mayor:

> Este regalo es algo especial,
> Pues representa el verdadero espíritu de dar,
> el espíritu de la Navidad.

Regalar una muñeca, una golosina o un balón
No dura para siempre y no queremos caer
En esa tentación.
El recuerdo de los regalos se los lleva el viento,
Pero hemos querido darles algo que perdure con
    el tiempo.
El pasar tiempo juntos es lo que realmente
    importa;
Y al unir nuestros lazos familiares, el amor se
    remonta.
Todos los días de un año son pocos pero
    memorables.
Y de este regalo podrán disfrutar en cualquiera
    de los tales.
Por regalo les damos una cena para dos,
Y el dinero saldrá de lo que esta familia ahorró.
El pasar gran tiempo juntos fortalece nuestra unión
Y el amor perdura, pues nace del corazón.

El dar participación a la familia en muchas actividades sanas es una experiencia enriquecedora que contribuye a la diversión, al entusiasmo y a la chispa de la vida familiar. Asegúrese de que sus hijos participen plenamente en decidir qué hacer, y usted tendrá mucho más éxito en sus actividades.

No me entienda mal, pues las familias también deben participar en las actividades escolares y de la Iglesia, si bien éstas deben ocupar un segundo lugar tras las familiares. Ruego que el Señor nos bendiga a todos y que tengamos el deseo de trabajar un poquito más fuerte para tener más momentos de diversión como familia, y de este modo crear recuerdos que nos hagan reír y hablar en los años venideros.

# CAPÍTULO 10

# ENSEÑE EL AMOR Y EL SERVICIO A SU FAMILIA

Hace algún tiempo me encontraba haciendo pan un lunes por la tarde, mi día libre (mi esposa me había enseñado cómo hacerlo), para luego ir como familia y regalar una o dos hogazas a alguien de nuestro vecindario que tuviese necesidad. Una tarde en particular pensamos en visitar a cierta viuda y darle una hogaza de pan para animarla. Fuimos hasta su casa pero no la encontramos allí, así que decidimos irnos y visitar a otra persona, a quien tampoco pudimos encontrar en casa.

Nos reíamos entre nosotros por nuestra supuesta falta de inspiración en cuanto a dónde ir. Antes habíamos hecho una oración para saber a quién darle el pan, y estábamos divirtiéndonos diciendo cosas como: "Quizás debamos ir a casa y comer el pan nosotros mismos".

Emprendimos rumbo a casa mientras pensábamos: "Bueno, intentamos darle el pan a alguien"; pero uno de nosotros sintió la impresión de decir: "Vayamos a ver al hermano Jones. Ha enviudado hace más o menos un año y debe sentirse muy solo. Quizás le gustaría recibir una hogaza de pan". Mientras nos dirigíamos hacia su casa, le dije a nuestros hijos que debíamos cantar para él, a lo cual ellos se resistieron.

Cuando abrió la puerta y vio allí a toda nuestra familia, se quedó bastante sorprendido. Le dijimos que habíamos ido a saludarle y expresarle nuestro amor. Pasamos a la sala y hablamos con él por unos minutos.

Entonces dije: "¿Por qué no cantamos para el hermano Jones?" Los niños no estaban muy dispuestos, mas mi esposa pensó en algunas canciones y finalmente sugirió que cantásemos "You Are My Sunshine" ("Eres mi rayo de sol"). Mientras cantábamos, nos dimos cuenta de que al principio el hermano Jones se sentía un poco incómodo, aunque después le embargaron la emoción y la gratitud.

Nos dijo que nos amaba y añadió: "Hoy, en este mismo día, se cumplen cuarenta y cinco años de nuestra boda. Nadie lo sabía, y nadie se ha acordado de mí. El que ustedes hayan venido esta noche y hayan cantado esta canción me ha emocionado profundamente. Quiero que sepan cuánto aprecio el que hayan venido. Disfrutaré de este pan pero, por encima de todo, nunca olvidaré el regalo de amor que me han hecho al venir a verme esta noche".

Cuán cierto es aquello de que es más bendecido el que da que el que recibe. A pesar de lo importante que fue para él, no creo que el hermano Jones recibiera tanto de esa visita como recibimos nosotros. Al salir de su casa sabíamos que había ocurrido algo especial. Resultaba difícil describir el gozo que teníamos al partir. Nuestro amor por él era incluso más profundo. Cuando meses más tarde el hermano Jones falleció, nos sentimos agradecidos por haber tenido aquella experiencia con él y por saber que habíamos contribuido en algo a su felicidad.

Siempre nos ha sorprendido el que nunca podemos ayudar a otra persona a sentir el Espíritu del Señor sin recibir a cambio una bendición cien veces mayor. Jesús dijo a Sus discípulos: "Un mandamiento nuevo os doy: Que os améis unos a otros; como yo os he amado, que también os améis unos a otros. En esto conocerán todos que sois mis discípulos, si tuviereis amor los unos con los otros" (Juan 13:34–35).

En otras palabras, si de verdad amamos al Señor, desearemos amarnos los unos a los otros, tanto en nuestra familia como fuera de ella.

El señor dice también: "Si me amáis, guardad mis mandamientos" (Juan 14:15). Además de amar a nuestra familia y a quienes nos rodean, mostramos nuestro amor por el Señor al guardar Sus mandamientos, en especial la fe, el arrepentimiento, así como las ordenanzas y los convenios básicos del Evangelio.

De hecho, el Señor explicó claramente que el amor por Él y por los demás conforman los dos grandes mandamientos:

"Y uno de ellos, intérprete de la ley, preguntó por tentarle, diciendo: Maestro, ¿cuál es el gran mandamiento en la ley?

"Jesús le dijo: Amarás al Señor tu Dios con todo tu corazón, y con toda tu alma, y con toda tu mente. Éste es el primero y grande mandamiento. Y el segundo es semejante: Amarás a tu prójimo como a ti mismo. De estos dos mandamientos depende toda la ley y los profetas" (Mateo 22:35–40).

Resulta evidente que si somos obedientes al amar a Dios y a nuestro prójimo, tanto dentro como fuera de nuestra familia, podremos criar una familia celestial, ya que toda la ley depende de estos principios.

## EL MATRIMONIO, UN COMPAÑERISMO DE TRES

En cualquier familia recta el matrimonio no consiste únicamente de dos cónyuges sellados por esta vida y por la eternidad en el templo del Señor, sino que, además, se le incluye a Él como tercer integrante de esa unión. La mejor manera de que usted aumente su amor por su cónyuge, y el amor de él o ella por usted, es acrecentando su amor por el Señor. Si ustedes acrecientan su amor por el Señor, tendrán mayor amor el uno por el otro.

Mi esposa ha sabido desde el principio de nuestro matrimonio que yo amo al Señor más de lo que la amo a ella. Y también entiendo que ella ama al Señor más de lo que ella me ama a mí. Debido a este compromiso con Dios, el amor entre nosotros ha aumentado considerablemente. El presidente Joseph F. Smith dijo: "Un hogar no es tal, desde el punto de vista del Evangelio, a menos que en él existan confianza y amor perfectos entre marido y mujer. El hogar es un lugar de orden, amor, unión y descanso, donde no puede entrar la más mínima insinuación de infidelidad, donde la mujer y el hombre tienen una confianza implícita en el honor y la virtud de ambos" (*Gospel Doctrine*, pág. 302).

Esto mismo se aplica al amor por nuestros hijos. Tal como dijo el rey Benjamín: "Mas les enseñaréis a andar por las vías de la verdad y la seriedad; les enseñaréis a amarse mutuamente y a servirse el uno al otro" (Mosíah 4:15).

## EVITE LA CONTENCIÓN Y MANTENGA LA PAZ EN EL HOGAR

Del mismo modo que el Señor nos ha mandado amarnos los unos a los otros, también nos ha mandado que no contendamos unos con otros. El Señor ha dicho muy claramente quién es el autor de la contención y por qué debemos estar precavidos contra ella: "Aquel que tiene el espíritu de contención no es mío, sino es del diablo, que es el padre de la contención, y él irrita los corazones de los hombres, para que contiendan con ira unos con otros. He aquí, ésta no es mi doctrina, agitar con ira el corazón de los hombres, el uno contra el otro; antes bien mi doctrina es ésta, que se acaben tales cosas" (3 Nefi 11:29-30).

Si como padres permitimos que haya contención en nuestra familia, somos culpables. No debe haber lugar en la familia para burlas, peleas ni cualquier otra cosa por el estilo que genere contención entre los miembros de la misma. Esto también se nos aplica si permitimos que nuestros hijos compitan negativamente unos con otros, algo que sólo puede ocasionar sentimientos heridos y contención en nuestro hogar. Lo mismo sucede si permitimos que nuestros hijos sean demasiado aficionados a la fuerza física. En ocasiones, uno de los hijos que es más fuerte que los demás empleará la fuerza contra ellos. No debemos tolerar tal comportamiento, ya que es fuente de contención.

Si continuamos trabajando para llevar el Espíritu a nuestro hogar, con el tiempo veremos muy poca contención. Los padres deben asegurarse especialmente de que sus hijos no se peleen entre ellos: "Ni permitiréis que vuestros hijos... contiendan y riñan unos con otros y sirvan al diablo, que es el maestro del pecado, o sea, el espíritu malo de quien nuestros padres han hablado, ya que él es el enemigo de toda rectitud" (Mosíah 4:114).

El élder F. Enzio Busche explicó durante la conferencia general de abril de 1982 que la oración es una de las mejores maneras de evitar la contención: "Oré con fervor para que mi Padre Celestial me ayudara a saber cómo tratar la situación [un problema con un hijo]. Me sobrevino una gran paz. Ya no estaba enfadado... Cuando le expresé mi confianza, él se echó a llorar, confesando su falta de dignidad y condenándose en mayor medida" ("Love Is the Power That Will Cure the Family", *Ensign*, mayo de 1982, pág. 70).

Cuando el rey Benjamín nos dijo que no debemos permitir que nuestros hijos se peleen, nos dio también la solución al problema: "Mas les enseñaréis a andar por las vías de la verdad y la seriedad; les enseñaréis a amarse mutuamente y a servirse el uno al otro" (Mosíah 4:15).

Este consejo ha sido muy beneficioso para nuestra familia. El diablo es la fuente de la contención y no parece importarle mucho si usted es la parte inocente o no. Si usted participa o agrava la contención, entonces también es culpable.

Hace unos años me encontraba viajando en avión desde Salt Lake City a Houston, Texas, y no me habían asignado la plaza con antelación, por lo que terminé sentándome en la sección de fumadores.

No había nadie fumando cerca de mí, así que estaba bastante cómodo. Sin embargo, una persona sentada en el asiento delantero del otro lado del pasillo, en la sección de no fumadores, comenzó a fumar, y el humo venía hacia atrás.

Le pedí a la azafata que hablase con aquel hombre para que dejara de fumar, pero como le daba un poco de vergüenza, me dijo: "¿Por qué no se intercambian los asientos?, así él estará en la sección de fumadores y usted no". Estuve de acuerdo. Casi todas las personas de la sección de fumadores oyeron gran parte de la conversación y yo también comencé a sentirme un poco incómodo.

Nada más sentarme en mi nuevo asiento, la pareja que estaba directamente detrás de mí comenzó a fumar y a dirigir el humo hacia adelante. Con el transcurso de los minutos, me sentía más enfadado, especialmente porque acababa de leer unos artículos sobre el cáncer en los fumadores pasivos. El humo continuaba viniendo por encima del asiento y pensé: "¿Por qué tengo que tolerar esto? ¿Por qué que no puedo tomar una bocanada de aire fresco? ¿Por qué estas personas no son más disciplinadas y dejan de fumar?"

Terminé por dirigir los conductos del aire acondicionado hacia atrás para que el humo fuese hacia ellos, pero el hombre se molestó un poco y me dijo: "¿A qué viene eso? Hace frío y mi esposa se está acatarrando".

Entonces me volví y dije: "Bueno, cuando ustedes dejen de fumar, yo apagaré el aire acondicionado. No quiero respirar el humo". Hubo alguna contención entre nosotros y resultaba bien evidente que el hombre estaba muy enfadado.

Me giré y entonces me sobrevino un momento de inspiración. Mis ojos se detuvieron sobre los versículos que acababa de leer, 3 Nefi 11:29–30, los cuales dicen que el diablo es el padre de la contención. Y ahí estaba yo, siendo causa de contención, aun cuando estuviese en mi derecho y fumar fuese perjudicial. Comencé a tener sentimientos del tipo: "La contención no es mía. No debes crearla ni, en caso de existir, contribuir a ella. Te estás convirtiendo en elemento de contención". Me sentí arrepentido, y me volví para decirle al hombre: "Apagaré el aire. No quiero respirar el humo, pero apagaré el aire acondicionado para que ustedes no se enfermen. Siento haber hablado tan duramente".

El hombre dijo de inmediato: "No. Es culpa mía. Sé que ni siquiera debo fumar. Lo siento".

Resulta interesante que en el momento mismo en que eliminé la contención de esa situación, ambos nos tranquilizamos. Tanto él como su esposa dejaron inmediatamente de fumar y no creo que volvieran a hacerlo hasta que llegamos a Houston.

Me di cuenta de que no es correcto ser la causa de contención alguna. Mormón escribió a Moroni: "Hijo mío, temo que los lamanitas destruyan a los de este pueblo; porque no se arrepienten, y Satanás de continuo los está provocando a la ira unos contra otros" (Moroni 9:3).

Definitivamente, la contención es del diablo y hace que surja la ira en el corazón de las personas. Puede que yo fuese la parte inocente de aquella situación, pero fui también el causante de las desagradables palabras que hubo entre nosotros, y de ese modo terminé por convertirme en fuente de la contención. Me sentía particularmente mal porque en ese mismo momento me hallaba leyendo las Escrituras.

Cuando estemos hablando de la contención en el entorno familiar, los padres necesitan dejar bien clara la premisa de que simplemente no habrá contención alguna. Si los hijos entienden con claridad lo que ustedes quieren decir —que no habrá palabras altaneras ni malsonantes, ni nada parecido—, aceptarán tal regla. Si no lo hacen, entonces debe aplicarse algún tipo de disciplina.

Recuerdo a un muchacho que, cuando se le dijo que no era muy inteligente, respondió: "¿Ah, sí? Entonces les repetiré el alfabeto al revés". Todos sabíamos que podía hacerlo al derecho, pero no estábamos tan seguros de que fuera capaz en sentido inverso. Dio unos pasos hacia atrás, giró y recitó el alfabeto dándonos la espalda. Todos nos echamos a reír y se redujo la tensión del momento.

Debemos asegurarnos de nunca permitir que ningún pequeño incidente adquiera proporciones desmedidas. No debemos comportarnos como si de un caso del Tribunal Supremo se tratase cuando en realidad no estamos más que ante una pequeña multa de tráfico; aunque eso es exactamente lo que ocurre cuando el incidente nos sorprende en mitad de nuestros propios problemas. Algunos principios que quizás nos gustaría tener presentes en esos momentos son:

    1. La contención trae desacuerdo y falta de armonía a la familia.

2. No contienda con la persona enfadada, o no hará sino agravar el problema.

3. El amor y la paz son el cimiento de un hogar justo, donde no se permite la contención.

4. La persona contenciosa debe alejarse de inmediato de su presencia, para que usted no se vea implicado en la contención.

Un día le dije a uno de mis hijos, tras ver sus notas escolares, que si que no era capaz de controlar lo que pasaba en la escuela, entonces yo lo haría. Por supuesto que dicho comentario le ofendió mucho. Ambos estábamos enfadados y cruzamos algunas palabras duras, así como ciertas exigencias y ultimatos. Como resultado, terminó yendo a la escuela triste y enfadado, y yo me fui a trabajar con el mismo espíritu.

De camino al trabajo, y mientras meditaba profundamente en lo ocurrido, acudieron a mi mente las palabras de la traducción de José Smith de Lucas 6:29–30, que mi esposa y yo acabábamos de leer en nuestro estudio de las Escrituras:

"Al que te hiera en una mejilla, preséntale también la otra; o, en otras palabras, es mejor presentar la otra que injuriar otra vez; y al que te quite la capa, ni aún la túnica le niegues.

"Pues mejor es permitir que tu enemigo haga estas cosas, que contender con él. De cierto os digo que vuestro Padre en los cielos, quien ve en lo secreto, traerá juicio sobre los malvados" (JST, Luke 6:29–30, traducción libre).

El Señor parece estar diciendo que debemos dar a otros nuestra túnica para evitar la contención, que es mejor perder la túnica que pelear por ella. De este modo mostró Su desacuerdo con la contención.

Cuando la gente se enfada, generalmente endurece el corazón de otras personas al provocarlas a la ira. Ése es uno de los grandes instrumentos del diablo: hacer que contendamos unos con otros. El diablo se deleita en aquello que hace endurecer nuestro corazón hacia lo que es bueno, hacia las demás personas y hacia el Señor mismo. Cuando nuestro corazón está endurecido, es muchísimo más difícil que el Espíritu nos instruya y nos guíe.

El Salvador enseñó que en la antigüedad se decía que la gente no debía cometer adulterio, y añadió que el hecho de mirar a una mujer para desearla hace que cometamos adulterio en nuestro corazón. Él estaba enseñando la ley de Moisés, pero añadiéndole la ley mayor de Cristo. De igual modo, en la antigüedad se enseñaba que no debíamos matar, mas Jesús volvió a añadir la ley de Cristo, diciendo que aquel que se enoja con su hermano, está en peligro del fuego del infierno. Estas palabras del señor nos enseñan que la ira es una grave dolencia espiritual (véase Mateo 5:21–28).

A la mañana siguiente me disculpé con mi hijo durante la lectura de las Escrituras, y también con otro hijo con quien había tenido un entredicho la noche anterior, y les dije a ambos que el problema era culpa mía por haberles provocado a la ira.

Hay una manera de tratar los problemas sin enfadarse ni endurecer el corazón. Si yo hubiese ejercido un mejor control de mí mismo, probablemente habría influido en mi hijo para que actuase igual.

Él reaccionó con ira a mi enfado, debido a su falta de madurez, mas si yo hubiese tomado el control, probablemente él lo hubiera hecho también; en caso contrario podría haberle dicho fácilmente: "Vete a tu cuarto, quédate allí y ora hasta que tu corazón esté en orden. Entonces vuelve y terminaremos de hablar. No podemos hablar cuando estamos enfadados. No hay lugar en esta casa para la ira".

Es imposible tener un espíritu de contención y al mismo tiempo disfrutar del Espíritu del Señor. Requiere una gran disciplina para que el diablo no influya en nosotros. Él solo puede hacerlo si se lo permitimos. Tal como el Señor dice de la caída: "El diablo tentó a Adán, y éste comió del fruto prohibido y transgredió el mandamiento, por lo que vino a quedar sujeto a la voluntad del diablo por haber cedido a la tentación" (D&C 29:40). No estaremos sujetos a la voluntad de Satanás a menos que cedamos a la tentación; de otro modo, él no puede tener poder sobre nosotros.

## EVITE LA CONTENCIÓN: LAS DIFERENCIAS ENTRE MUCHACHOS Y CHICAS

Una mañana, una de nuestras hijas no acudió a la lectura de las Escrituras. En muchas ocasiones hablamos durante el desayuno de lo más importante que hemos aprendido durante la lectura de las Escrituras esa mañana. Mientras lo hacíamos, noté que ella se sentía algo culpable. Le pregunté cautelosamente dónde había estado y por qué no había venido.

"No pude decidir qué ponerme", me respondió.

Yo dije sin demasiada sensibilidad: "¿Durante veinte minutos?".

Ella contestó: "Sí. Estuve delante del armario por veinte minutos y no pude tomar una decisión, ya que mi hermana mayor se puso lo que yo me iba a poner".

Todos los chicos se rieron y creo que eso le hizo sentirse peor, pero le ayudamos a reírse con nosotros cuando le dije: "Yo no tengo tanto que elegir. O me pongo un traje negro o uno azul. Eso es todo".

Los dos hijos más jóvenes dijeron: "A nosotros no nos importa. Nos ponemos lo primero que encontramos". A ellos no les importaba si la ropa combinaba o si tenían que tomar una prenda del montón de la ropa sucia. Los chicos se limitan a ponerse "lo primero que encuentran".

Nos reímos mucho, especialmente mi esposa. Una vez más el humor hizo desaparecer la contención que había en el ambiente y la situación terminó por convertirse en una experiencia agradable que al mismo tiempo nos enseñó un poco más sobre las diferencias entre muchachos y chicas.

Aquella hija me escribió la siguiente carta:

Querido papá:

No he hecho esto durante mucho tiempo, pero espero poder recordarlo con más frecuencia. Quiero decirte lo mucho que significas para mí, cuánto me enseñas. También estoy agradecida por lo bien que conoces las Escrituras que compartes con nosotros. Aprendo mucho cuando las leemos gracias a ti. Verdaderamente espero poder encontrar un esposo que sea como tú. Te quiero mucho. Espero que tengas un buen viaje. Me encanta saber de tus viajes. ¡Adiós!

Todos necesitamos que se nos recuerde que gran parte de nuestros problemas no son sino pequeños, y que muchos de ellos tienen el potencial de convertirse en grandes, a menos que los tratemos de la manera correcta. Permanezcamos cerca de nuestros hijos y enseñémosles a evitar la contención, y entonces no habrá disputas sino amor en el hogar.

## OFREZCA SU AMOR A LOS DEMÁS

Uno de los grandes beneficios de servir es enseñar a las personas a dar más de sí mismas, a no ser egoístas, a ayudar al prójimo y rendir servicio cristiano. Debemos buscar a las personas necesitadas, debemos ser prestos para responder a las necesidades de los miembros de la familia y otros que puedan tener impedimentos físicos, enfermedades y necesidades emocionales o mentales especiales.

Cuando ponemos en práctica los principios verdaderos del servicio cristiano, nuestra compasión se extiende más allá de nosotros mismos. Entonces crece nuestro amor por los demás y por Dios. Puede que en todo el Nuevo Testamento no haya otro mensaje más poderoso que el del amor que Jesús tenía por las personas. Siempre dio el ejemplo de ministrar a los demás sin importar qué otra cosa estuviera haciendo en ese momento. Si nosotros vamos y hacemos de igual modo, y ministramos a nuestro prójimo con amor, la gente percibirá el espíritu de Cristo en nosotros y seguirán nuestra guía por motivo del amor que tenemos por ellos.

Aunque las actividades recreativas son importantes, el experimentar amor y gozo divinos puede hacer que nuestra familia se acerque más al Señor que de ninguna otra manera. Si las familias quieren experimentar ese amor, deben cultivar el espíritu de los siguientes pasajes:

> Lo que será de mayor valor para ti será declarar el arrepentimiento a este pueblo, a fin de que traigas almas a mí, para que con ellas reposes en el reino de mi Padre (D&C 15:6).

> ¡Y cuán grande es su gozo por el alma que se arrepiente! Así que, sois llamados a proclamar el arrepentimiento a este pueblo. Y si acontece que trabajáis todos vuestros días proclamando el arrepentimiento a este pueblo y me traéis aun cuando fuere una sola alma, ¡cuán grande será vuestro gozo con ella en el reino de mi Padre! Y ahora, si vuestro gozo será grande con un alma que me hayáis traído al reino de mi Padre, ¡cuán grande no será vuestro gozo si me trajereis muchas almas! (D&C 18:13–16).

No hay mayor gozo que el de colaborar en la salvación de un alma. Esto no se limita a dar a conocer el Evangelio a alguien que no sea miembro de la Iglesia o a ayudar en el perfeccionamiento de un Santo. A veces podemos traer personas a Cristo por medio de cosas muy pequeñas, como el animar a alguien, visitar a quien esté enfermo, compartir una sonrisa o un abrazo, ser un buen oyente, animar a un niño, etcétera. A mi juicio, todo acto pequeño de amabilidad forma parte de traer un alma a Cristo.

Cuando usted actúe como hizo Cristo con las demás personas, éstas le verán a Él en usted y desearán seguir las instrucciones y enseñanzas que usted les dé. Verdaderamente no hay mayor gozo que llevar felicidad a los demás y ayudarles a salvar su propia alma. Este principio básico de amor debe ser el punto principal de las enseñanzas y el ejemplo que demos a nuestros hijos si deseamos educarles de manera celestial.

El presidente David O. McKay enseñó que el amor contribuía a que los hogares fuesen más permanentes y duraderos: "Los hogares son más estables gracias al amor. Hagamos entonces que éste abunde. Aunque ustedes carezcan de algunos aspectos materiales, estudien, trabajen y oren para preservar el amor de sus hijos. Establezcan y aparten siempre un tiempo para estar con su familia. Permanezcan cerca de sus hijos. Oren, jueguen, trabajen y adoren juntos. Éste es el consejo de la Iglesia" (*Family Home Evening Manual*, 1968–1969, pág. iii).

Sí, hagamos que el amor abunde en nuestro hogar, y dejemos entonces que se extienda por nuestros vecindarios para bendición de nuestro prójimo.

## LOS DONES TEMPORALES DEL AMOR

La única manera de adquirir estos atributos es hacer que nuestros hijos los experimenten, y el mejor lugar para practicarlos con ellos es el hogar, bajo la dirección de los padres. Con el paso de los años hemos ido descubriendo que fijarse algunas metas en cuanto a quién y cuándo podríamos ayudar en nuestro vecindario, nos ha sido de gran ayuda. Hemos empleado muchas de las actividades de las noches de hogar, y seguro que usted también, para salir y servir de modo tal que pudiéramos experimentar más gozo y, quizás, un poco menos de entretenimiento. Ha sido grato poder planear por adelantado a quién podríamos ayudar y sentir así la gratitud de los demás.

## LA RETIRADA DE NIEVE

Hace algunos años, durante el día de Acción de Gracias, cuando nuestros hijos eran pequeños, hubo una buena tormenta de nieve en Utah, donde vivíamos. A mí particularmente no me gusta la nieve, en especial cuando está en la entrada del garaje. Esa mañana miré por la ventana y vi que había unos treinta centímetros de nieve. Reuní a dos de

mis hijos, de siete y cinco años de edad, y les convencí de lo felices que serían al ayudar a su padre a retirar toda esa nieve. Como usted sabe, eso requiere algo de trabajo, pero los padres podemos hacer que éste sea divertido. De hecho, el trabajo realmente útil es una de las verdaderas fuentes de felicidad. Los llevé conmigo y retiramos la nieve de toda la entrada.

Al concluir teníamos frío y estábamos listos para volver a casa, pero descubrí un momento apropiado para la enseñanza, por lo que dije: "Me pregunto si no deberíamos retirar la nieve de la entrada de Bill, nuestro vecino".

Me alegré cuando uno de los pequeños dijo: "Me parece bien, papá". El otro dijo: "Tengo frío".

Intentando sacar partido de este momento de enseñanza, dije: "Me pregunto cómo se sentiría Bill esta mañana si abriera la puerta y viera toda la entrada limpia de nieve". Entonces mi otro hijo captó por dónde iba el asunto y dijo: "Estaría muy feliz, ¿verdad?".

Ése era el momento apropiado para decir: "Bueno, ¿qué es lo que nuestro Padre Celestial desea que hagamos?".

Él respondió: "Creo que querría que le limpiásemos la entrada". Cuando terminamos, estábamos cansados, y el hijo más joven dijo: "Llamemos a la puerta y digámosle a Bill lo que hemos hecho". Este joven quería tener un pequeño momento de reconocimiento, ¿verdad?

De nuevo había otra buena oportunidad para enseñar y entonces dije: "No, creo que sería mejor si no le dijéramos nada y le diéramos una sorpresa. A nuestro Padre Celestial le gusta que hagamos las cosas de manera anónima". Tuve que explicarle el significado de esta última palabra: es decir, hacemos las cosas sin que nadie sepa que las estamos haciendo. Supe de inmediato que mi otro hijo había captado mi intención y dijo: "Bueno, ¿y qué tal la entrada de los Smith?". Antes de terminar la mañana habíamos limpiado la entrada de otras tres familias.

Entramos en casa con gran satisfacción para contarle a mamá todo lo que habíamos hecho. Tomamos chocolate caliente, nos reímos y gastamos bromas sobre lo cansados que estábamos, el frío que habíamos pasado y lo bien que nos sentíamos por dentro.

Durante la hora siguiente recibimos dos o tres llamadas dándonos las gracias por lo que habíamos hecho. Especialmente nos reímos cuando una de las personas nos dijo: "No me lo explico. Esta mañana había tres ángeles en nuestro vecindario. No estoy seguro de sus nombres, pero eran verdaderos ángeles que hicieron lo que habría hecho el Señor de haber estado aquí. Si alguna vez los ven, por favor, denles las gracias de nuestra parte".

Aquel día nos sentimos muy dichosos, pues disfrutamos de algunos de los sentimientos que el Señor nos promete cuando hacemos el bien. Estos hijos experimentaron la dicha que recibe el corazón al hacer algo bueno de manera desinteresada y que posteriormente sale a la luz. En cierta forma, retirar la nieve de aquellas entradas fue algo pequeño. Lo que nuestros vecinos apreciaron más fue el detalle amable.

El presidente Joseph F. Smith dijo:

> Permitan que el amor, la paz y el Espíritu del Señor, la amabilidad, la caridad y el sacrificio por

los demás abunden en sus hogares. Prohíban la
entrada a las palabras duras, la envidia, el ocio, la
crítica, el lenguaje obsceno, la blasfemia, y permi-
tan que el Espíritu del Señor tome posesión de sus
corazones. Enseñen estas cosas a sus hijos con espíritu y poder, apoyándose y fortaleciéndose
mediante su puesta en práctica. Háganles saber que
ustedes son serios, y practiquen lo que predican.
No lleven a sus hijos a especialistas en estas mate-
rias, sino enséñenles mediante el precepto y el
ejemplo de ustedes, en su propio hogar. Sean ustedes especialistas en la verdad (*Gospel Doctrine*,
pág. 302).

Lo más divertido de enseñar la doctrina a sus hijos es
ponerla en práctica. El poder ver el crecimiento, el desarrollo y la alegría que sienten a medida que aprenden los principios que usted ha aprendido, es una gran felicidad.

## UN BUEN SAMARITANO EN MÉXICO

Conozco a un buen samaritano que caminó la segunda
milla para ayudar a un completo extraño y de ese modo
demostró que era un discípulo de Cristo. Es a través de los
actos de amabilidad que las personas llegan a saber que
somos Sus discípulos. Un presidente de misión me contó la
siguiente experiencia:

Ricardo, mi primer consejero, es dueño de un
negocio de maquinaria, el cual estaba pasando por
un mal momento económico. El negocio iba despacio, los intereses eran elevados, y él estaba realmente afligido por las responsabilidades y temía
verse obligado a declararse en bancarrota. Se había
estado esforzando sin éxito durante dos años para
obtener un contrato de una compañía que le pro-
porcionase más trabajo. Nuestra conversación fue
más o menos así:

"Presidente, ¡estoy tan feliz! ¡Me siento tan
bien! ¡No puedo explicarle lo feliz que me siento!".

"Ricardo, ¿qué ha pasado?".

"¿Recuerda aquel hombre de la compañía con la
que he intentado conseguir trabajo?".

"Sí".

"Me llamó el otro día porque su esposa le preguntó cómo nos iba y él no supo qué decirle. Le dije que no le había llamado porque estaba muy ocupado intentando encontrar trabajo. Entonces me preguntó si todavía necesitaba trabajar y yo le dije que sí. Luego nos pusimos a hablar de otras cosas.

"Presidente, me llamó la semana pasada y me hizo un pedido que me mantendrá ocupado doce horas diarias durante tres meses. Se trata de una especie de prueba para ver si realmente podemos hacernos cargo del trabajo. Si podemos hacerlo, nos ha prometido mantener una máquina funcionando todo el tiempo. ¡Presidente, mis empleados están de acuerdo y sé que podremos hacerlo! Con este pedido podré reponer el camión que vendí el otro día. Soy muy feliz y me siento muy bien".

Entonces comenzó a explicarme que tendría que viajar a Ciudad de México esa misma noche, para llegar a eso de las dos de la mañana, para hacer los arreglos para los materiales que necesitaba. Le advertí de los peligros de conducir de noche por esas autopistas y del riesgo de quedarse dormido al volante, pero él me aseguró que todo estaría bien. "Tengo mucha energía y ánimo", me dijo. "Estaré bien".

¿Energía? Esta palabra me llevó a recordar una reunión de consejo de área a la que había asistido el día anterior en Ciudad de México. Así que le pregunté: "Ricardo, ¿qué es la motivación divina? ¿Qué es lo que hace que el Señor esté disponible en cada momento para escuchar y perdonar?"

Respondió sin dudar: "El servir a los demás", las mismas palabras que nos habían sido enseñadas en la reunión espiritual del día anterior. Me quedé tan sorprendido por su inmediata y exacta respuesta, que la única cosa que pude articular fue: "¿Por qué dice eso?"

Entonces me contó el siguiente relato:

"Estaba tan hundido, me sentía tan rechazado, tan desanimado por los negocios, las obligaciones financieras, los compromisos, las necesidades de mi familia y de mis empleados, que acudí al Señor como jamás lo había hecho. Me humillé y realmente le derramé mi corazón.

"Confesé mis pecados, expresándole que en realidad no estaba confesando nada puesto que Él lo sabía todo; pero aun así le pedí perdón y le hice ciertas promesas. Tuve una excelente experiencia con el Señor.

"A los pocos días, cuando regresaba a casa, vi a unas personas que parecían tener problemas. Había un pequeño grupo de gente y me detuve a investigar. Averigüé que un camión habría atropellado a un niño de diez años llamado Miguel mientras él y su familia estaban recogiendo cartones de los contenedores de basura.

"Toda la familia estaba allí, pero no sabían cómo se encontraba el niño. Sólo sabían que la Cruz Roja se lo había llevado y que estaba inconsciente.

"Viendo que no tenían medios para ir con su hijo, les llevé en mi camión y fuimos a la Cruz Roja. No nos dejaron entrar, pero me escabullí y pude escuchar al médico. Le oí decir que no había esperanza: Tenía el cráneo fracturado y huesos rotos por todas partes. Estaba literalmente aplastado. El médico dijo que no podían hacer nada. Pregunté si había alguien que pudiese hacer algo y él respondió que probablemente el programa de la Seguridad Social del gobierno.

"Pasé casi el resto del día intentando que la Seguridad Social se hiciese cargo al permitirme contratar al padre y pagar sus contribuciones de impuestos, cualquier cosa con tal de que se hicieran cargo del niño, pero rechazaron todos los intentos. Pregunté en la Seguridad Social si habría algún médico particular que pudiera ayudar al niño y me dijeron que posiblemente un neurocirujano podría hacer algo por él.

"Fui a ver al neurocirujano, quien me dijo que era muy caro, y me preguntó si yo era tío del muchacho.

"Le contesté: 'No, ni siquiera lo conozco, pero correré con los gastos. Haga lo que pueda'.

"Él respondió: 'Siendo así, podemos hacerlo de cierta manera que no le resulte muy costoso'.

"Acordé pagar al neurocirujano, pero estaba gastando un dinero que ni siquiera tenía. Mi esposa me preguntó qué estaba pasando, así que le conté lo sucedido. Ella me entendió y me apoyó en todo momento. Tuve que vender el camión y algunas otras cosas, pero presidente, ¡el chico se va a poner bien! Está respondiendo bien al tratamiento. ¡Presidente, se va a recuperar!".

Mientras le escuchaba, descubrí una vez más que:

1. Nuestras aflicciones nos hacen descender al polvo de la humildad.
2. Entonces abrimos nuestro corazón al Señor.
3. Él prueba nuestra fe.
4. Nos bendice más allá de nuestras expectativas.

¿No es increíble? He aquí un relato moderno de un buen samaritano, un hombre que encuentra a alguien totalmente extraño accidentado en la carretera y vende su propio camión para pagar la operación. Por experiencia propia sé cómo el Señor bendijo a ese hombre en tan poco tiempo en su negocio y le dio la oportunidad de comprar otro camión. Ciertamente, ese hecho enseñó a la familia de aquel muchacho, y a todos los que supimos de él, lo que significa ser un verdadero discípulo de Cristo.

Hay muchos dones temporales de amor, entre los que se pueden contar el dinero en efectivo, una Navidad especial para una familia necesitada, 40 kilos de habas o de trigo en la puerta de alguien, etc.

También mi familia ha recibido con frecuencia el servicio amoroso de otras personas. Nunca olvidaré la ocasión en que un desconocido llamó a un sastre y me pagó un traje nuevo. Nunca he sabido la identidad del discípulo del Señor que nos ayudó en un momento de necesidad. Ruego que siempre demos lo mejor de nosotros mismos para actuar de igual modo y ser así verdaderos discípulos de Jesucristo.

## LOS DONES ESPIRITUALES DEL AMOR

También podemos dar otros dones significativos que son de naturaleza espiritual y proceden directamente del Señor, aunque también nosotros podemos ser un instrumento en Sus manos para proporcionarlos.

En una ocasión yo era la Autoridad General visitante a una conferencia de estaca en Montana. Tras las actividades y reuniones de esa tarde, el presidente de la estaca, su esposa y yo estuvimos conversando durante casi una hora. Habían estado pasando por verdaderas dificultades, especialmente de carácter económico, y no estaban seguros de qué hacer. Compartimos algunos pasajes de las Escrituras, testimonios y relatos, y pasamos un buen rato juntos.

Esa noche, antes de dormir, tuve un interesante sentimiento mientras oraba. Percibí que el presidente de estaca debía recibir una bendición del sacerdocio. Pensé si debía ir y dársela en ese mismo momento, mientras disfrutaban del espíritu de la velada, o si debía hacerlo a la mañana siguiente. Opté por hacerlo por la mañana y me fui a la cama.

A la mañana siguiente todavía estaba vacilante respecto a darle una bendición. No estaba seguro de si iba a quererla, pero la impresión parecía fuerte en cuanto a que realmente debía recibirla. Hice a un lado lo que había planeado hacer esa mañana, me vestí y bajé para encontrarle en la cocina con su familia.

Me lo llevé aparte y me ofrecí a darle una bendición del sacerdocio. Pareció bastante sorprendido; no se mostraba reacio pero parecía estar pensando si realmente la necesitaba. Llamamos a la familia e hicimos una oración. Entonces le di una bendición de ánimo y consuelo para ayudarle a sostener a su familia en los momentos difíciles por los que estaba pasando.

Después de la bendición su esposa estaba llorando. Fui a tomar mi maletín para que pudiésemos ir a las reuniones y cuando regresé me dijo (su esposa no podía hablar causa de la emoción) que, sin que yo ni su esposo los supiésemos, ella había estado orando toda una semana para que la Autoridad General pudiese percibir la necesidad de una bendición y se la diese a su esposo.

Más tarde me comentó: "Nunca se me ocurriría molestar a una Autoridad General para pedir una bendición para mí ni para mi esposo. Ni siquiera quise molestar a mi esposo sugiriéndole que debería recibir una bendición. Pero oré para que, si estaba bien, la Autoridad General percibiera la necesidad y le diese una bendición".

Entonces salimos para las reuniones del domingo por la mañana. Llamé a ciertas personas de entre la congregación para compartir sus testimonios y cuando estábamos a punto de terminar, le pregunté al presidente de estaca si su esposa había testificado recientemente en una conferencia. Dijo que nunca lo había hecho, así que la llamamos y ella compartió un hermoso testimonio que conmovió a todos los presentes.

Mientras el presidente me llevaba al aeropuerto, me dijo: "Mi esposa no se lo diría, pero usted debe saber que hace tres días me comentó que tenía la impresión de que iba a ser llamada para hablar en la conferencia. Ciertamente tengo una esposa fiel. Resulta evidente que el Señor obra a través de Sus siervos".

En esa estaca había una gran cantidad de amor que emanaba de las personas, especialmente del presidente, su esposa y su familia. Me sorprende la manera en que el Señor hace que Su pueblo y Sus siervos respondan a necesidades reales.

¡Qué gran regalo de fe dio aquella mujer a su esposo! Él tenía una necesidad real, la cual desconocía o puede que no quisiera ser lo suficientemente humilde como para pedir ayuda. Su esposa, a través de su rectitud, influyó tanto en su esposo como en mí. Alguien sabio dijo: "Al grado que una madre sea espiritual, así será su familia". Ése fue ciertamente el caso de aquella buena mujer.

Podemos ver que si estos de padres enseñan sobre los

poderosos efectos del amor, sus hijos aprenderán rápidamente de su ejemplo.

## EL DON DEL SEÑOR: LA CURACIÓN DE UN HOMBRE FIEL

A veces el Señor ministrará a Su pueblo a través de uno de Sus siervos, aunque el siervo no lo sepa. Del mismo modo, el Señor bendecirá al que tenga necesidad en la manera en que Él escoja hacerlo.

Hace unos pocos años, mi esposa y yo asistimos a una conferencia de estaca en una ciudad de Guatemala. En aquella ocasión yo tenía tres costillas fracturadas y durante la reunión el presidente de estaca habló a la congregación sobre mi condición y les pidió que me permitiesen irme sin los acostumbrados abrazos y apretones de mano. Los miembros fueron muy considerados e hicieron lo que se les pidió.

Sin embargo, cuando estaba a punto de salir de la capilla y a sugerencia de mi esposa, me di la vuelta y me dirigí a la parte delantera del salón. Me acerqué hasta el hermano que había dirigido el coro, le di la mano y le agradecí por la música. Derramamos algunas lágrimas y nos despedimos con un abrazo, y entonces me fui.

Un año más tarde volvimos a asistir a una conferencia de estaca en la misma ciudad, y aquel mismo hermano se acercó a mí y me dijo que el breve encuentro del año anterior había cambiado su vida. En la primera conferencia de estaca, él padecía de una enfermedad en la columna vertebral que le había causado ciertos estados de parálisis. No podía caminar más de un paso o dos sin las muletas y sin sentir un dolor inmenso. De hecho, llevaba las muletas mientras dirigía el coro. Cuando nos dimos la mano, percibió cómo el Espíritu del Señor pasaba a través de él y le llenaba de un sentimiento cálido y maravilloso.

Me dijo que había salido de la capilla hacia el pasillo, donde se encontró con el presidente de misión y sólo entonces se dio cuenta de que había caminado aquella distancia sin la ayuda de las muletas. Antes no habría estado en condiciones de dar más de dos pasos sin sentir gran dolor. Y no sólo había caminado sin las muletas sino que también había caminado sin dolor.

Dijo todo asombrado: "¡He olvidado las muletas!"

El presidente de misión añadió: "Bueno, si ha llegado hasta aquí sin ellas, olvídelas; ya no las necesita".

El buen hermano me dijo que de algún modo, cuando nos dimos la mano el año anterior, el Señor le había sanado, y nunca, desde entonces, había vuelto a necesitar las muletas. Él estaba muy emocionado mientras me contaba el relato y me testificó que su curación procedía del Señor.

Ciertamente, el Señor derrama Su amor sobre quien desea. Aquel hombre debe haber sido lo suficientemente digno y tenido bastante necesidad como para que el Señor lo sanase en un instante y de manera muy poco frecuente. Vuelvo a preguntar: ¿Acaso no nos ha dado el Señor a cada uno grandes dones de amor, y no debemos nosotros hacer lo mismo con los demás?

## UN HOMBRE SOLITARIO EN MÉXICO

Cuando vivíamos en México conocimos a un hombre a quien llamaré hermano Clark, un americano que había vivido en dicho país durante mucho tiempo y tenía más de 80 años de edad. Puede que debido a que no tenía familia ni seres queridos, se hubiese convertido en una persona excéntrica con la que resultaba difícil relacionarse. También es posible que debido al amor de mi esposa, pudiera vencer esa actitud, y tras un cierto número de visitas finalmente le invitó a venir a cenar a nuestra casa.

Él aceptó con gusto, con la condición de que pudiera llevar consigo su tablero de ajedrez y jugar unas partidas con mis hijos y conmigo. Tuvimos una cena deliciosa y disfrutamos de su visita. Había pasado por ciertas pruebas graves en la vida, algunas de las cuales compartió con nosotros en esa primera noche. Tras la cena jugó al ajedrez conmigo y con mi hijo simultáneamente, y nos ganó a los dos. Sin duda alguna la mente del hermano Clark estaba todavía muy activa. Cantamos, hablamos, oramos con él y disfrutamos de una agradable velada.

Después de acompañarle de regreso a su casa, nos llamó por teléfono y dijo: "Hermano Cook, quiero que sepa que ésta fue la mejor noche que he pasado con una familia en toda mi vida. Había olvidado que había familias como la suya, y quiero que sepa que nunca olvidaré esta velada". Tras colgar, compartí sus comentarios con la familia; todos estábamos muy emocionados. Ya antes habíamos amado al hermano Clark, pero ahora lo amábamos mucho más.

Nos entristeció que pensase que aquella sencilla noche hubiese sido una de las más grandes veladas de su vida. Quizás eso nos ayudó a intentar estar más cerca de él en las semanas y meses siguientes.

Vino a cenar y nos visitó en numerosas ocasiones. Durante esta época no fue a la iglesia pero permitió que los presbíteros y diáconos le llevasen la Santa Cena a su casa.

Finalmente llegó el momento en que tuvimos que regresar a los Estados Unidos y a poco de hacerlo, nos llegaron noticias de que el hermano Clark estaba asistiendo a las reuniones de la Iglesia. Más o menos un mes después oímos que este hermano iba a discursar en la reunión sacramental, y al poco tiempo se había convertido en un miembro de la Iglesia plenamente activo.

Meses más tarde llegaron las tristes noticias de que el hermano Clark había fallecido, mas cuán felices nos sentimos al saber que con nuestra ayuda y la de otros buenos Santos que le amaron, él se humilló y se volvió al Señor. Él contó sus bendiciones y nosotros contamos las nuestras gracias al amor que Dios compartió con todos nosotros.

## UN DON DE AMOR Y PAZ
## GRACIAS A UN ABRAZO

Nunca olvidaré otra experiencia que tuvo lugar en México. Había ido a una conferencia de estaca y tuve las reuniones habituales. Durante la sesión general del domingo por la mañana, el joven presidente de estaca se puso en pie y dijo: "Quiero contarles la gran lección que he aprendido del élder Cook".

Empecé a darle vueltas a mi cabeza preguntándome qué iba a decir. "¿Qué aprendió?", me preguntaba. "¿Fe? ¿Arrepentimiento? ¿Servicio? ¿Doctrina?"

Esto fue lo que dijo: "Había oído que al élder Cook le gusta que las cosas se hagan con exactitud y de manera ordenada. Yo sabía que él quería ver los resultados del incremento de asistencia a las reuniones, de enviar a los jóvenes a la misión, de ayudar a las personas a pagar un diezmo íntegro, etc. Estaba bastante preocupado durante los días previos a esta conferencia. Había estado dándole vueltas al asunto durante cuatro o cinco noches y no pude dormir muy bien. Quería que todo fuese exacto.

"Cuando el sábado por la tarde la Autoridad General entró en el edificio y se dirigió hacia mí, la ansiedad se me multiplicó por cien. Para cuando llegó hasta donde yo estaba, me encontraba hecho un flan, aunque estoy seguro de que él no se dio cuenta. Me dio la mano y me saludó, y entonces se giró por un instante, puso el maletín en el suelo, extendió sus brazos y me dio un cálido abrazo.

"Testifico que toda mi ansiedad desapareció y fue reemplazada por el Espíritu del Señor. Sentí el amor que el Señor y este buen hermano tienen por mí. Testifico que quizás el mayor bien que podamos hacer los unos por los otros es amarnos". Ese buen presidente de estaca continuó con la enseñanza de una poderosa lección sobre amar y ministrar a los demás.

Qué amable fue el Señor con él y conmigo al permitirnos experimentar ese amor. Ruego que cada uno de nosotros haga de igual manera para administrar los dones del amor espiritual a las personas.

## UN DON DE AMOR PARA UNA FAMILIA ESPIRITUALMENTE INDECISA

Hace unos pocos años, en Ciudad de México, los poseedores del sacerdocio habían estado visitando el hogar de los menos activos con resultados tremendos. Mi esposa, dado que era miembro de la mesa general del área, comenzó a enseñar a las maestras visitantes sobre cómo ser verdaderas pastoras y cómo invitar a una porción mayor del Espíritu del Señor en sus visitas.

Me acompañó a una conferencia de estaca a la que me habían asignado asistir, durante la cual se fue con una presidenta de la Sociedad de Socorro a realizar algunas visitas, y con gran éxito. A la mañana siguiente, y como resultado de sus visitas, asistieron a la sesión del domingo dos familias menos activas y una recién bautizada. Todos estábamos llenos de amor al ver la respuesta de esos Santos hacia el Señor y Sus siervos, incluidas las dos buenas hermanas que habían realizado las visitas.

Aproximadamente un año más tarde, en una parte diferente de la ciudad, me encontraba enseñando a un grupo de hermanos del sacerdocio sobre cómo hacer tales visitas. Hacia el final de la reunión, cuando íbamos a salir para visitar a las familias, un hombre me preguntó: "¿Me conoce?".

"No lo creo, hermano", le contesté.

Él dijo: "No se preocupe. Usted nunca me visitó". Sonrió y continuó: "Pero su esposa sí lo hizo".

Entonces recordé que él era el padre de la familia recién bautizada a la que mi esposa había visitado el año anterior.

Me dijo: "¿Me permite que le diga un secreto? Mi esposa, mis hijos y yo habíamos decidido, la semana misma que su esposa vino a visitarnos, que íbamos a dejar la Iglesia. Alguien del barrio nos había ofendido y adoptamos la firme decisión de que nos apartaríamos de la fe para nunca volver.

"Le testifico, hermano Cook, que su esposa nos tocó con el Espíritu del Señor. Sentimos el amor de Dios en ella. Sentíamos que el Señor nos hablaba por medio de ella y nos estimuló en el recuerdo de Dios, de nuestras ordenanzas y compromisos con Él. No estaríamos hoy aquí de no haber sido por ella".

Y entonces añadió con una sonrisa: "Le encantará saber que la semana pasada fui llamado a formar parte de un obispado. Por ese motivo me hallo hoy aquí, en esta reunión, para aprender acerca de cómo hacer estas visitas. ¡Cuánto deseo ahora que hubiese prestado mayor atención durante la visita de su esposa! Quisiera saber mejor lo que ella hizo para llevarnos el Espíritu con tanta fuerza".

## LAS NECESIDADES DE LOS ANCIANOS

Hace algún tiempo decidimos como familia que dedicaríamos muchas de nuestras noches de hogar a servir a los demás. Una noche visitamos un hogar de ancianos cercano a nuestra casa. Hablamos con la enfermera jefe y le preguntamos si había alguien que no había recibido visitas durante mucho tiempo. Por su expresión supimos que estaba pensando: "Hay como un centenar. ¿Cuáles quiere?". Pero se limitó a darnos el nombre de dos o tres personas.

Visitamos a una mujer llamada Joyce y a una señora alemana de nombre Louise. Ambas tenían más de 70 años. Joyce apenas podía levantar la cabeza de la almohada.

Les dimos la mano y pudimos ver que, aunque sorprendidas por nuestra visita, se sentían bien de que estuviésemos allí. Les dijimos que habíamos pasado para decirles que las amábamos y ver si podíamos servirles de alguna manera.

Joyce nos habló de sus problemas, de las dificultades que tenía con la espalda. Louise nos habló de sus hijos y nos mostró una foto de ellos. Estábamos considerando qué hacer y después de hablar un rato sugerí que podíamos cantar una canción antes de irnos. Mi esposa dijo muy inspirada: "Cantemos 'You Are My Sunshine' ('Eres mi rayo de sol')". Cuando toda la familia comenzó a cantar, las dos mujeres se echaron a llorar. Creo que no les habían dicho por mucho tiempo que las amaban.

Joyce estaba tan emocionada que se sentó en la cama. Les gustó mucho nuestra canción. Había algunas personas en el pasillo que se acercaron para ver lo que estaba ocurriendo. Louise estaba especialmente emocionada y le pregunté: "¿Sabe usted alguna canción que podamos cantar?".

Dijo: "Conozco una alemana". Y entonces cantó para nosotros una hermosa canción de cuna en alemán. Tenía una voz hermosa y no hace falta decir que no sólo ellas estaban emocionadas sino que también el Espíritu nos tocó a nosotros. Podía percibir que algo estaba ocurriendo en nuestro corazón.

Cuando el resto de la familia se dirigía hacia la entrada, uno de mis hijos y yo fuimos a otro cuarto y visitamos a una mujer que se encontraba sentada en una silla de ruedas. La tomé de la mano, la saludé y le dije que habíamos pasado a ver cómo estaba. Ella asió fuertemente mi mano y no la soltó. Me preguntó por qué estábamos allí y si realmente la amábamos. Le dijimos que sí y que era muy guapa.

Otra mujer que estaba en el cuarto comenzó a hablarnos mientras se cepillaba el cabello. Estas mujeres solitarias no podían sobreponerse al hecho de que hubiésemos ido a visitarlas. Mientras estábamos allí, le gasté una broma a mi hijo al intercambiar su mano por la mía con la de la mujer en la silla de ruedas, quien la agarró fuertemente, quedando yo libre. Allí estaba él, prisionero de aquella mujer que no le soltaba la mano. Todos nos echamos a reír. Ellas no querían que nos fuésemos. Mi hijo me miraba como pidiendo ayuda, pero yo me limité a sonreír.

Cuando regresamos al recibidor, había una mujer que estaba silbando, así que le dijimos: "Señora, silba muy bien. Silbe una canción para nosotros". Ella silbó varias canciones de manera muy hermosa; silbaba mejor que cualquiera de nosotros.

Me emocioné al ver a mi esposa arrodillada al lado de una mujer que estaba en una silla de ruedas y que no podía hablar. Le estaba acariciando la mano y hablaba con ella. Y ésta estaba tan conmovida que, aunque no podía hablar, resultaba evidente que estaba recibiendo el amor de mi esposa. Yo pensé para mí: "Acabo de ver a un ángel. Hay un ángel de verdad arrodillado al lado de esa mujer necesitada. Verdaderamente mi esposa es una persona cristiana".

En una visita anterior a esta residencia de ancianos, cuando estábamos a punto de salir, vi a una mujer en una silla de ruedas y le dije a uno de mis hijos: "Vamos, digámosle adiós a esa señora". Estaba en una esquina oscura y no nos habíamos percatado de ella. Nos acercamos, la tomamos de la mano y le dijimos que sólo queríamos expresarle nuestro amor, y le preguntamos si podíamos ayudarle en algo.

Ella contestó: "Ah, gracias por darse cuenta de mí. Gracias por darse cuenta de mí. Gracias por darse cuenta de mí"— tres veces seguidas. Y añadió: "Estoy completamente sorda y no puedo oír nada de lo que me dicen, pero gracias por darse cuenta de mí". Creo que el simple hecho de tomarle de la mano nos hizo sentir que estábamos actuando como habría hecho el Salvador de haber estado allí.

Ruego que el Señor nos bendiga a cada uno de nosotros para que nos comprometamos de todo corazón a dar más, a olvidarnos de nosotros mismos, a extender a los demás los santos y sagrados dones que Cristo dio. Ruego que tengamos Su ejemplo siempre presente, que enseñemos con poder y convicción, no sólo en nuestras propias palabras sino a través del poderoso ejemplo que damos allí a donde vamos.

No puedo dar suficiente énfasis a la necesidad que los padres tienen de dar ejemplo a sus hijos en estos asuntos para luego, tanto padres como hijos, dar el ejemplo a otras familias. Todos nosotros, hijos y padres por igual, aprendemos mejor a través del ejemplo.

Testifico que los principios del Evangelio, los principios del amor, son verdaderos. Creo que todos estamos luchando por llegar a saber cómo ponerlos en práctica. Parece que nadie tiene todas las respuestas, pero recuerde el gran ejemplo que nos dio Jesús mediante Sus obras. Si lo estudian, encontrarán las respuestas en cuanto a qué hacer.

En muchas ocasiones, nuestra mayor dificultad para servir a los demás es tan simple como decidir cuándo y a quién acudir. Quizás pueda ser útil asignar a uno de sus hijos durante varias semanas o meses como coordinador de los proyectos de servicio de la familia. Puede que nosotros reconozcamos mejor las necesidades que ese hijo, pero aún así podría ayudarnos a planear las cosas para que podamos prestar servicio.

Las experiencias de servir a los demás ayudarán a los jóvenes a prepararse para el verdadero servicio que tendrán que prestar en el futuro y, especialmente, a servir como misioneros regulares. Además, estas experiencias llevarán más amor a su propia familia. Los celos, el negativismo y la crítica se harán a un lado, y el amor reinará en el hogar a medida que sus hijos aprendan a servir no sólo a las personas ajenas a la familia, sino a servirse de igual modo entre ellos mismos.

El presidente Joseph F. Smith dijo:

> Entiendo y creo que la ley y el mandamiento más grande de Dios es amar al Señor nuestro Dios con toda nuestra mente, alma y fuerza, y a nuestro prójimo como a nosotros mismos, y que si observamos este principio en el hogar, los hijos se amarán mutuamente; serán amables y serviciales los unos para con los otros, siendo ejemplos del principio de la amabilidad y prestando atención al bienestar de los demás. Bajo estas circunstancias, el hogar se parece mucho más a un pedacito de cielo en la tierra y los hijos criados bajo estas influencias nunca las olvidarán; y aunque puedan estar en lugares difíciles, el recuerdo les llevará de regreso a los hogares donde disfrutaron de esta influencia tan sagrada, y su naturaleza celestial los mantendrá firmes, sin importar las pruebas o tentaciones por las que estén pasando (*Gospel Doctrine*, pág. 295).

Si enseñamos a nuestros hijos a amarse unos a otros, ellos jamás olvidarán estas enseñanzas. Los recuerdos del servicio permanecerán con ellos sin importar las pruebas y las tentaciones que puedan enfrentar en el futuro.

En resumen, sigamos ministrando a los demás,

haciendo el bien a todas las personas. Enseñemos a nuestra familia a disfrutar haciendo el bien, a dar amor por el placer de hacerlo y no como respuesta a un sentimiento de deber. Si todos damos amor de manera libre y anónima, el Señor nos bendecirá enormemente a nosotros y a aquellos a quienes ministremos.

Creo que al final, lo que más importará será el servicio que hayamos dado a los demás.

> Cuando el Hijo del Hombre venga en su gloria, y todos los Santos ángeles con él, entonces se sentará en su trono de gloria, y serán reunidas delante de él todas las naciones; y apartará los unos de los otros, como aparta el pastor las ovejas de los cabritos. Y pondrá las ovejas a su derecha, y los cabritos a su izquierda.
>
> Entonces el Rey dirá a los de su derecha: Venid, benditos de mi Padre, heredad el reino preparado para vosotros desde la fundación del mundo. Porque tuve hambre, y me disteis de comer; tuve sed, y me disteis de beber; fui forastero, y me recogisteis; estuve desnudo, y me cubristeis; enfermo, y me visitasteis; en la cárcel, y vinisteis a mí.
>
> Entonces los justos le responderán diciendo: Señor, ¿cuándo te vimos hambriento, y te sustentamos, o sediento, y te dimos de beber? ¿Y cuándo te vimos forastero, y te recogimos, o desnudo, y te cubrimos? ¿O cuando te vimos enfermo, o en la cárcel, y vinimos a ti?
>
> Y respondiendo el Rey, les dirá: De cierto os digo que en cuanto lo hicisteis a uno de estos mis hermanos más pequeños, a mí lo hicisteis (Mateo 25:31–40).

Ruego que el Señor nos bendiga para que sigamos el gran ejemplo de Cristo al ministrar a todos los necesitados, y que al hacerlo enseñemos a nuestros hijos cómo seguir a Jesús al amar más plenamente a Dios y a nuestro prójimo. Ruego que Él pueda decirnos a nosotros y a nuestra familia: "En cuanto lo hicisteis a uno de estos mis hermanos más pequeños, a mí lo hicisteis".

# NINGUNA SILLA VACÍA

El presidente Ezra Taft Benson solía decir que su mayor propósito en la vida era criar una familia celestial, y quería asegurarse de que, cuando tanto él como su familia fallecieran, no hubiese "ninguna silla vacía" en su hogar celestial. Se refería a que no quería perder ni a uno de sus hijos, sino que haría todo lo posible para contribuir a su salvación, a fin de que tuvieran vida eterna. Para mí éste es un propósito digno de todo padre fiel: Debemos hacer todo lo que esté a nuestro alcance para que no haya "ninguna silla vacía" en el cielo.

Cuando regresemos con nuestro Padre Celestial, a todos nos gustaría oír las siguientes palabras: "Bien hecho, buen siervo y fiel. Entra en tu descanso. Verdaderamente has sido fiel en todas las cosas y ahora serás coronado con gloria, inmortalidad y vida eterna. Has guardado los mandamientos, has pasado la prueba y finalmente has regresado a casa".

Pero, ¿no le gustaría también escuchar palabras semejantes a éstas?: "Todos tus hijos caminan en la verdad. Les has enseñado bien. Les has enseñado en cuanto a la fe en el Señor Jesucristo, el arrepentimiento, las ordenanzas y los convenios, la oración, el estudio de mis santas palabras y todos los demás principios y ordenanzas esenciales de mi Evangelio. Les has enseñado sobre la expiación de Jesucristo y sobre cómo obtener la gracia y el perdón del Señor.

"Consuélate y entiende que, gracias a tu amor, a tus fieles enseñanzas y a tu paciencia con cada uno de ellos, ninguno se perderá. En su debido tiempo, todos ellos estarán contigo en el hogar eterno al que diste comienzo, fortaleciste y nutriste durante tu estancia en la tierra, y volverán para vivir aquí con nosotros por las eternidades. No habrá ni una silla vacía en tu familia. Te amamos por haber amado tanto a tus hijos y a mis hijos, quienes, junto contigo, serán coronados con gloria, inmortalidad y vida eterna".

¡Puede imaginarse la dicha y la satisfacción que sentirá cuando escuche estas palabras? Es un gozo casi imposible de describir.

En resumen, ¿cómo podemos criar una familia celestial? Debemos acudir a Dios y hacer que nuestros hijos también se vuelvan a Él. Debemos ayudarles a que ablanden su corazón y enseñarles por el Espíritu del Señor a guardar todos Sus mandamientos. Debemos enseñarles, por medio del ejemplo, a seguir las impresiones del Espíritu hasta que vayan de regreso a su hogar celestial. Debemos enseñarles la doctrina del reino; pero, por encima de todo, debemos amarlos con todo nuestro corazón.

Los padres pueden llegar a desanimarse o a preguntarse si tanto esfuerzo merece la pena. Algunos padres se preguntan qué esperanza pueden tener para un hijo que no esté viviendo el Evangelio. Mas hay grandes bendiciones que se reciben por haber nacido bajo el convenio o cuando los hijos son sellados a sus padres, al igual que ocurre en los sellamientos entre esposos. El élder Orson F. Whiteny dijo:

> El profeta José Smith declaró —y nunca enseñó una doctrina más consoladora— que el sellamiento eterno de padres fieles, y las promesas divinas recibidas por su valiente servicio en la Causa de la Verdad, no sólo los salvarán a ellos, sino también a su posteridad. Aunque algunas de las ovejas se desvíen, el ojo del Pastor está sobre ellas y, tarde o temprano, sentirán cómo los lazos de la Divina Providencia se extienden hacia ellos para traerlos de regreso al rebaño. Ellos volverán, bien sea en esta vida o en la venidera.
>
> Tendrán que pagar su deuda con la justicia; tendrán que padecer por sus pecados y puede que tengan que recorrer un sendero escabroso; mas si por lo menos todo ello los conduce, al igual que al hijo pródigo, de regreso al hogar y al corazón de padres amorosos y dispuestos a perdonar, esta dolorosa

experiencia no habrá sido en vano. Oren por sus hijos imprudentes y desobedientes; manténganse cerca de ellos por medio de la fe. Tengan esperanza y confíen, hasta ver la salvación de Dios (*Conference Report*, abril de 1929, pág. 110).

El presidente Brigham Young dijo lo siguiente por revelación, haciendo hincapié en el valor del matrimonio eterno, la dignidad y el poder unificador de las ordenanzas selladoras del templo:

> Dejad que el padre y la madre, que sean miembros de esta Iglesia y reino, sigan un camino recto, y se esfuercen con todo su poder en nunca hacer el mal, sino hacer el bien toda su vida; si tienen uno o cien hijos, si se comportan con ellos como es debido, ligándolos al Señor por su fe y oraciones, no importa dónde vayan éstos; están ligados a sus padres por un vínculo eterno, y ningún poder en la tierra o en el infierno podrá separarlos de sus padres en la eternidad; ellos volverán a la fuente de donde nacieron (en Joseph Fielding Smith, *Doctrina de salvación*, 2:84).

Que el Señor nos bendiga para dar lo mejor de nosotros mismos al criar una familia celestial. Creo que en algunos aspectos desconocemos quién es la generación que estamos criando. Muchos de nuestros hijos puede que estén presentes cuando regrese el Señor. Ruego que este deseo de Alma y de Juan por sus hijos sea también nuestro deseo:

> Hijo mío, confío en que tendré gran gozo en ti, por tu firmeza y tu fidelidad para con Dios... Te digo, hijo mío, que ya he tenido gran gozo en ti por razón de tu fidelidad (Alma 38:2–3).

> No tengo mayor gozo que éste, el oír que mis hijos andan en la verdad (3 Juan 1:4).

Que el Señor nos bendiga para que guiemos a nuestros hijos de regreso a Él, para que los amemos, animemos, motivemos y apoyemos. Ruego que nos bendiga para que les dediquemos tiempo, les enseñemos y preparemos para esta vida y, más importante todavía, para la vida venidera.

Que el Señor nos bendiga con el gran don de percibir los pensamientos y las intenciones del corazón de nuestros hijos, y que de este modo seamos capaces de sentir lo que ellos están sintiendo. Que podamos ser bendecidos para percibir cualquier cosa que pueda estar afectando sus respectivas vidas y que, por medio del Espíritu del Señor, podamos colaborar en la exaltación de Sus hijos; para que Su promesa se haga realidad en nuestro papel de padres: "Estaré a vuestra diestra y a vuestra siniestra, y mi Espíritu estará en vuestro corazón, y mis ángeles alrededor de vosotros, para sosteneros".

Ruego que el Señor bendiga a los buenos padres de Sión, incluyendo a los padres que tan valientemente se están esforzando sin la ayuda de un cónyuge por criar una familia celestial. Deseo que esta bendición llegue hasta usted de modo que, cuando cruce el velo, no encuentre ninguna silla vacía en su círculo familiar. Que el Señor nos bendiga a todos en este propósito, es mi humilde oración en el nombre de Jesucristo, amén.

# Índice